RECHERCHES SOCIOGRAPHIQUES
Revue fondée en 1960 par
FERNAND DUMONT (1927-1997)
JEAN-CHARLES FALARDEAU (1914-1989)
YVES MARTIN

publiée par
LE DÉPARTEMENT DE SOCIOLOGIE
Faculté des sciences sociales, Université Laval, Québec, Canada

CORRESPONDANCE GÉNÉRALE
Recherches sociographiques
Département de sociologie
Faculté des sciences sociales
Université Laval
Québec, Canada G1K 7P4
Téléphone : (418) 656-3544
Télécopieur : (418) 656-7390
jacqueline.arguin@soc.ulaval.ca
http://www.soc.ulaval.ca/rechsoc

Dépôt légal (Québec : 2ᵉ trimestre 2001)
ISSN 0034-1282

RECHERCHES
SOCIOGRAPHIQUES

L'objet de *Recherches sociographiques*

Recherches sociographiques est une revue pluridisciplinaire consacrée à l'étude de la société québécoise et du Canada français ;
elle publie des travaux originaux, des notes critiques et des
comptes rendus. Saisir le Québec et le Canada français dans
leurs composantes spatiales, historiques, politiques, économiques, sociales et culturelles, voilà son objet propre. Recherches
sociographiques se veut donc un carrefour, une sorte de place
publique où on analyse, compare, interprète, à la lumière de
diverses traditions scientifiques.

Cette revue est publiée grâce à une subvention
du Conseil de recherches en sciences humaines du Canada.

Nous reconnaissons l'aide financière du gouvernement du
Canada, par l'entremise du Programme d'aide aux publications
(PAP), pour nos dépenses d'envoi postal.

RECHERCHES SOCIOGRAPHIQUES

Mai-août 2001   Volume XLII, numéro 2

MÉMOIRE DE FERNAND DUMONT

Numéro préparé par Jean-Philippe WARREN et Simon LANGLOIS

TÉMOIGNAGES

RELECTURES DE L'ŒUVRE DE FERNAND DUMONT
COMPTES RENDUS

NOTICES BIOGRAPHIQUES

Jacques Beauchemin est professeur au Département de sociologie de l'Université du Québec à Montréal. Il se spécialise en sociologie de la société québécoise, en sociologie de l'éthique et en analyse du discours. Ces dernières années, il a publié plusieurs articles portant sur la production du lien social et les transformations du discours éthique dans la société moderne. Il achève actuellement un ouvrage à portée théorique sur ces questions. Il s'est aussi intéressé récemment aux transformations de la question nationale québécoise dans le contexte de la mondialisation et du passage au néolibéralisme. Jacques Beauchemin a publié, en collaboration avec Gilles Bourque et Jules Duchastel, *La société libérale duplessiste*.

Anne Fortin est professeure de théologie et titulaire de la Chaire Monseigneur-de-Laval pour l'enseignement et la recherche sur l'intelligence de la foi dans la modernité, à la Faculté de théologie et de sciences religieuses de l'Université Laval.

Marcel Fournier est professeur titulaire au Département de sociologie de l'Université de Montréal et directeur de la revue *Sociologie et sociétés*. Membre du Groupe interuniversitaire de recherche sur les arts et la culture et du CIRST, il a publié de nombreux articles et ouvrages sur l'histoire de la sociologie, la sociologie de la culture, la sociologie du système universitaire et la sociologie de la science. Il est l'auteur de la première biographie intellectuelle de Marcel Mauss (Fayard) ; il prépare une biographie collective des Durkheimiens.

Gilles Gagné dirige le Département de sociologie de l'Université Laval, où il est professeur titulaire. Il est membre fondateur de la revue *Société* et du *Groupe interdisciplinaire sur la post-modernité*. Il a publié des travaux sur l'État et sur la théorie sociologique. Il a coordonné récemment la publication de l'ouvrage *Main basse sur l'éducation* et celle du numéro spécial de *Sociétés*, *Le chaînon manquant*, portant sur les mutations du Canada français dans l'après-guerre

Éric Gagnon est chercheur-boursier du CQRS rattaché à la Direction de santé publique de Québec et au Département de médecine sociale et préventive de l'Université Laval. Ses travaux portent sur les pratiques d'aide et de soin, l'éthique, les représentations de la santé et de la maladie, ainsi que sur le statut et les formes de la parole dans la société contemporaine.

Fernand Harvey, PhD en sociologie de l'Université Laval, est professeur-chercheur à l'INRS-Urbanisation, Culture et Société, à Québec, et titulaire de la Chaire Fernand-Dumont sur la culture. Il a débuté sa carrière comme professeur de sociologie à l'Université du Québec à Rimouski en 1973, pour ensuite joindre le nouvel Institut québécois de recherche sur la culture fondé par Fernand Dumont, en mai 1980. L'IQRC a été intégré à l'INRS en 1994. Au cours des récentes années, les recherches de Fernand Harvey ont porté principalement sur l'histoire et la sociologie de la culture, les études régionales et les études québécoises. Il a notamment co-dirigé avec Andrée Fortin *La nouvelle culture régionale* (Sainte-Foy, Éditions de l'IQRC, 1995).

Simon Langlois est professeur au Département de sociologie de l'Université Laval et, depuis janvier 2000, titulaire de la Chaire pour le développement de la recherche sur la culture d'expression française en Amérique à la Faculté des lettres. Il travaille sur l'analyse comparée du changement social et il collabore aux travaux du groupe international *Comparative Charting of Social Change*.

Robert Leroux est professeur adjoint au Département de sociologie de l'Université d'Ottawa. Il a obtenu un doctorat en sociologie de l'Université Laval en 1996 sous la supervision de Fernand Dumont. Ses recherches portent sur l'épistémologie et sur l'histoire de la pensée sociologique française. Il a publié en 1998 un ouvrage intitulé *Histoire et sociologie en France : de l'histoire-science à la sociologie durkheimienne* (Paris, Presses Universitaires de France).

Jean-Philippe Warren est étudiant au doctorat en sociologie à l'Université de Montréal. Il a publié un livre sur Fernand Dumont intitulé *Un supplément d'âme. Les intentions primordiales de Fernand Dumont (1947-1970)*, Sainte-Foy, Presses de l'Université Laval, 1998. Il s'intéresse en particulier à l'histoire de la pensée québécoise au XXe siècle, à la théorie de la modernité et à la sociologie de la connaissance.

PRÉSENTATION

MÉMOIRE DE FERNAND DUMONT

Jean-Philippe WARREN
Simon LANGLOIS

Ce numéro de *Recherches sociographiques* s'imposait. Fondateur de cette revue, avec Yves Martin et Jean-Charles Falardeau, professeur pendant près de quarante ans au Département de sociologie de l'Université Laval, maître à penser de plusieurs générations, directeur d'instituts de recherches dynamiques, conférencier recherché, orateur hors pair, Fernand Dumont continue aujourd'hui d'alimenter les débats publics, d'enrichir les réflexions intellectuelles et d'inspirer les démarches savantes. Son décès survenu le 1ᵉʳ mai 1997 n'a pas rendu sa présence moins vive, bien au contraire peut-on penser que sa disparition nous a rendu à neuf son œuvre comme une intention à poursuivre et un chantier à continuer, pour reprendre une expression qui lui était chère. Ne peut-on pas appliquer à l'œuvre qu'il nous laisse sa propre définition de l'héritage ? « L'héritage est vivant, avançait-il dans une entrevue de 1968. Ce n'est pas un compte en banque ou une nostalgie. C'est une mémoire, une relecture sans cesse reprise sous le choc des défis du présent. » On reconnaîtra au passage à Fernand Dumont le don de la formule. Il y a certes une *pensée Dumont*, dont ce numéro entend retracer les contours ; il y a en outre un *style Dumont*, aussi éloigné du jargon savant que de la langue de bois, qui donne à ses lecteurs le plaisir de parcourir un texte qui concède à la poésie sans rien céder de sa rigueur et de sa précision.

Pourtant, ajouterons-nous aussitôt, malgré son envergure considérable, en dépit de sa profonde influence sur le paysage intellectuel québécois, certaines articulations et évolutions de la pensée de Fernand souffrent d'être mal connues. Ainsi, on a beaucoup discuté sa définition de la nation, mais beaucoup moins sa conception de la mémoire ou sa réflexion sur l'appartenance. Rares sont les auteurs qui se sont arrêtés longuement sur sa conception de la « transcendance sans nom ». Aussi, si elle est commentée à l'occasion, si elle fait l'objet d'une notice dans quelque chapitre sur le nationalisme canadien-français, si de même ses intentions primordiales ont été dégagées (WARREN, 1998), la pensée scientifique de Dumont est peu approfondie. La richesse de son vocabulaire, la subtilité de ses raisonnements, l'étendue de ses champs d'intérêt, le foisonnement d'hypothèses auxquelles donne lieu la lecture de ses nombreux livres, tout concourt à voiler une œuvre dont la fécondité n'a pourtant d'égale que la richesse. Et alors que chacun saisit ici ou là des morceaux de son enseignement, il est ardu pour ceux et celles qui ne sont pas familiers avec l'ensemble de sa pensée d'en reconnaître la portée et la profondeur réelles.

Ce trop bref numéro tente modestement de pallier à cette lacune. Des revues se sont chargées de faire connaître récemment une facette ou l'autre – poétique (*Voix et Images*), politique (*Bulletin d'histoire politique*), théologique et philosophique (*Laval théologique et philosophique* et *Carrefour*) – de la pensée dumontienne. L'ambition de ce numéro de *Recherches sociographiques* est d'en faire autant en insistant davantage sur la dimension sociologique de l'œuvre. Le lecteur ne trouvera cependant pas dans les pages de ce numéro une simple récapitulation des théories sociologiques de l'auteur du *Lieu de l'homme*. Il s'agit de poursuivre le questionnement de Dumont à l'aulne des interrogations actuelles, non de parcourir les yeux fermés le chemin de sa pensée. Il s'agit également de replacer dans leur contexte les réflexions sociologiques qui furent les siennes pour en mieux saisir les postulats et le sens. Les objectifs ici visés sont donc d'analyser la sociologie de Dumont et de mieux le comprendre par le contexte général dans lequel il vécut. Les multiples interventions publiques de Fernand Dumont, sociologue engagé, intéresseront les historiens des idées ; nous proposons quant à nous de revenir sur les intentions et les articulations de l'œuvre pour en évaluer la portée, et la prolonger si possible. Avant d'être un dossier à verser à l'histoire militante du Québec des quarante dernières années, ce numéro est une contribution à l'analyse de la pensée du sociologue de Laval.

Dumont, sociologue

Un double danger guette selon nous l'œuvre de Fernand Dumont. D'une part, celui d'être ravalée à une sorte de catéchisme dont les épigones répéteraient passivement la parole. Il faut faire attention de ne pas transformer les interrogations de Dumont en réponses cataloguées et de rendre univoque ce qui s'offre chez lui comme un dialogue. La pensée de Fernand Dumont s'élève sur une ouverture, un peu à la façon du Panthéon d'Agrippa, image que Dumont reprenait de Blondel, dont la coupole laisse passer la lumière par l'ouverture de la clef de voûte. C'est en ce sens que l'on peut dire que la pensée de Dumont épouse le mouvement propre à la poésie : elle est fondamentalement une réponse qui interroge. On lit avec tant de plaisir les articles et les ouvrages du sociologue de Laval qu'on les relit. On ne se lasse guère de revenir visiter les lieux de sa pensée pour y découvrir une lumière nouvelle, une intonation différente, un paysage kaléidoscopique, changeant, mouvementé. La lecture du *Lieu de l'homme* en est peut-être l'épreuve la plus nette. Car qu'est en fait ce livre déroutant et stimulant ? Une sociologie de la culture ? Une phénoménologie de la conscience ? Une philosophie du sujet ? Un essai sur la société moderne ? Une autobiographie voilée par un travail de réflexion critique ? Tout cela à la fois ? Il y a là de quoi dérouter la critique habituée à des frontières plus étanches entre les disciplines et les genres.

Quelles réponses apporte l'argumentation menée dans les pages du *Lieu de l'homme*, selon quelle méthodologie et à partir de quels paramètres ? Lorsque, à la première page, Dumont écrit que la conscience humaine a peut-être commencé par un long cri jeté dans la nuit solitaire, le lecteur peut s'imaginer de multiples scénarios entre lesquels le livre refuse par la suite volontairement de trancher. Il en est ainsi à des degrés divers de ses autres ouvrages, Dumont n'ayant jamais cessé de croire en « la vertu de l'interrogation », comme si la plus belle réponse était celle qui venait, non pas refermer, mais élargir toujours plus l'interrogation primordiale de l'intellectuel et le porter à découvrir un horizon sans cesse plus large à ses questionnements.

L'autre danger qui menace l'œuvre de Dumont est d'être ravalée au contexte historique dans lequel ce dernier a vécu, pour mieux en oublier ses ouvrages, maintenant que semblent closes les périodes de l'effervescence nationaliste et de l'engagement socialiste, ou celle du renouveau de la pensée chrétienne. Il n'est pas sûr, loin de là, que l'on puisse prendre impunément congé de l'interrogation sur l'engagement dans la Cité. Entretiendrait-on seulement la nostalgie d'une époque où l'histoire était une œuvre à bâtir, où le monde devait être édifié à la mesure de l'homme, où la liberté était une conquête, qu'il faudrait relire Dumont et renouer avec la charge d'espérance contenue dans son œuvre. Maintenant que plusieurs ont défroqué de leurs anciens espoirs et abdiqué de leurs luttes pour l'égalité, la fraternité et la justice, du moins entendues dans le sens moderne, faut-il refuser d'entendre le reproche adressé par Dumont aux parvenus qui ont fait leur lit de la révolution pour mieux s'y endormir ? « Je crois, déclarait-il dans une entrevue conduite deux ans avant sa mort, que nous sommes devant le désarroi. Personne ne le dit trop officiellement, personne n'ose l'avouer parce que, évidemment, comme discours, ça n'a pas beaucoup d'avenir et surtout ça ne peut être beaucoup détaillé. Mais je crois que nous sommes devant le désarroi, et ce désarroi gagne l'ensemble de notre société. » (DUMONT, 2000a, p. 23.) L'espérance est la passation du feu entre les générations, et il est bon de savoir que cette espérance couve encore dans les ouvrages du sociologue de Laval quand elle s'est à peu près éteinte partout ailleurs. Loin de la faire caduque, les divers engagements (nationalistes, socialistes, chrétiens) de Dumont rendent son œuvre, s'il se peut, encore plus actuelle.

Il ne faut pourtant pas en rester à cette réponse première. En fait, n'y a-t-il pas deux Dumont sociologues ? Celui qui élabore une mémoire d'intentions (l'expression est de lui) et celui qui habite de plain-pied les débats de son temps ? Cette distinction appelle quelques précisions, ne serait-ce que pour mieux fixer les orientations de ce numéro.

Vérité et pertinence : la sociologie comme science de la culture

Dumont est revenu à maintes reprises sur la distinction entre vérité et pertinence. Renvoyant d'abord à la démarche scientifique, la vérité se présente à la limite comme une axiomatique. Elle objective le réel par l'accumulation de faits et la compilation d'événements. En revanche, la pertinence c'est ce qui fait sens pour l'acteur social. Si, comme l'écrit Dumont, « C'est bien dans et pour la culture que les sciences de l'homme édifient leurs objets » (DUMONT, 1981, p. 140), les faits de connaissance doivent donc *aussi* avoir une signification. Dumont donne l'exemple de l'histoire. Il est certain que les faits du passé doivent être dégagés avec les instruments rationnels de la science moderne. L'étude des archives, les théories de la sémiotique, l'analyse structurale, la maîtrise des statistiques démographiques sont au service d'une meilleure appréciation des événements du passé. Mais une telle histoire – si elle en restait à l'accumulation sans enchevêtrement de faits et d'événements, si elle poussait l'axiomatique jusqu'à dissoudre la narration de l'histoire par une objectivation qui, creusant à l'infinie la distance séparant les vies empiriques des systématiques du savoir, les exilerait dans « le ciel incolore des idées abstraites » – laisserait le passé déboussolé et informe, et les individus en proie à quelque « rêverie déliquescente sur la signification du monde ».

Cette préoccupation constante pour la pertinence de nos paroles et de nos gestes, évidente dans les travaux de Dumont, permet de comprendre la nécessité pour lui de l'engagement. L'engagement lui semblait une facette essentielle de son travail savant parce que les sciences de l'homme doivent s'occuper à la fois de la vérité et de la pertinence, non pas en revêtant après coup la vérité du vernis de la pertinence ni en sacrifiant la vérité au sens commun, mais en articulant l'un à l'autre par l'adresse des deux questions suivantes : quelle est la vérité de la pertinence et quelle est la pertinence de la vérité ? Des entretiens rassemblés par Serge Cantin, nous retiendrons au hasard cette citation : « La pertinence, c'est le sens. [...] La crise que nous vivons présentement n'est pas une crise de vérité, c'est une crise de pertinence. Nos bibliothèques sont pleines de vérités. La science est pleine de vérités. Mais il semble bien que la vérité abstraite ne suffise pas pour vivre. Pour vivre, il faut des valeurs qui donnent un sens à notre vie, qui sont le sens de notre vie. » (DUMONT, 2000b, p. 205.) Rappelons pour mémoire la parole célèbre d'Ernest Renan : *la vérité est peut-être triste.* Souhaitons qu'elle ne puisse jamais l'être complètement, car alors l'homme, comme dans le récit de la Genèse, se serait chassé lui-même du paradis de la Raison après avoir croqué la pomme de l'arbre de la connaissance.

Le sociologue engagé que fut sans conteste Dumont a toujours largement puisé dans une tradition de pensée, qu'il a lui-même largement enrichie par la publication d'ouvrages savants. Certes, Dumont a produit des vérités sociologiques, entendues au sens défini plus haut, et des canevas méthodologiques de recherche. Il ne faudrait pas en conclure trop vite que ses nombreux ouvrages ne font qu'enrichir les rayons des bibliothèques, que ses idées ne meublent que les conversations des spécialistes, bref que son œuvre ne fait que grossir l'amoncellement désormais hétéroclite, voire parfois chaotique, des vérités produites par les universités des sociétés techno-scientifiques. Et cela est heureux, car la tradition intellectuelle se désespère beaucoup plus qu'elle ne s'alimente de cet empilement désordonné de connaissances, impuissantes à fonder à elles seules ce que Dumont n'a cessé d'appeler de ses vœux : une tradition de pensée. C'est que, dans un monde universitaire ayant rompu pour une large part avec l'idéal (cumulatif et positif) de scientificité moderne pour lui substituer une opérativité techno-scientifique, la tradition intellectuelle repose d'abord sur la transmission d'un patrimoine d'intentions générales, et non sur une compilation de vérités quelconques. « On ne demande pas à Platon ou à Descartes comment faire de la physique ni à Auguste Comte ou à Proudhon comment pratiquer la sociologie. Nous cherchons chez eux des Origines, une impulsion à penser. Cela nous constitue non pas une mémoire de méthode, mais une mémoire d'intentions. » (DUMONT, 1976, p. 29.) Dumont bien sûr le reconnaît : la sociologie est en un sens une science, elle correspond par conséquent à une axiomatique de la vérité ; mais par son enracinement dans la culture, elle est aussi bien une philosophie, en ce sens qu'elle correspond à une quête de ce qui sous-tend et éclaire la vérité, que ce soit la pertinence, l'enjeu, la dramatique ou l'imaginaire. C'est pourquoi la valeur d'une théorie sociologique ne se mesure pas tant à l'aune des problèmes qu'elle permet de résoudre : elle n'est grande que par les interrogations qu'elle soulève. Reprendre à neuf ces interrogations, continuer ces intentions, renouer avec telle dramatique, plutôt que de répéter et marteler des vérités éternelles, tel est le pari de la tradition intellectuelle.

Prenons le cas de Durkheim. Manifestement, son œuvre a beaucoup vieilli ; son ouvrage *Les règles de la méthode sociologique*, peut-être davantage que tous les autres. Inspiré par le scientisme latent de la pensée française depuis Auguste Comte et Claude Bernard, influencé par le néo-kantisme de son époque, il est peu de postulats de Durkheim sur lesquels la critique épistémologique des sciences ne soit revenue. Que les faits sociaux puissent être considérés comme des choses, cela apparaît trompeur à nous qui avons appris de Dumont que le sociologue n'observe pas une culture comme d'autres observent des objets, mais qu'il en fait l'expérience. Rappelons-nous la définition de la sociologie comme reprise du travail de rationalisation des idéologies et de la culture. « Quand vous faites une enquête sur le terrain, même la plus précise, la plus minutieuse, vous ne pouvez qu'être happé par le fait que les gens ne vous livrent pas uniquement les faits, mais surtout l'interprétation qu'ils en font. » Et Dumont ajoute : « Je ne crois pas que ce soit un paradoxe d'affirmer que la vie des hommes est essentiellement un travail d'interprétation. C'est en ce sens que la sociologie est davantage une science de la culture qu'une science de la société » (DUMONT, 2000b, p. 74). La démarche du sociologue comporte forcément une dimension *magique*, pour reprendre un autre terme de Dumont, parce que la perception du sociologue totalise une réalité qu'il ne perçoit jamais que sous la forme de fragments et de je-ne-sais-quoi. Ainsi, dès le premier chapitre des *Règles de la méthode sociologique*, Durkheim est-il pris radicalement en défaut et l'on pourrait croire son œuvre condamnée à aller grossir, au musée de la science, les tiroirs des vérités désuètes, en compagnie du système de Ptolémée et de la Loi des trois états d'Auguste Comte. Et pourtant malgré la critique de leurs principaux postulats, les théories de l'École française parlent encore à l'oreille du sociologue contemporain, parce qu'elle a su préciser l'arrière-fond d'intentions sur lequel se découpe sa propre démarche intellectuelle. Par exemple, la distinction justement célèbre du normal et du pathologique ne constitue pas un canevas de méthode à appliquer sur la réalité, elle représente un principe d'analyse, une intuition de recherche. Il en va ainsi de l'ensemble des intentions qui traversent l'œuvre du fondateur de l'École française de sociologie[1].

De même, nous pourrions dire de l'œuvre dumontienne qu'elle est classique. Elle prolonge et enrichit une tradition de pensée par sa mémoire d'intentions autant et sinon plus que par sa mémoire de méthode. Elle nous fait souvenir que nos questions ne sont pertinentes que reportées à un sens qui les dépasse, qu'elles n'ont de relief que découpées sur un horizon plus large. Car le passé, en ce qui concerne la tradition des sciences de l'homme, n'est pas le lest qui alourdit le présent et l'empêche de s'élever vers l'avenir. Sans tradition de pensée, la vérité est solitaire, elle est donc aussi sans pertinence et sans avenir. « La tradition n'est pas une sorte de morceau du passé auquel, à l'inverse des tenants de l'actualité ou de l'avenir, nous nous raccrocherions comme d'aimables ou bizarres conservateurs. Elle n'est pas non plus une *sélection* de choses acquises. Elle constitue la réflexivité de l'histoire des expériences d'antan ; si elle implique un retour en arrière, comme la réflexion personnelle, c'est qu'elle veut dégager de la trame historique les axes qui l'ont formée et qui doivent encore informer l'histoire. Un peu comme le scientifique qui revient sur ses opérations mais pour en déterminer l'avenir plus en profondeur, nous invoquons la tradition comme la pratique qui nous donne à penser. » (DUMONT, 1974, p. 76.) La tradition met en forme l'histoire parce qu'elle est une histoire, mais d'un type particulier. La philosophie l'a compris, elle qui s'échafaude sur une tradition critique qui n'a jamais empêché ni Hegel ni Heidegger d'entreprendre une œuvre originale pour avoir longtemps lu et commenté Kant ou Platon. Au contraire, il est possible de croire que l'œuvre de Heidegger n'est pas pensable sans Platon, sans la tradition que chaque philosophe, à sa façon, tout à la fois, conteste, prolonge et fonde.

La sociologie n'est pas une philosophie, voilà qui est incontestable. Il reste qu'étant une systématique de la culture, la sociologie n'échappe pas plus que la philosophie à la nécessité de faire son miel d'une tradition. Dumont nous est

---

1. Raymond BOUDON (1999) a récemment proposé une relecture des *Formes élémentaires de la vie religieuse* qui illustre de façon magistrale ce point de vue.

incomparablement utile pour cette entreprise, non seulement parce qu'il a su replacer son propre cheminement intellectuel dans le sillage de ceux qui l'ont précédé, qu'ils soient du Québec (et l'on pense tout de suite à Garneau, à Groulx) ou d'ailleurs (et il faut citer ici Bachelard, Gurvitch, Mounier ou Blondel), mais également parce que la richesse de ses intentions vient grossir de magnifique manière la mémoire d'intentions de la discipline sociologique québécoise. La sociologie québécoise ne commence pas avec Dumont, loin de nous l'idée d'affirmer pareille fadaise. Cependant, qui niera que la tradition sociologique d'ici, rassemblée autour de son œuvre comme la philosophie présocratique autour des dialogues de Platon, éclaire d'une lumière plus vive l'avenir que nous voulons faire nôtre ?

Le numéro

Personne ne s'attendra à ce que ce numéro épuise la richesse de la pensée dumontienne, ni qu'il découpe, à l'intérieur de l'œuvre, un champ autonome de réflexion. Au contraire, les articles démontrent chacun à leur manière l'unité fondamentale d'une pensée qui se déploie, semblable à une intuition pénétrante et sans cesse enrichie, à partir d'un certain foyer de sens. Bien loin de pouvoir constituer une sorte d'encyclopédie de la réflexion sociologique du professeur de Laval – sous les rubriques de la théologie, de l'économique, de la modernité ou de la culture –, bien loin de pouvoir opérer des sondes, des coupes dans l'étendue hétérogène des thèmes abordés par Dumont, ce numéro a, avant tout, cherché à approfondir, par des synthèses répétées et pourtant neuves, une même vérité. Car, en dépit de la diversité des approches et en dépit parfois du conflit possible des interprétations, malgré les angles différents sous lesquels l'œuvre de Dumont est envisagée par les collaborateurs de ce numéro, il se trouve que l'étude du corpus dumontien et l'analyse de sa pensée sociologique n'ont pu faire l'économie, ni d'une mise en situation avec les débats de son siècle (quand il s'agissait de dégager la théorie), ni d'une reconnaissance étendue de sa production (lorsqu'il s'agissait de cerner un objet), ni d'une investigation de sa démarche interprétative ou herméneutique (en ce qui concerne la méthode). Que ces trois dimensions se retrouvent immanquablement dans les articles rassemblés n'étonnera pas celui qui sait que la théorie de Dumont pose un dédoublement qui est à la fois l'objet de ses analyses (quant à l'historicité ou à la pédagogie) et un principe méthodologique. Rarement aura-t-on été interpellé par une sociologie aussi intégrée, de sa problématique à sa conception de la société, en passant par ses concepts fondateurs.

Aucun des textes ne l'affirme clairement, mais, dans leur dialogue, ils se complètent mutuellement d'une manière qui force l'étonnement du lecteur : l'exil de l'idéologie canadienne-française au moment où éclate la Révolution tranquille, tel que dégagé par Warren, renvoie à l'opposition entre les sociétés traditionnelles et les sociétés modernes résumée par Fournier, qui elle-même fait fond sur une crise de la culture dont traite Harvey ou une crise de la foi dont parle Fortin – et l'on pourrait multiplier les exemples de ces parallèles et de ces convergences. Chez Dumont, tout se tient. Contester un postulat de l'œuvre, c'est menacer l'œuvre entière.

Plutôt que de résumer un à un les articles, nous sommes tentés de cerner l'impression générale qui s'en dégage quant au portrait de l'intellectuel que fut Dumont. D'abord, ressort l'engagement de l'auteur. En revenant sur les positions politiques (au sens fort) de Dumont, Jacques Beauchemin met en relief à quel point la pensée du sociologue de Laval n'a pas survolé son siècle et ne s'est pas réfugiée derrière l'apparente neutralité de sa charge professorale. Car la question : qu'est-ce que la nation ? n'est pas au Québec (si elle l'est jamais) une question anodine et oiseuse ; elle engage le devenir de la collectivité. Dans un autre article, parlant des débats houleux concernant la modernisation du Québec dans les années d'après-guerre, Marcel Fournier montre comment la réflexion de Dumont s'y insère en utilisant, avec subtilité et finesse, la typologie des sociétés traditionnelles et modernes. En s'éloignant de l'horizon fixé et défini par la tradition, la société fait face à la nécessité de reconstruire le tissu social, processus dans lequel le recours à la mémoire apparaît essentiel. L'article de Anne Fortin permet de mieux saisir, derrière les élaborations savantes et les analyses objectives de Dumont, le drame de la foi en quête de sa signification et l'angoisse du croyant dont le dieu, insensiblement, s'éloigne. Quant à Jean-Philippe Warren, loin de vouloir résumer la dialectique de la culture première et de la culture seconde, il associe la conception du dédoublement propre à Dumont au déchirement du sens de la société québécoise des années 1960.

Deuxièmement, les articles permettent de faire apparaître le caractère généraliste de la pensée sociologique de Dumont. À tel point qu'il est possible de s'interroger : la théorie dumontienne existait-elle vraiment ? Y a-t-il telle chose qu'une théorie sociologique spécifiquement dumontienne ? Il nous semble révélateur que les collaborateurs n'aient pas voulu répondre à cette question directement mais aient préféré refaire le chemin de sa pensée. Fournier, par exemple, traverse l'ensemble des ouvrages de Dumont, abordant tour à tour *L'analyse des structures régionales*, *Pour la conversion de la pensée chrétienne*, *Le lieu de l'homme* et *La dialectique de l'objet économique*. Robert Leroux reprend quelques-unes des principales idées critiques, épistémologiques et théoriques de l'auteur du *Lieu de l'homme*. Gilles Gagné non seulement procède à une clarification de l'entreprise critique de *La dialectique de l'objet économique*, mais il élève le débat théorique à la hauteur d'une confrontation sur la base de la définition de la pratique scientifique, de ses enjeux épistémologiques et, comme l'aurait souhaité Dumont, de son rapport au réel. Pour cela, il mobilise à la fois l'enseignement de Bachelard, la posture de la pensée chrétienne et les travaux de Freitag, Marx et Hegel. Fernand Harvey élargit le cercle de la réflexion dumontienne pour mieux circonscrire l'aire où se déploie la problématique plus spécifique de la mémoire. Des auteurs s'interrogent d'ailleurs sur le statut qu'il faut réserver à Dumont. Fût-il sociologue ou philosophe ? Son œuvre relève-t-elle d'abord de la science ou de l'essai ? Par quelle discipline peut être revendiquée *L'Anthropologie en l'absence de l'homme* ? Jamais aura-t-on mieux compris cette idée que l'œuvre de Dumont ne reste pas enfermée dans l'enceinte d'une discipline particulière, serait-elle celle impériale de la sociologie, mais s'épanouit au foyer d'intentions singulières. Certains pourraient lui reprocher d'ailleurs des raccourcis ou des obscurités qui sont le prix de la liberté académique et d'une pensée de grand vent. Une œuvre inclassable donc.

Enfin, les articles rappellent la perspective proprement herméneutique des travaux de Dumont et il n'est pas difficile de rattacher son attachement pour l'histoire à la préférence qu'il donne à une sociologie de l'interprétation (LANGLOIS, 1997 ; DUMAIS, 1999). Harvey ne se fait pas faute de prolonger ses considérations sur l'idée de mémoire et de référence chez Dumont par l'affirmation, maintes fois reprises par l'auteur du *Lieu de l'homme*, que la société est d'elle-même une pratique de l'interprétation. Les sciences de l'homme n'ont pas le monopole de la tâche de l'interprétation mais elles en constituent le moment critique et réflexif. Dans une note critique, Éric Gagnon rappelle l'argument de Dumont que toute société travaille à son interprétation, et que, par conséquent, représentation des problèmes sociaux et représentation de la société sont liées. Les débats sur la nature de la société, sur la définition de la norme ainsi que sur la légitimité de l'expertise permettent de garder ouvert le procès du sens car, selon Dumont, d'une part, la société globale s'aborde par les grandes représentations idéologiques et pratiques qu'elle offre d'elle-même et, d'autre part, la norme doit faire l'objet d'un consensus démocratique qui est, au sens strict, pédagogie, et enfin l'expertise renvoie à une sociologie de l'opération dont on connaît mieux maintenant les limites.

Yves Martin et Fernand Harvey viennent clore les articles en rappelant deux pages d'histoire particulièrement importantes pour l'évolution de la sociologie au Québec, respectivement, la fondation de *Recherches sociographiques*, et la formation de l'IQRC.

Relire Fernand Dumont en 2001

Pour terminer, nous avons tenté dans ce numéro un projet ambitieux mais nécessaire : celui d'une relecture de Fernand Dumont. Nous avons demandé pour cela à des collaborateurs de diverses disciplines et d'horizons différents de faire l'examen critique d'un ouvrage de Dumont à la lumière de leur propre cheminement et du contexte sociohistorique actuel. Nous avons convié à la tâche, entre autres, bon nombre de jeunes intellectuels et chercheurs, ceux et celles qui forment ce qu'on appelle la relève, ceux et celles que Dumont a maintes fois invités, répétons-le, à s'engager dans le chemin, mais surtout à le poursuivre à leur manière. Dans la plus pure tradition de cette revue, nous leur avons demandé de faire le compte rendu d'un livre du sociologue en se situant par rapport à lui, maintenant que les années se sont écoulées et que certains des débats qui ont vu naître les ouvrages les plus anciens se sont apaisés, alors que d'autres ont pris une actualité nouvelle.

Un point commun ressort de l'entreprise, repris de manière différente par les auteurs des comptes rendus (par-delà quelques divergences normales et saines) : la grande actualité, la pertinence de la pensée de Fernand Dumont.

Ce numéro est une invitation à le lire ou le relire.

Jean-Philippe WARREN

Simon LANGLOIS

Département de sociologie et CEFAN,
Université Laval.

BIBLIOGRAPHIE

BOUDON, Raymond

1999   « Les formes élémentaires de la vie religieuse : une théorie toujours vivante », *L'Année sociologique*, 49, 1 : 149-198.

DUMAIS, Alfred

1999   « Fernand Dumont sociologue », *Laval théologique et philosophique*, 55, 1 : 3-18.

DUMONT, Fernand

1968   *Le lieu de l'homme. La culture comme distance et mémoire*, Montréal, Hurtubise-HMH.

1974   « Crise et espoir de la pensée chrétienne », dans *L'homme, les religions et la liberté*, Ottawa, Les Éditions de l'Université d'Ottawa, 69-105.

1976   « Le projet d'une histoire de la philosophie québécoise », *Philosophie québécoise*, Montréal, Bellarmin, 23-48.

1981   *L'Anthropologie en l'absence de l'homme*, Paris, Presses Universitaires de France.

2000a   « Autour de la genèse de la société québécoise » (Entretien avec Georges LEROUX), *Bulletin d'histoire politique*, IX, 1 : 17-28.

2000b   *Un témoin de l'homme. Entretiens colligés et présentés par Serge CANTIN*, Montréal, L'Hexagone.

LANGLOIS, Simon

1997   « Fernand Dumont (1927-1997) interprète de la culture », *L'Année sociologique*, 47, 2 : 7-12.

WARREN, Jean-Philippe

1998   *Un supplément d'âme. Les intentions primordiales de Fernand Dumont*, Sainte-Foy, Les Presses de l'Université Laval.

Photo Dumont, lors de la Rencontre franco-québécoise sur la culture, Québec, 4 juin 1984. (Photo André Pichelle, Le Soleil.)

DUMONT
HISTORIEN DE L'AMBIGUÏTÉ

Jacques BEAUCHEMIN

La définition de l'histoire chez Dumont peut faire l'objet de trois interprétations : 1) *l'histoire comme science de l'interprétation*, 2) *l'histoire comme téléologie communautariste* et 3) *l'histoire en tant qu'achèvement éthique du vécu collectif*. Or ces trois lectures fondent un concept relativement ambigu. La définition de l'histoire en tant que téléologie de l'aventure canadienne-française semble en effet contredire celle qui fait d'elle le moyen d'une participation, dans l'égalité, de tous les citoyens réunis au sein d'une même communauté politique. En effet, c'est bien l'histoire canadienne-française qui intéresse Dumont même lorsqu'il prétend se pencher sur la société québécoise. Or, l'actualité des débats autour du nationalisme au Québec et ailleurs nous rappelle la difficulté de concilier les mémoires concurrentes de l'expérience. Cet article se penche sur l'ambiguïté de la définition dumontienne de l'histoire à la recherche de ses présupposés théoriques et politiques. Il s'attache à montrer les raisons pour lesquelles Dumont est contraint de couler une conception universaliste de l'histoire dans le moule de la singularité canadienne-française et conclut que l'ambiguïté de la définition de son concept d'histoire est le propre des « sciences de la société » en terre minoritaire. L'œuvre de Dumont doit donc être lue à la lumière du tragique gisant au cœur de l'histoire du Québec et de son interprétation historienne.

Au moment de conclure sa *Genèse de la société québécoise*, alors qu'il revient sur les concepts qui constituent l'armature de son ouvrage, Dumont écrit à propos de la « science des sociétés » « qu'elle ne saurait que dégager une médiation pour une reconnaissance de la collectivité où des personnes puissent interpréter leur condition commune » (DUMONT, 1993, p. 351). Quelques lignes plus bas, il pose la culture comme fondement essentiel de ce travail de distanciation en vertu duquel les individus et les sociétés se reconnaissent comme identité :

La culture est un *préalable*, puisque chacun accueille une symbolique et un langage qui lui sont antérieurs. La culture est aussi une éducation : une reprise du donné pour en faire une conscience (c'est lui qui souligne) (DUMONT, 1993, p. 351).

On peut interpréter cette vue des choses de trois manières. La première interprétation pose la mise en discours de la société, à travers le travail des sciences qui prétendent l'élucider ou celui de la culture qui lui renvoie une certaine signification d'elle-même, comme moment fondateur de l'être-ensemble. Le discours constitue le lieu de la production de l'identité collective. Dans cette perspective, et un peu à la manière dont Bourdieu définit l'habitus (BOURDIEU, 1980), ou Castoriadis l'imaginaire social (CASTORIADIS, 1975), Dumont définit la culture comme ensemble de dispositions à l'action et de moyens d'appréhension du réel à partir desquels s'ouvre le jeu des possibles de la production identitaire (DUMONT, 1995, p. 17). Ainsi, dans *Raisons communes*, Dumont esquisse une conception de l'histoire dans laquelle celle-ci fournit aux acteurs des motivations à l'action (DUMONT, 1997, p. 223), alors que dans *L'avenir de la mémoire* il l'a définie en tant que capacité à accueillir la nouveauté (DUMONT, 1995, p. 83). L'histoire renvoie en ce sens à des moyens d'action davantage qu'aux fins de l'action elle-même. À ce niveau, elle n'est pas posée en rapport avec un quelconque sujet de l'histoire et ne porte pas de contenu normatif particulier.

Cette lecture pose implicitement l'histoire comme science de l'interprétation et, plus exactement, comme une herméneutique dans l'espace de laquelle se construit un discours identitaire à partir du matériel hétéroclite que l'expérience sociale met à la disposition de l'interprète. Voici donc une première acception du concept selon laquelle l'histoire est science de l'interprétation.

Mais, la mise en discours de l'indéchiffrable accumulation des événements est toujours en même temps celle d'une expérience particulière du monde. L'histoire à laquelle Dumont prête ses talents d'interprète est aussi celle de l'héritage légué par la culture. C'est bien ce qu'il faut entendre dans l'énoncé qui veut que la culture, que j'associe à l'histoire en raison de leur commune appartenance à l'univers de la mémoire, soit « une reprise du donné pour en faire une conscience ». Le donné dont il est question, ce « préalable » dont parle Dumont, est bien évidemment singulier et la conscience qu'il construit souterrainement est celle d'une conscience historique particulière. Et c'est bien en effet cette singularité qui va s'affirmer dans le discours totalisant de la communauté qu'articule l'histoire. Dans cette autre acception, l'histoire constitue une réserve de traditions, d'institutions et de traits identitaires singuliers. Elle renvoie donc à une mémoire particulière et consiste plus exactement à élucider le parcours sur lequel s'ordonne un passé à décrypter et un avenir dont ce dernier serait secrètement porteur. C'est à l'écoute de cet oracle que la collectivité découvre le sens de son aventure. Dumont se penche ainsi sur l'héritage historique canadien-français et postule téléologiquement son nécessaire prolongement dans la remarquable imprécation sur laquelle se referme sa *Genèse* à « joindre à la patience obstinée de jadis le courage de la liberté » (DUMONT, 1993, p. 336). Il s'agit ici de l'histoire en tant que téléologie communautariste.

Enfin, une troisième lecture possible des énoncés de départ pose le concept d'histoire dans sa dimension universelle. Dumont y a beaucoup insisté, l'histoire renvoie à une mémoire toujours ancrée dans un certain vécu collectif qu'elle s'emploie alors à interpréter et à restituer dans sa singularité, mais, ce faisant, elle s'ouvre à l'universel de l'homme en tant qu'être de mémoire et de culture. Ce que l'histoire révèle dans son travail de reconstitution de la dispersion des événements et des fragments de significations, c'est le projet propre à toute collectivité de transcender l'ordinaire de la succession des choses, de dépasser la contingence de l'existence sociale dans un projet. C'est conférer alors au vivre-ensemble une portée normative que l'existence sociale ne trouve que dans l'interprétation de ses fins dernières. C'est aussi en ce sens qu'il faut lire l'assertion selon laquelle « la culture est aussi une éducation ». Le projet que forme l'histoire et que la culture répercute dégage l'horizon éthique des normes du vivre-ensemble et débouche, dans la modernité, sur le politique en tant que lieu de réalisation de ce projet (DUMONT, 1997, p. 247 ; 1995, p. 84). Cette dernière acception de la définition du concept est celle de l'histoire universelle en tant qu'achèvement éthique du vécu collectif.

En d'autres termes, la définition de l'histoire chez Dumont peut faire l'objet de trois interprétations : 1) l'histoire comme science de l'interprétation ; 2) l'histoire comme téléologie communautariste et 3) l'histoire en tant qu'achèvement éthique du vécu collectif. On n'aura pas manqué de remarquer que ces trois interprétations fondent un concept relativement ambigu. Attardons-nous d'abord à la dernière des figures que nous venons d'apercevoir, cette histoire qui éduque, écrit Dumont, celle qui confère une interprétation aux hasards de la contingence, celle qui civilise les rapports de forces en les astreignant au respect d'une éthique que porte le discours de la société sur elle-même, bref cette histoire universelle dans la mesure où elle justifie une certaine forme de mise en commun de l'expérience. Celle-là ne pose-t-elle pas les membres du collectif dans un statut d'égale dignité en tant que tous lui appartiennent de plein droit, qu'ils communient au même univers de sens ? Si cela est vrai, cette autre définition qui fait maintenant de l'histoire une téléologie, sinon une eschatologie, circonscrivant, en réalité, l'aventure d'une seule des composantes de la société (fût-elle démographiquement majoritaire), ne tend-elle pas à nier l'égale dignité de tous en évacuant les minoritaires du grand récit historique de la majorité ? De quelle façon concilier les mémoires concurrentes de l'expérience ? Comment l'histoire peut-elle prétendre porter ce regard transcendant sur l'existence sociale, placer celle-ci sous une norme, prétendre dégager un devenir des décombres du passé en parlant au nom de tous et même de ceux qui ne se reconnaissent pas dans cette interprétation ? Mais à l'inverse, le grand récit collectif ne doit-il pas justement chercher à totaliser ce qui se donne dans le conflit et la dissémination pour proposer une éthique du vivre-ensemble dans le cadre de laquelle le sens global de la présence au monde puisse être préservé ?

Je veux discuter de l'ambiguïté de la définition dumontienne de l'histoire à la recherche de ses présupposés théoriques et politiques. J'explore l'hypothèse selon laquelle cette ambiguïté ne tient pas seulement au problème épistémologique qui veut que l'historien soit toujours captif du cercle herméneutique qui le fait à la fois témoin et acteur de l'histoire. J'essaierai de montrer que l'ambiguïté du concept d'histoire chez Dumont relève davantage du problème du sociologue et de l'histo-rien épris d'universalisme mais astreint à défendre une collectivité que l'histoire a condamnée à la précarité existentielle. Je voudrais montrer, en d'autres termes, les raisons pour lesquelles Dumont est contraint de couler une conception universaliste de l'histoire dans le moule de la singularité canadienne-française. L'effet de cette superposition théorique consiste alors à investir des intérêts collectifs particuliers de la grandeur de l'universel. L'actualité politique nous le rappelle, les acteurs sociaux qui ne se reconnaissent pas dans l'interprétation dominante n'ont cesse de dénoncer l'hypocrisie de cet amalgame de l'universel et du particulier. L'œuvre de Dumont contiendrait-elle, comme en un microcosme, l'essentiel des débats qui nous occupent toujours ?

On aurait tort cependant de faire à Dumont ce qui prendrait les allures d'un mauvais procès. L'ambiguïté qui me paraît se loger au cœur de sa définition de l'histoire se retrouve dans la plupart des travaux de ceux qui au Québec font profession « d'interprète de la société ». En cela, l'intrication de l'universel et du particulier traduit la très grande difficulté dans laquelle se trouve celui qui entreprend d'écrire l'histoire d'une nation dominée. La difficulté d'une telle narra-tion surgit de la nécessité de légitimer du point de vue de l'universel ce qui tient à l'évidence du particulier. Mais ne retrouve-t-on pas déjà les dichotomies dont nous sommes pour la plupart prisonniers, carrefour où se croisent en s'ignorant le civique et l'ethnique, Canadiens français et Québécois, le culte du pluralisme identitaire et un projet de souveraineté articulé à la mémoire des francophones ? Mais n'est-ce pas également le même fossé qui sépare libéraux et communautariens aux États-Unis ?

On ne fera pas de Dumont la raison ni la source de cette prison de la pensée où circulent les termes de ces dichotomies. Il faut plutôt lire l'ambiguïté dumontienne comme le symptôme d'une nécessité et en même temps d'une incapacité. Nécessité d'affirmer et d'illustrer la singularité de l'aventure canadienne-française en Améri-que en cultivant le projet de son achèvement politique. Impuissance ensuite à légitimer l'affirmation de ce particularisme par lui-même et sans recourir à la caution d'un universel de la condition humaine. Je voudrais enfin faire remarquer que ceux qui, comme Dumont, sont en quelque sorte acculés à l'ambiguïté sont en cela les héritiers de Garneau et de Groulx. Les analyses que réserve Dumont à ces deux grands historiens de la mémoire canadienne-française nous les révèlent tous deux captifs de leur temps et investis d'une mission salvatrice. Je crois pouvoir montrer, au terme de cette déconstruction du concept d'histoire, de la mise à jour des nécessités et des motivations influençant l'écriture de l'histoire chez Dumont et enfin du parallèle que je crois pouvoir établir entre lui, Garneau et Groulx, que l'ambiguïté est le propre des « sciences de la société » en terre minoritaire. Si cela est vrai, nous pourrons relire Dumont à la lumière du tragique gisant au cœur de l'histoire du Québec et de son interprétation historienne.

Le portrait que j'esquisse ici s'appuie sur la lecture des ouvrages de Dumont les plus directement associés aux thèmes de l'histoire, de la mémoire et de la culture. Certes, ces préoccupations sont presque partout présentes dans l'œuvre de Dumont, mais je m'attache à la lecture des quatre ou cinq monographies dont les préoccupations historiographiques sont les plus manifestes[1].

Revenons d'abord sur la définition la plus large du concept d'histoire, celle qui la pose de manière générale en tant que lieu d'interprétation. Mais déjà verra-t-on se profiler, comme piaffant d'impatience, les acteurs d'une histoire particulière cherchant en elle le moyen d'affirmer leur existence.

L'histoire comme science de l'interprétation

Dès les premières lignes de *Genèse de la société québécoise*, Dumont livre une définition théorique de l'histoire dont il ne s'écartera jamais. Cette définition peut être présentée de la manière suivante. Elle s'appuie d'abord sur la conviction selon laquelle on ne comprend le présent qu'en se reportant au passé. Apparemment trivial, ce premier élément est pourtant d'une grande importance dans la mesure où l'ambiguïté dont j'ai fait l'objet de mes préoccupations porte en grande partie sur la définition de ce « passé » que l'histoire entreprend d'investiguer. L'histoire peut bien se donner comme science de l'interprétation, mais le fait est que le passé qu'elle reconstitue est toujours problématique dans une société où les discours sur les origines peuvent s'affronter librement. La production du discours portant sur la référence s'élabore à partir d'idéologies concurrentes. C'est-à-dire qu'elle s'offre alors comme objet au conflit des interprétations. Cela, Dumont l'aperçoit sans en tirer cependant toutes les conséquences. Ainsi, lorsqu'il soutient que la « culture est un héritage » et qu'elle soulève en conséquence « le problème de la mémoire » (DUMONT, 1995, p. 18), il ne se pose pas le problème du conflit des interprétations de cet héritage, mais bien celui du danger de sa disparition, de l'étiolement qui le guetterait sans le culte que nous lui vouons. Nous verrons dans un instant qu'il s'autorise alors sans complexe l'écriture d'une histoire de la société québécoise rigoureusement équivalente à celle des Canadiens français.

---

1. Ces ouvrages sont *Genèse de la société québécoise*, 1993 ; *Le sort de la culture*, 1987 ; *Raisons communes*, 1995 et *L'avenir de la mémoire*, 1995.

Dumont dégage trois modalités de production de la société ou trois formes sociétales de regroupements : l'appartenance, l'intégration et la référence. L'appartenance renvoie à la modalité de regroupement pour ainsi dire la plus spontanée, celle du sentiment d'appartenance à un groupe. L'intégration correspond au moment de l'institution et plus exactement du politique. La référence renvoie au moment de l'interprétation de soi-même et signale la possibilité d'une conscience historique et de la production de moyens d'agir sur les grandes orientations à portée éthique et identitaire. La fondation de la société signifie le surgissement d'une référence, la constitution d'une identité elle-même fondée sur cette référence, une conscience historique par laquelle les acteurs s'inscrivent dans leur propre histoire et tentent d'en infléchir le cours. La société advient alors à elle-même, s'aperçoit dans son être propre et dans sa singularité. Mais pour que ce surgissement à soi-même soit possible, il faut « l'intervention du discours » (DUMONT, 1993, p. 342). Ainsi, la référence canadienne-française, dont la formulation fut complétée au tournant de l'Acte d'union, eut pour effet de conforter les Canadiens français dans une certaine assurance de leur identité. Sitôt qu'elle se fut constituée, elle leur « conférait une identité pour l'avenir » (DUMONT, 1993, p. 330).

Pour Dumont, l'interprétation de l'histoire procède tout à la fois des déterminations impulsées par l'événement et le contingent que d'un désir de circonscrire la référence. Cet aspect, constitutif de la définition dumontienne de l'histoire, est très important dans la mesure où il fait intervenir la subjectivité de l'historien. La science de l'interprétation trouve en lui l'interprète des sociétés. Dumont aime bien comparer ce travail à celui du psychanalyste, même s'il se gardera toujours de confondre la production de l'identité individuelle et celle de l'identité collective. Il s'est employé à expliquer la nature du cercle herméneutique à l'intérieur duquel l'historien travaille à mettre à distance ce qui lui est proche et à rapprocher le passé du présent (dans son analyse de Groulx en particulier). Les toutes dernières lignes de la Genèse (1993, p. 352) témoignent parfaitement de cette posture de l'historien. Le « dédoublement de l'historien » (DUMONT, 1995, p. 34), son écartèlement entre objectivité et subjectivité, Dumont l'a toujours considéré comme incontournable : voire souhaitable. Incontournable : l'historien est toujours sujet et citoyen. Souhaitable, car il travaille à la production d'une mémoire à partir de laquelle l'existence sociale trouve son sens. Voilà qui constitue l'épistémologie de l'histoire de Dumont en même temps que la raison pour laquelle il s'est attelé à la tâche de relire les historiens. En effet, l'historiographie se constitue en « récapitulant le processus de production des interprétations » (DUMONT, 1993, p. 349). La sensibilité de l'historien sera mise au service de la construction de la mémoire collective et de la référence identitaire (DUMONT, 1995, p. 32). L'historien cherche à débusquer dans la dispersion des événements un sens à partir duquel la collectivité se reconnaîtra et formera sa « mémoire historique », c'est-à-dire sa référence.

Le projet de sa *Genèse* consiste d'ailleurs en une « remise en chantier de la mémoire historique » (DUMONT, 1993, p. 13). Les sociétés contemporaines seraient, en effet, frappées d'une sorte d'amnésie si l'on considère le rapport qu'elles entretiennent à l'histoire. Cette dernière n'est plus que la suite des événements « d'une seule coulée » (DUMONT, 1995, p. 54). Le recul n'existe plus à partir duquel pourrait se détacher un sens plus global et, alors, un éclairage sur l'avenir. À de multiples reprises retrouve-t-on chez Dumont cette association entre histoire et « construction de la mémoire collective » (DUMONT, 1993, p. 315 et 1995, p. 26, par exemple). Mais c'est peut-être lorsqu'il se penche sur le rôle de l'historien que se révèle le plus clairement sa définition de l'histoire. Se réclamant de Michelet, ne voit-il pas dans l'histoire le culte d'une mémoire « qui demande qu'on la soigne » (DUMONT, 1995, p. 30) ? Mais voilà qui annonce déjà cette autre dimension du concept en vertu de laquelle l'histoire est cette fois celle d'une communauté, l'interprétation d'une référence singulière.

En effet, cette science de l'interprétation ne fonctionne pas à vide. Ce qui s'offre à l'interprétation, c'est toujours l'inouï, l'unique, le contingent. L'histoire cherche alors à conférer une signification d'ensemble à ce qui surgit et impose son mystère : pourquoi cela nous arrive-t-il à nous ? quel est le sens de l'événement ? porte-t-il une signification qui le dépasse ? La réponse à ces questions cristallise l'interprétation totalisante de ce qui distingue un parcours historique d'un autre. Dumont a raison de dire qu'elle fonde ainsi une référence. Mais ne la fonde-t-elle pas comme expérience irréductible à celles de tous ce que nous savons et pouvons connaître des autres ? La référence que l'histoire contribue à écrire n'a de véritable sens que communautariste.

L'histoire vécue : une téléologie communautariste

Citant Tocqueville, Dumont pose que, « les peuples se ressentent toujours de leur origine. Les circonstances qui ont accompagné leur naissance et servi à leur développement influent sur tout le reste de leur carrière » (DUMONT, 1993, p. 321). Cette perspective généalogique ne signifie pas, Dumont s'en est souvent défendu, que l'avenir soit écrit tout entier dans un ciel qu'éclaireraient les lumières du passé, mais que ce dernier circonscrit un univers de possibles. On peut qualifier cette conception de téléologique dans la mesure où elle pose un lien de dépendance entre une fondation et un destin. L'histoire renverrait alors à la mémoire associée au parcours d'un collectif particulier et n'attendrait plus que d'être décryptée de telle manière à lui proposer ses possibles achèvements.

Ici, Dumont emprunte son épistémologie de l'histoire à Gadamer et Heidegger en même temps qu'il trouve chez eux la caution dont il a besoin pour mettre la science de l'interprétation au service d'une référence identitaire. Il leur emprunte les notions de développement et de continuation afin de bien montrer la filiation du passé et de l'avenir (DUMONT, 1995, p. 56). Mais, il me semble que c'est aussi à l'univers de Walter Benjamin qu'il emprunte en radicalisant l'idée de la présence du passé. Benjamin, dans ses thèses célèbres sur le « concept d'histoire » pose cette dernière comme rédemption (BENJAMIN, 1991). « Nous sommes attendus » écrit-il (BENSAID, 1990, p. 21) indiquant par là la dette que nous avons contractée vis-à-vis des oubliés de l'histoire. Les tirer de la nuit où ils se trouvent et nous rappeler ce que furent leurs combats, leur projet du temps où ils faisaient l'histoire, c'est aussi, pour Benjamin, la possibilité qui s'offre aux contemporains d'échapper aux ornières de l'inéluctable présent (BENJAMIN, 1991, p. 335). La rédemption de la mémoire à laquelle Benjamin se voue trouve son sens dans le totalitarisme qu'il voit s'abattre sur l'Allemagne et l'URSS au cours des années trente. Dumont ne pense pas l'histoire de l'intérieur d'une aussi cruelle urgence. Il n'empêche que cette même volonté de rédemption de l'oubli, ce travail de remémoration en vertu duquel l'histoire ressuscite du passé le ferment d'une utopie, permet de rapprocher l'entreprise de Dumont de celle de Benjamin dans cette commune représentation d'une histoire-sujet, mieux encore, d'une histoire pour le sujet. Nous retrouvons sur ce sentier le thème du « devoir » de mémoire que Dumont emprunte à Paul Thibaud lorsque celui-ci écrit que « La nation [...] transmet une obligation, l'idée que nous participons à l'histoire ensemble, que nous avons un devoir de marquer le présent et l'avenir, en fonction des héritages que nous reprenons [...] » (DUMONT, 1995, p. 71). Mais, il importe d'ajouter dès maintenant, quitte à anticiper un peu sur la suite, que tant chez Benjamin que chez Dumont, la remémoration de la présence au monde de ceux que le grand récit des vainqueurs a néantisés est aussi la condition du politique. Revisiter l'histoire et la comprendre comme le fait des hommes, c'est retrouver dans le tumulte les lois apparemment implacables du présent le pouvoir de transformer le monde. C'est ainsi que se trouvent intimement conjuguées l'histoire comme téléologie communautariste et celle qui en même temps élève la mémoire du particulier à la grandeur de l'universel.

Mais tenons-nous-en pour l'heure à la conception communautariste. Lorsque Dumont coiffe la conclusion de la *Genèse* de ce titre révélateur, « le poids de l'héritage », on aperçoit les manifestations d'une définition substantialiste de la mémoire au sens où Benjamin l'entend lui aussi. Puis, à nouveau, lorsque s'inquiétant des effets corrosifs de la société contemporaine sur la mémoire, il se penche sur le devenir de la société elle-même.

> Or, une mémoire communément partagée n'est-elle pas le don premier qui permet le rassemblement des personnes ? Devant l'effacement des contenus de la tradition, on échappe difficilement à une grave incertitude : doit-on envisager, comme conséquence ultime, une dislocation des liens sociaux ? (DUMONT, 1995, p. 47).

L'histoire est traditions et donc substance. Cette vue des choses s'éloigne de la définition neutre à laquelle adhère Dumont lorsqu'il pose l'histoire en tant que lieu organisateur de l'expérience, comme science de l'interprétation. À l'image d'une histoire-moyen se substitue celle de l'histoire-sujet. Ainsi, lorsque Dumont anticipe les conséquences ultimes de l'érosion des traditions sur l'intégrité de la société, de quels « liens sociaux » s'agit-il ? L'historien ne fait-il pas en réalité référence à la nation ? Lorsque Dumont se penche sur la « cohérence de la référence» (DUMONT, 1993, p. 350), qu'entend-il au juste sinon la clôturation d'un discours sur soi dans lequel n'interviendraient que de l'extérieur des éléments perturbateurs qui lui seraient alors étrangers ? La célèbre thèse de « l'hiver de la survivance » est symptomatique de cette posture. Dumont a voulu montrer que le repli identitaire engendré par la dynamique de marginalisation économique et politique des Canadiens français amorcée par la Conquête et complétée au moment de l'Union, porte deux conséquences d'importance majeure.

La première réside dans le fait qu'en se recroquevillant sur eux-mêmes, les Canadiens français assuraient leur survivance identitaire en se soustrayant collectivement aux effets délétères d'une modernité qui ne pouvait que s'attaquer à l'intégrité de leur être propre. La deuxième conséquence consiste en ceci que la pérennité que protégeait ce tassement sur soi impliquait également un certain conservatisme dont Dumont prétend, et c'est ici que réside l'essentiel de sa thèse portant sur la période de 1840 à 1960, qu'il a représenté pour les Canadiens français une mise en marge de l'histoire. La survivance ne pouvait s'accomplir que dans cette marginalisation consentie à une modernité qui était celle de l'Amérique, du capitalisme, de la consommation et de la culture de masse. Le parcours historique propre aux Canadiens français aurait ainsi tourné le dos à l'aventure de la modernité nord-américaine en s'abritant des menaces qu'elle aurait fait peser sur l'intégrité identitaire de la communauté. Or, c'est une thèse paradoxale que celle de cette grande période de glaciation qu'aurait été l'hiver de la survivance. Comment concevoir que l'histoire puisse passer à côté de soi ? se faire sans soi ? Dans quelle béance nous trouvons-nous lorsque toutes les sociétés avec lesquelles nous sommes en rapports se transforment, s'influencent et participent d'une dynamique qui est aussi la nôtre (l'industrialisation et l'urbanisation de l'Amérique au XXᵉ siècle, par exemple) en nous y laissant immuables tels qu'en nous-mêmes ? Il est difficile de répondre à ces questions tant la thèse qui les soulève paraît contre-intuitive.

Mais ce qui est plus important, c'est le fait que cette vue des choses témoigne d'une conception monologique de l'histoire. Si Dumont la concevait dans sa dimension dialogique, la lecture de l'histoire canadienne-française à laquelle il s'attache devrait tenir compte des transformations structurelles, sociopolitiques, culturelles et identitaires qui font que cette exclusion volontaire de la dynamique historique est impossible. Je ne pourrai pas appuyer cette contre-thèse sur les longs développements qu'elle nécessiterait, et ne peux que renvoyer aux nombreux travaux qui se sont attachés à montrer, dans une perspective que Ronald Rudin a qualifiée de « révisionniste » (RUDIN, 1998) que la société québécoise, loin de s'être coupée de la dynamique nord-américaine, y a pleinement participé même si, et c'est cela qu'il s'agit de mettre en lumière, elle n'a pu le faire qu'à partir d'une situation sociohistorique particulière en Amérique.

Dumont, bien sûr, aperçoit ce problème. Il se défend de vouloir refermer la mémoire sur elle-même.

> [...] la mémoire n'est un adjuvant de l'action qu'à la condition de montrer que l'histoire ne mène pas à quelque issue fatale, que l'avenir n'est pas étroitement déterminée. L'histoire s'abstient de conclure parce qu'elle est libératrice : c'est ainsi qu'elle est incitatrice de l'action (DUMONT, 1995, p. 84).

Mais c'est dans le post-scriptum de *Raisons communes* qu'il anticipe le plus clairement la critique que lui adresseront ses détracteurs :

> Des raisons communes ? On aura vu que je ne songe aucunement à quelque unanimité des esprits [...] les raisons communes ainsi entendues nous renvoient à la difficile question des identités collectives. Identités plurielles, comme le montre en particulier la dualité de la nation et de la communauté politique que j'ai tenu à souligner. Identités qui n'excluent ni les différences ni les métissages, qui se modifient face aux défis de l'histoire *tout en maintenant ferme l'actualité de la mémoire* (DUMONT, 1997, p. 257, je souligne).

Il est frappant de constater de quelle manière Dumont se dépêche de colmater la brèche qu'il vient lui-même de pratiquer : la diversité certes, mais dans la continuité d'une mémoire. De quelle mémoire s'agit-il alors, si ce n'est celle du groupe qui constitue sa seule préoccupation ? Plus révélatrice encore de la définition essentialiste de Dumont est l'idée de dualité que nous venons d'apercevoir à propos des rapports qu'entretiennent la « nation » et la « communauté politique » dans son armature conceptuelle. On pose ici en relation d'extériorité la nation et la communauté politique. D'un côté se retrouve la communauté en chair et en os et de l'autre le procès d'institutionnalisation politique en vertu duquel peuvent être négociés les différends, aplanis les conflits qui surviennent du fait de la cohabitation de communautés aux références différentes au sein d'un même espace sociohistorique. Cette vue des choses exclut théoriquement le fait que la référence identitaire puisse se transformer dans le procès d'institutionnalisation politique. Ainsi, et par exemple, si les Québécois francophones d'aujourd'hui sont divisés quant à la nécessité de l'indépendance politique du Québec, c'est que l'histoire a aussi fait d'eux des Canadiens et que, par ailleurs, l'ethos politique contemporain les incite à poser cette question du point de vue du droit des minorités. La position dualiste de Dumont suppose alors, dans la lecture républicaine que l'on peut en faire, que la nation équivaut à la société (BOURQUE, 1995) ou, en assumant cette fois le caractère irrémédiablement pluriethnique et plurinational du Québec, que les communautés demeurent telles qu'en elles-mêmes intangibles et imperméables à la politisation des identités.

Mais Dumont réplique à nouveau. L'histoire n'a pas fondé la nation une fois pour toute, « des changements imprévisibles ne cesseront de survenir » (DUMONT,

1993, p. 321). Il y insiste encore au moment où il va s'attaquer à la fondation de la collectivité canadienne-française et exhumer les linéaments de la mémoire « Pas plus que la mémoire de l'individu, l'histoire n'enferme d'avance dans les préoccupations qui nous engagent à l'interroger » (DUMONT, 1993, p. 19). Mais, ici encore, comment affirmer que l'histoire demeure ouverte à toutes les circonstances imprévisibles qui orienteront le devenir de la collectivité et en même temps théoriser la congélation historique du Canada français de 1840 à 1960 ? De la sorte, sitôt reconnue cette ouverture de l'histoire à la contingence, il s'empresse d'ajouter que la conscience historique, arqueboutée à la référence fondatrice de la collectivité, imprimera au devenir « son propre mouvement et en inspirera les interprétations ».

> Au cours des premières phases du développement d'une collectivité sont mis en forme des tendances et des empêchements qui, sans déclencher la suite selon les mécanismes d'une évolution fatale, demeurent des impératifs sous-jacents au flot toujours nouveau des événements. Comme si l'histoire se situait à deux niveaux, les sédiments de la phase de formation restant actifs sous les événements des périodes ultérieures (DUMONT, 1993, p. 331).

On pourra arguer que cette conception de l'histoire de la société québécoise n'exclut pas d'emblée les non-Canadiens français. Après tout, « le flot toujours nouveau des événements » ne charrie-t-il pas justement ces éléments étrangers à la référence première que sont, par exemple, les apports identitaires des Néo-Québécois, la culture de masse états-unienne ou une socialité traversée d'impératifs marchands ? Si tant est qu'une telle interprétation soit possible, il importe de souligner que, dans la perspective dumontienne, ces nouveautés sont toujours interprétées par rapport au collectif canadien-français, en tant qu'elles agissent sur lui et infléchissent le parcours rectiligne d'un destin dont l'achèvement est écrit à l'encre invisible dans le grand livre de sa mémoire historique. De même, on peut affirmer qu'à côté de la référence canadienne-française peuvent s'en ériger d'autres concurrentes et influençant la première. C'est bien ce que semble recouvrir l'idée du « regard de l'autre » dans la *Genèse*. Dumont note en effet que la représentation négative que véhiculent d'eux les journaux anglophones au début du XIXe siècle conduira progressivement les Canadiens français à se concevoir comme collectivité spécifique. Les effets de ce discours sur la production de la mémoire historique canadienne-française auraient engendré le complexe d'infériorité et la crainte de l'étranger que traînerait toujours la culture. Mais ce discours dont on postule qu'il a contribué négativement à la formation de la référence identitaire canadienne-française est encore une fois posé à l'image du corps étranger agissant de l'extérieur.

Cette téléologie communautariste pointe en direction d'un accomplissement. Gilles Paquet est fondé, il me semble, de prétendre que *Genèse de la société québécoise* ne poursuit qu'un seul objectif : montrer de manière continuiste la genèse du nationalisme québécois et la nécessité de le concrétiser dans le projet politique de la souveraineté (PAQUET, 1995).

La critique de cette position emprunte deux directions dont les travaux de Jocelyn LÉTOURNEAU (1998), d'une part, et ceux de Gérard BOUCHARD (1999), d'autre part, constituent peut-être les archétypes. Je m'y attarde un instant dans la mesure où il me semble pouvoir y déceler des éléments menant à l'élucidation de l'ambiguïté du concept d'histoire chez Dumont. C'est également l'occasion de retrouver l'actualité de débats théoriques et politiques que l'œuvre de Dumont porte intrinsèquement.

Létourneau s'est opposé à la conception de la nation québécoise au nom de laquelle il faudrait maintenant l'aider à achever le destin que l'histoire lui aurait assigné (LÉTOURNEAU, 1998). Ceux qu'il nomme les « grands intellectuels québécois » se seraient tous plus ou moins voués à l'atteinte de cet objectif et cultiveraient devant son perpétuel report une mélancolie sinon une hargne mal contenue. Létourneau impute à la pensée de Dumont une large part de cette interprétation du passé québécois qui l'engagerait téléologiquement à achever une trajectoire dont le plein accomplissement aurait été trop longtemps empêché. Il s'en prend donc à la conception téléologique en vertu de laquelle le destin du peuple québécois serait tout entier déjà contenu dans les éléments premiers de la référence.

Létourneau trouve chez Serge Cantin l'expression paroxystique de cette tendance. À la suite de Dumont, Cantin aurait fait sien le devoir de porter le pays « comme on porte un enfant » (LÉTOURNEAU, 1998, p. 373). Létourneau fait alors remarquer que cette attitude est typique du réflexe de plusieurs intellectuels investis de la mission de sauver le pays. Elle exprime un refus : celui de reconnaître « l'ambivalence d'êtres » (1998, p. 364) des Québécois, cette division constitutive d'eux-mêmes qui les fait à la fois enfants du Québec et citoyens canadiens, souverainistes mais pas suffisamment pour réaliser l'indépendance. Faire de cet accomplissement la conclusion normale et trop longtemps différée de l'histoire canadienne-française, nier l'ambivalence visée au cœur du vécu québécois, ce serait adopter la posture du « père » pour lequel il n'est qu'un destin possible pour l'enfant qu'il porte dans ses bras : celui qu'il a dessiné pour lui (LÉTOURNEAU, 1998, p. 375).

Pour sa part, Gérard Bouchard craint que l'on puisse tirer d'une conception essentialiste de la nation une lecture ethnocentriste de la collectivité francophone. Ce repli de la réflexion sociologique sur un nous ethnique, Bouchard le subodore dans les dernières positions de Dumont portant sur la distinction entre nation québécoise et nation « française » (BOUCHARD, 1999, p. 47-50). Pour ce dernier, ce cadenassage identitaire du collectif canadien-français bloquerait la possibilité de la souveraineté du Québec entendue comme aménagement des droits de toutes les composantes de la société québécoise dans la perspective du pluralisme. Michel Seymour a voulu, lui aussi, prendre ses distances vis-à-vis de la définition substantialiste de Dumont en la fustigeant en raison de l'impasse politique sur laquelle elle débouche du point de vue de la constitution d'une nation québécoise inclusive et démocratique (SEYMOUR, 1999, p. 65). Claude Bariteau estime lui aussi que le concept de nation culturelle chez Dumont a pour effet d'exclure les Anglo-Québécois et les Néo-Québécois (BARITEAU, 1999, p. 165).

Ces critiques de la téléologie communautariste que nous avons reconnue dans la deuxième acception de la définition de l'histoire chez Dumont visent plus ou moins explicitement le fait que le travail de remémoration auquel s'adonne l'histoire circonscrit l'univers particulier d'un certain monde commun. Mais, les valeurs universalistes d'une éthique sociétale, dans le respect desquelles tous participeraient de plein droit à l'écriture du grand récit collectif, sont-elles pour autant battues en brèche ?

L'histoire universelle en tant qu'achèvement éthique du vécu collectif

On peut tout aussi bien s'appuyer sur la définition de Dumont pour réduire au silence ce genre de critiques. On trouve chez lui la conviction, réitérée de diverses manières, de l'universalisme des singularités historiques. La particularité qu'a construite une mémoire historique telle qu'elle se cristallise dans une référence est toujours l'expression de ce qu'il y a de plus universel en l'homme : son désir de reprendre un legs, de l'interpréter, de le prolonger afin de faire de son monde « une référence habitable » (DUMONT, 1993, p. 352).

Dumont écrit dans *Le sort de la culture* que « les cultures sont des ethos, des éthiques incarnées » (DUMONT, 1987, p. 222). Le très grand intérêt de cet énoncé tient au fait qu'il fond en une seule pièce une dimension universaliste et une singularité. C'est parce que l'individu se rattache d'abord à une culture qu'il peut ériger un projet de société visant l'universel. Mais il y a plus. On retrouve partout chez Dumont la profession de foi souvent réitérée que de la mémoire historique dépend la participation au politique (DUMONT, 1995, p. 84). C'est parce qu'il aperçoit l'espace qu'il partage en commun avec ses semblables que l'homme cherche à y inscrire sa pratique et sa volonté d'aménagement du monde en un univers vivable. C'est parce qu'il peut se saisir de sa propre histoire qu'il se sait pouvoir agir sur elle et, alors, s'inscrire dans la cité en tant que son architecte. « Le politique prime désormais l'histoire » écrit Benjamin pour indiquer que les urgences du présent appellent une lecture politique du passé (BENSAID, 1990, p. 22). Le pouvoir d'agir sur le présent dépend des utopies que nous pouvons réveiller du passé. Une éthique de l'être-ensemble n'est possible que dans cet acquiescement volontaire à l'histoire, que dans l'assomption du passé dont on se fixera la tâche de le remémorer (quitte à le transformer) afin que ce ne soit pas l'histoire des « vainqueurs » qui soit écrite pour toujours (BENJAMIN, 1991, p. 334).

C'est bien également le point de vue de Dumont lorsqu'il exhorte à la participation politique :

Que nous importerait une société sans projet que des citoyens puissent partager ? Autant laisser aux pouvoirs, anonymes ou non le soin de faire l'histoire, de substituer leurs desseins et leurs intérêts à ce qui devrait être plutôt des visées collectives ouvertement discutées (DUMONT, 1995, p. 85).

L'histoire éclaire les possibles de l'avenir. Elle dit que c'est à nous de la faire, que l'*imperium* des choses telles qu'elles sont n'est pas éternel, que les pouvoirs sont révocables pour autant que nous nous érigions en maître d'œuvre de l'édification du monde. C'est donc aussi dans le sillage de la philosophie politique de Hannah Arendt que Dumont inscrirait ici sa définition de l'histoire. Pour qu'existe un monde commun capable ensuite d'abriter ceux qui s'y inscrivent, il faut que se constitue un espace public dans lequel sera assumé un certain legs d'humanité et toujours repris le projet de sa continuation (BEAUCHEMIN, 1999).

On peut aller plus loin encore dans la réhabilitation du Dumont dont nous retrouvons ici la dimension universaliste de son concept d'histoire. Lorsque Dumont cherche à dresser l'histoire et la culture contre la dissolution de la mémoire à laquelle travaillent les forces conjuguées de l'économie, de la bureaucratie et de la marchandisation, c'est un retour de la tradition qu'il appelle de ses vœux, mais une tradition qui aurait rompu avec la substance des coutumes auxquelles on l'associe habituellement (DUMONT, 1995, p. 52 et sq.). Ici, c'est l'histoire en tant qu'elle fournit à l'acteur les guides de l'action, en tant qu'elle le pose en sujet d'une éthique capable de défendre un projet de société. Privé de l'horizon mémoriel sur lequel peut s'imaginer le projet d'aménager un monde à la mesure de la liberté « c'est le pouvoir anonyme qui, succédant à la mort des coutumes, remplacera les citoyens dans la responsabilité de conférer un sens à l'histoire » (DUMONT, 1995, p. 92). La préoccupation de Dumont est alors tournée vers un projet d'humanisation soucieux de l'inscription du sujet en tant qu'acteur dans la société. C'est en cela que l'on peut affirmer que l'histoire constitue la condition nécessaire pour que le vécu collectif s'érige en projet éthique.

Dumont, historien de l'ambiguïté

Dans sa virulente critique de *Genèse de la société québécoise*, Gilles Paquet souligne que Dumont s'emploie à dévaluer les deux premières modalités de formation de la société qu'il a lui-même identifiées (l'appartenance et l'intégration) au profit de la troisième, la référence. Dumont estime, en effet, que l'aventure politique du début du XIXe siècle a été un leurre et qu'elle a contribué à brouiller la définition de la référence canadienne-française. Mais, les conditions sociohistoriques s'étant transformées, il appelle maintenant les Québécois à investir le champ du politique afin d'achever le projet que portait secrètement la survivance. À la suite du long hiver de la survivance, l'heure du politique serait arrivée. Or, il me semble que cet appel au politique, en tant que lieu d'achèvement du destin canadien-français, témoigne d'un impensé de la sociologie dumontienne. En effet, si le Québec d'aujourd'hui doit se réaliser dans le politique, il ne peut le faire qu'en acceptant de voir émerger les traits d'une nouvelle référence identitaire et une réécriture de l'histoire. En d'autres termes, la mémoire qu'il s'agirait ainsi de prolonger, le destin historique qu'il faudrait maintenant accomplir ne concernent plus uniquement les Canadiens français. C'est bien là la contradiction qu'identifie Paquet lorsqu'il fait remarquer que le projet sur lequel débouche Dumont serait celui « d'une nouvelle réconciliation putative de la communauté nationale avec un projet politique » (PAQUET, 1995, p. 116). Ne retrouve-t-on pas l'ambiguïté qui est au cœur de la définition de l'histoire dumontienne ? D'un côté, une vision communautariste et substantialiste, de l'autre, une posture où la conscience historique s'ouvre à la diversité, à l'universel dans une apologie du politique, de la participation citoyenne et de la démocratie.

Du point de vue de Dumont, l'achèvement de l'hiver de la survivance dans le politique n'implique-t-il pas l'éparpillement tant appréhendé du legs ou de l'héritage de la mémoire historique canadienne-française ? Dumont propose de relancer sur le mode dialogique, celui du politique, de la diversité, du métissage et du conflit, une histoire que son historiographie a reconstruite sur le mode monologique. Seulement, on ne trouve pas dans son concept d'histoire la clé théorique grâce à laquelle cette contradiction pourrait être déverrouillée. À moins de s'en remettre à cette intenable position d'une institutionnalisation séparée des diverses communautés munies chacune de leur référence propre dans une dynamique politique qui les laisserait indemnes dans la rectiligne continuation d'elles-mêmes.

Il arrive alors que les deux pôles opposés du débat contemporain autour du nationalisme québécois puissent se retrouver dans la définition dumontienne de l'histoire. Dans son ambiguïté, le concept qu'il nous a laissé témoigne du problème dont sont captifs ceux qui font carrière d'historiens ou de sociologues. D'une autre façon, cette ambiguïté répercute la fameuse dichotomie nationalisme ethnique et civique au sein de laquelle s'oppose un projet communautariste et une visée universaliste. En ce sens, le débat très actuel portant sur la composition du sujet politique et de la nature du projet qui serait le sien dans un Québec souverain manifeste le problème qui sommeille dans les tréfonds de la philosophie de l'histoire dumontienne et qui n'est rien d'autre que celui de la difficile traduction universaliste d'un parcours historique particulier et nécessairement « fermé » sur la mémoire d'un certain nous-collectif.

Demeure enfin une question que nous avons laissée de côté jusqu'ici et qui concerne la source de l'ambiguïté du concept.

Dumont, continuateur de Garneau et de Groulx

Nous avons vu que la conception de l'histoire en tant que mémoire historique au service de l'action sur le présent est très présente chez Dumont. C'est la raison pour laquelle il reconnaît si facilement le devoir civique de mémoire auquel s'astreignent Garneau ou Groulx. Dans les brillantes analyses qu'il réserve à ces deux historiens, Dumont parvient à débusquer les intentions sous-jacentes qui les animent. Pour l'essentiel, il dépeint le portrait de deux historiens prisonniers du contexte dans lequel ils écrivent leur histoire respective du Canada. Or, l'éclairage que jette Dumont sur leur travail peut être redirigé sur sa propre posture théorique. J'aimerais en effet essayer de montrer, qu'à l'instar de Garneau et de Groulx, la démarche historienne de Dumont engage elle aussi les problèmes de son temps.

Dans *Genèse de la société québécoise*, Dumont tente de mettre à jour les urgences auxquelles répondait l'histoire que Garneau va publier au lendemain de l'Union. « Chez Garneau, écrit-il, l'histoire relève d'une vocation » (DUMONT, 1993, p. 287). Avec la promulgation de l'Acte d'union et le projet assimilateur qui le sous-tend, les Canadiens français sont menacés. Leur destin en Amérique consistera désormais à lutter pour leur survivance.

Le contexte historique auquel Garneau est confronté expliquerait ainsi sa fameuse « conversion ». L'historien, dont le « discours préliminaire » est largement inspiré des idées libérales, n'est plus le même au moment où il écrit la conclusion de son ouvrage et qu'il appelle les Canadiens français à se réfugier dans leurs traditions. Garneau passe alors à l'histoire à titre d'idéologue de la conservation. Plusieurs se sont posés la question des raisons de ce retournement. Serge Gagnon a proposé une réponse devenue classique. Garneau est au départ le porte-parole de la petite-bourgeoisie, ce qui expliquerait son anticléricalisme et ses positions libérales. L'Église catholique, triomphante après 1840, l'aurait acculé à réécrire certains passages tant et si bien qu'au fil des rééditions de son *Histoire du Canada*, se seraient étiolées ses positions progressistes (GAGNON, 1978, p. 320).

Dumont soutient, quant à lui, que de 1791 à 1840, Garneau écrit deux histoires : celle des luttes politiques menées en chambre et celle de la quotidienneté, du temps long de la vie du peuple. Garneau s'enthousiasme devant la marche des peuples d'Europe et d'Amérique et célèbre les avancées de la liberté. En même temps, il dessine un autre destin pour le peuple canadien-français dont il fait dépendre la survivance de sa capacité à demeurer tel qu'en lui-même. Comme Parent, Garneau estime après l'Union que les idées des années 1830 n'ont plus cours (DUMONT, 1993, p. 292). La menace d'assimilation gronde, mais dorénavant ce n'est plus la classe politique qui va garantir la survie de la race, mais le peuple lui-même, celui de la longue durée, des traditions et de « l'histoire profonde » (DUMONT, 1993, p. 293). Garneau écrirait donc deux histoires en parallèle, l'une, politique, où le peuple s'inscrit dans les luttes de pouvoir dont l'Assemblée sera le siège et une autre, celle du « peuple en son existence quasi immobile ».

Garneau, inquiet après 1840, discrédite le politique en tant que lieu au sein duquel se joue le destin collectif. Il se rabat alors sur une définition substantialiste du peuple et travaillerait à la production d'une identité collective inscrite dans les profondeurs du temps long de la tradition. La menace d'assimilation que fait peser l'Union est bien réelle. La pierre de touche de la résistance passe nécessairement par une définition essentialiste de la collectivité plutôt que de la rapporter à des principes abstraits. L'historien se serait ainsi trouvé dans une situation sociohistorique au sein de laquelle il aurait été incapable de concevoir autrement que dans un appel aux traditions l'avenir des Canadiens français. L'engagement de Garneau se transformera dès lors en une œuvre de mémoire. Son écriture « se déplacera hors de l'histoire » (DUMONT, 1993, p. 293).

Un mot seulement sur la semblable lecture que Dumont réserve à l'œuvre de Groulx. Une fois encore, il reconnaît dans la nostalgie des origines qui traverse l'histoire de Groulx, l'attitude d'un historien aux prises avec les problèmes de son temps (DUMONT, 1987, p. 302). Comme Garneau en son temps, Groulx s'inquiète des effets de la politique sur la vie du peuple (DUMONT, 1987, p. 311). Comme lui, il craint que le jeu politicien ne le détourne de la tâche à plus long terme de « maintenir sa nationalité », comme le disait déjà Étienne Parent au cours des années 1830. Aux yeux de Dumont, le culte des origines que l'on a tant reproché à Groulx manifeste la nécessité de situer le présent canadien-français dans l'immanente présence du passé, comme en une éternelle reproduction du même. Ici encore, nous trouvons deux peuples. Celui qui, captif du présent, s'agite dans l'ordinaire des choses qui le concerne et l'autre, intemporel, dont chaque geste rappelle et actualise ce que l'histoire profonde a fait de lui.

*
*   *

Ambiguë, la définition du concept d'histoire l'est sans doute sous la plume de Fernand Dumont. Mais il n'est pas le seul ni le premier à vouloir réconcilier le singulier et l'universel. Il n'est pas le premier non plus à vouloir mettre au service des siens la « science de l'interprétation ». Le grand problème auquel il se trouve confronté est bien, à son dire, aussi celui de Groulx : tracer à une collectivité minoritaire les voies de l'avenir à partir d'une lecture du passé. L'intellectuel québécois peut difficilement tourner le dos à ce problème et laisser à la contingence le soin de déterminer l'avenir. Comme de nombreux intellectuels québécois, Jocelyn Létourneau, si critique pourtant du volontarisme historien, examine sa propre démarche à la lumière crue des impératifs liés à la défense de la nation. Il est significatif que la trame de fond de sa critique des téléologies communautaristes consiste en une réflexion sur le rôle de l'intellectuel dans la défense des « siens » (LÉTOURNEAU, 1998, p. 381). L'imprécation est puissante et tout aussi puissamment ressenti l'appel à la responsabilité quand il s'agit de penser l'avenir des francophones en ce pays. De là à reconnaître dans la démarche de ceux qui s'activent aujourd'hui à imaginer la suite de l'aventure canadienne-française en Amérique, l'antique réflexe de Garneau écrivant la conclusion de son *Histoire du Canada* sous le mode de la survivance, il n'y aurait qu'un pas.

Dans le sillage tracé par Garneau et Groulx, Dumont a contribué à sa façon à sédimenter la représentation d'un peuple qui porterait depuis ses lointaines origines une personnalité collective. Mais, il innove par rapport à ses illustres prédécesseurs en affirmant la nécessité de penser l'avenir de la mémoire canadienne-française en termes politiques. Dressé sur les épaules de ses devanciers, il entrevoit le plein épanouissement du peuple dans un projet politique qui a été étranger aux grands historiens du Québec jusque dans les années cinquante. Il n'est pas certain cependant qu'il soit parvenu à dépasser le problème que voyaient clairement Garneau et Groulx. En se méfiant du politique, ces derniers entretenaient le projet de soustraire l'identité canadienne-française à la politisation des identités. Dans l'esprit de Dumont, l'aventure politique inaugurée par la Révolution tranquille, et dont la souveraineté constituerait le point d'arrivée, a entraîné le désenclavement de l'identité canadienne-française, son dégel à la suite de la grande glaciation qu'aurait représenté « l'hiver de la survivance ». Mais, il ne voit pas que la référence canadienne-française ne sortira pas indemne de la négociation politique dans laquelle il l'engage à persévérer. Il ne fait certainement pas fausse route en soutenant la centralité du politique. Il sait que l'approfondissement de la démocratie passe par la formulation d'un projet de société reposant sur la participation citoyenne. Mais, le propre du politique tient aussi à ce que les identités qui s'y rencontrent en ressortent transformées. Les exemples sont nombreux. Les Canadiens français de 1867, réticents à l'idée d'adhérer à la Confédération, sont progressivement devenus Canadiens ; la lutte du mouvement des femmes a transformé l'identité masculine elle-même ; les luttes du mouvement ouvrier nous ont appris depuis un siècle à reconnaître la légitimité de la critique du marché et du capital. Bref, c'est dans le politique que se déplacent les rapports de forces et c'est en lui que se font et se défont les identités qui s'y avancent munies de leur projet de reconnaissance.

C'est à ce genre de mutations et à bien d'autres encore que s'expose la référence francophone lorsqu'elle se risque au jeu de l'ouverture aux autres, qu'elle leur propose de former avec elle une nouvelle société pluraliste et respectueuse des droits de chacun. C'est évidemment sur ce terrain que se jouera la redéfinition identitaire de la société québécoise, mais il me semble que Dumont n'aperçoit pas que s'opposeront alors des mémoires historiques différentes dont le métissage empêchera peut-être l'accomplissement du destin canadien-français, le déportera de la trajectoire rectiligne qui devait le conduire de l'hiver de la survivance au courage de la liberté. Prend-il la pleine mesure de cette sentence, qu'il cite et assume, dans laquelle Groulx condamne les aventuriers qui dilapident leur héritage culturel, « Il peut arriver et il arrive qu'une génération oublie son histoire ou lui tourne le dos ;

elle le fait alors sous la poussée d'une histoire qui a trahi l'histoire » (DUMONT, 1987, p. 321) ?

De la même façon que Garneau circonscrit deux peuples, Dumont propose deux définitions de l'histoire du Québec. La première est celle de la réalisation de l'homme dans l'histoire en tant que citoyen et membre de la cité. C'est alors l'histoire en tant qu'elle donne prise sur le destin collectif, celle qui s'érige face à l'avancée des régulations anonymes du marché, des bureaucraties, celle qui rappelle que la présence au monde est sens et projet d'humanisation. La deuxième est celle d'une communauté historique singulière et de la référence qui la constitue comme telle. Mais cette deuxième définition s'accommode mal de la première et Dumont ne parvient pas à les réconcilier. L'ouverture au devenir que Dumont place dans la participation au politique suppose le décloisonnement de la référence. Elle implique la reconnaissance de l'autre et une négociation au terme de laquelle se trouveront forcément transformées les identités en présence. Cette ouverture au politique implique la négociation des places au sein de la mémoire (le statut changeant des Amérindiens dans l'imaginaire québécois, par exemple) et le métissage de la référence. Que signifiera dans cent ans le fait d'être Québécois quand il ne restera plus rien de l'héritage ruraliste dont nous n'avons pas encore épuisé toute la signification, quand un certain pragmatisme aura peut-être imposé l'anglais comme langue unique de l'espace public en dépassant la signification politique que cette question recèle encore à nos yeux, lorsque se sera effacé le souvenir des plaines d'Abraham ? Nul ne le sait exactement, mais il se pourrait que l'idée d'histoire canadienne-française elle-même ait perdu toute signification. C'est en ce lieu que réside l'ambiguïté dumontienne : la continuation de l'aventure canadienne-française et le maintien d'un certain héritage dans un projet politique universaliste niveleur d'appartenances.

Nous sommes les compagnons de route de Dumont dans nos tentatives essoufflées de réconcilier le particulier et l'universel. Ce n'aura pas été son moindre mérite que de nous avoir montré que ces deux dimensions sont indissociablement liées à l'aventure d'une petite nation comme la nôtre, assoiffée d'universel mais enchaînée aux contingences de l'histoire de la vallée du Saint-Laurent.

Jacques BEAUCHEMIN

Département de sociologie,
Université du Québec à Montréal.

BIBLIOGRAPHIE

BARITEAU, Claude

1999   « Le projet souverainiste est et doit demeurer la création d'un État de droit », dans : Michel SEYMOUR (dir.), *Nationalité, citoyenneté et solidarité*, Montréal, Liber.

BEAUCHEMIN, Jacques

1999 « La culture comme éthique incarnée : illustration et défense de la sociologie de l'éthique dumontienne », *Carrefour*, 21-1 : 39-59.

BENJAMIN, Walter

1991 *Écrits français*, Paris, Gallimard.

BENSAID, Daniel

1990 *Walter Benjamin, sentinelle messianique*, Paris, Plon.

BOUCHARD, Gérard

1999 *La nation québécoise au futur et au passé*, Montréal, VLB éditeur.

BOURDIEU, Pierre

1980 *Le sens pratique*, Paris, Minuit.

BOURQUE, Gilles

1995 « Genèse de la société ou de la nation », *Recherches sociographiques*, XXXVI, 1 : 96-103.

CASTORIADIS, Cornelius

1975 *L'institution imaginaire de la société*, Paris, Seuil.

DUMONT, Fernand

1987 *Le sort de la culture*, Montréal, L'Hexagone.

1993 *Genèse de la société québécoise*, Montréal, Boréal.

1995 *L'avenir de la mémoire*, Québec, Nuit blanche éditeur.

1995 *Raisons communes*, Montréal, Boréal.

GAGNON, Serge

1978 *Le Québec et ses historiens, de 1840 à 1920*, Sainte-Foy, Presses de l'Université Laval.

LÉTOURNEAU, Jocelyn

1998 « Impenser le pays mais toujours l'aimer », *Cahiers internationaux de sociologie*, CV : 361-381.

PAQUET, Gilles

1995 « Fernand Dumont, *magister ludi* », *Recherches sociographiques*, XXXVI, 1 : 111-116.

RUDIN, Ronald

1998 *Making History in Twentieth-century Quebec*, Montréal.

SEYMOUR, Michel

1999 *La nation en question*, Montréal, L'Hexagone.

PENSER À PARTIR DE DUMONT
LA RELIGION CATHOLIQUE
DANS LA SOCIÉTÉ QUÉBÉCOISE

Anne FORTIN

La contribution de Fernand Dumont à la sociologie du catholicisme québécois se caractérise par l'exploration de la mémoire de la société québécoise qui s'est définie « en tant que » société religieuse et par l'ouverture sur l'avenir et le devenir du catholicisme. Les catégories à partir desquelles Dumont a pensé le catholicisme québécois sont mises en valeur dans cet article, et nous montrons leur fécondité pour penser la situation actuelle. Il s'avère ainsi possible de poursuivre son questionnement qui n'a rien perdu de son acuité : à partir de quels paramètres peut se définir l'identité du chrétien ? comment penser la relation de la foi et de la culture ? quel est le statut du transcendant dans la culture ? quelle peut être la place du catholicisme dans l'espace public contemporain ?

Les écrits de Fernand Dumont illustrent une continuelle urgence de *penser le présent* de la situation du catholicisme québécois. Il y avait urgence en 1970 à penser la tension entre l'expérience religieuse de l'individu et le discours de l'institution ecclésiale, lors des travaux de la Commission d'étude sur les laïcs et l'Église et de la publication du *Rapport Dumont*. Il y avait urgence en 1982 à penser la crise de l'Église au regard de la crise de la société, ce qui fut à l'origine d'un collectif réunissant Dumont, Jacques Grand'Maison, Jacques Racine et d'autres : *Situation et avenir du catholicisme québécois*, tome 2 : *Entre le temple et l'exil*. Et urgence encore à faire paraître, en 1996, le livre *Une foi partagée*, pour transmettre comme un héritage la foi de toute une vie à la recherche de son intelligence.

Trente ans après le *Rapport Dumont*, l'institution ecclésiale apparaît fatiguée, éclatée et impuissante face aux défis actuels. Au-delà du symptôme – l'actuelle anomie du catholicisme québécois – comment *penser le réel* de la blessure ? Peut-on penser que le symptôme deviendra révélateur de la blessure une fois qu'il sera resitué dans une histoire, vis-à-vis d'un passé et d'un futur ?

Tel fut précisément le sens de la contribution de Fernand Dumont à l'histoire et à la sociologie du catholicisme québécois : *penser le catholicisme québécois*, creuser la mémoire de cette Église, retracer ses marques, pour « se consacrer à la quête de la signification hypothétique du devenir » (DUMONT, 1994, p. 247). Dumont a cherché à penser le présent et l'avenir de la situation du catholicisme québécois à l'aide d'une lecture sociohistorique de la société québécoise *en tant que société religieuse* (DUMONT, 1995a). Ce *geste*, repris aujourd'hui, implique l'abandon de toute nostalgie et de tout ancrage dans une normativité transcendantale. Il ne s'agit pas de se demander ce que « devrait être » l'articulation de l'institution aux sujets, mais bien plutôt d'analyser la mutation effective de l'institution en organisation, la mutation du sujet acteur social en un sujet esthétique, le passage de la primauté de la raison pratique à celle de « l'esthétique du soi ». Les catégories de Dumont peuvent nous aider à interroger le présent à partir du cadre historique : pourquoi la société québécoise ne se pense plus *en tant que* société religieuse ? quelle est la fonction de la religion dans la société ? est-elle davantage qu'un élément flou de son identité collective ? et sinon, comment penser alors le rôle du catholicisme dans l'espace public ?

Dumont nous aide à poser ces questions du point de vue d'une « science qui verrait avant tout dans les sociétés un ensemble de pratiques de l'interprétation » (DUMONT, 1993, p. 339). Une telle science creuse le rôle de la *mémoire* dans la société québécoise avec l'intention d'apporter ainsi une contribution à « l'édification d'une référence habitable ». Chez Dumont, mémoire et politique sont liées (DUMONT, 1994, p. 268) ; qu'on ne voie là nulle nostalgie. La situation actuelle ne permet ni de s'accrocher aux brumes du passé ni d'évaluer le présent à l'aune d'une normativité numineuse.

Les catégories de Dumont peuvent encore contribuer au geste de penser le présent. Mais si l'urgence d'aujourd'hui acquiert un autre relief en regard des urgences antérieures, le passé ne relativise pas pour autant le présent. Au contraire, l'ampleur de la crise actuelle est d'autant plus grave qu'elle avait été annoncée dans le *Rapport Dumont*. Penser à partir de Dumont consistera à poser comme lui un regard critique sur le catholicisme québécois, tout en honorant la figure de l'*intellectuel militant* inhérente à cette position critique.

La question préalable consiste à rendre compte du choix pour Dumont. Pourquoi choisir aujourd'hui de penser le catholicisme québécois aux côtés de Fernand Dumont ? Une fois ce préalable posé, il s'agira de penser à partir des catégories de Dumont le double renversement de la subjectivité, le premier identifié par Dumont en 1968, dans *Le lieu de l'homme*, le deuxième par Marcel Gauchet dans *La religion dans la démocratie* en 1998. Les transformations ne concernent pas seulement la foi mais bien plutôt le régime de la conviction en général, comme le dit Gauchet. Il s'agira de voir en ce double « renversement copernicien de la conscience religieuse » un cadre interprétatif fécond pour penser à nouveaux frais les questions de l'*identité*, de la *référence* et du rôle des médiations dans l'espace public.

1. *Pourquoi lire Dumont ?*

De même que Dumont se demande, dans *Le sort de la culture*, « pourquoi lire Groulx ? », il n'est peut-être pas superflu de s'arrêter sur les raisons justifiant de *lire Dumont* aujourd'hui. Trois raisons principales peuvent appuyer ce choix, et de faire ainsi vivre cette *mémoire* comme un héritage dans la société québécoise.

Ces raisons doivent être expliquées – rendues communes dans l'espace public de discussion – car *lire Dumont* consistera à actualiser son œuvre et à en faire un matériau pour penser le présent de la société québécoise. Le lire est le faire vivre dans le présent de nos référents communs. Il ne s'agira donc pas tant de retracer la chronologie de ses travaux, ni de dresser un état de la question de sa fécondité dans l'histoire intellectuelle québécoise. *Lire Dumont* consistera à penser à ses côtés, de la même façon que l'on a toujours Kant ou Hegel comme compagnons de route. Parce que « ce qui emplit notre conscience historique, c'est toujours une multitude de voix où résonne l'écho du passé. Le passé n'est présent que dans la multiplicité de telles voix : c'est ce qui constitue l'essence de la tradition à laquelle nous avons et voulons prendre part » (GADAMER, 1996, p. 305).

Lire Dumont aujourd'hui attire l'attention sur les modalités de constitution de nos référents communs puisqu'un tel geste consiste à en faire un de nos « classiques ». Ce qui est répercuté de son œuvre est une voix qui cherche à rejoindre l'universel par l'analyse du singulier. Les œuvres de Dumont disent que cette voix est celle de l'intellectuel engagé, telle que le fut pour Dumont celle d'André Laurendeau. L'écho de la filiation à travers les positions militantes résonne avec une particulière intensité aujourd'hui devant l'urgence toujours aussi actuelle de changer le monde. Dumont a cherché lui-même à se comprendre dans une lignée d'intellectuels pour qui la pensée est au service des hommes. Penseur de l'universel, ce qui est en soi une résistance active contre tout ce qui diminue l'homme.

Fini le temps du militantisme ? Il est permis de croire que non, lorsque nous lisons sous la plume contemporaine du philosophe Alain Badiou la même recherche de voix militante dans les écrits de Paul : « Pour moi, Paul est un penseur-poète de l'événement, en même temps que celui qui pratique et énonce des traits invariants de ce qu'on peut appeler la figure militante » (BADIOU, 1997, p. 2). De Dumont, faut-il retenir le choix de ses « classiques » ou son geste ? Comment recevons-nous l'héritage de ce *penseur-poète de l'événement* québécois ? Resterons-nous enfermés dans notre incapacité de nous aimer – « les Québécois d'aujourd'hui ne s'aiment pas lorsqu'ils songent à leur passé », écrit Dumont en 1987 (DUMONT, 1995a, p. 280) – ou est-il possible de reprendre le geste dans toute sa fécondité, et de s'inscrire dans l'infinité de ses reprises ?

> Depuis longtemps, je me suis mis à l'écoute des historiens. On constatera sans peine ma dette à leur égard. Mais je les ai lus avec le soin de garder ma liberté d'interprétation. Évidemment, d'autres points de vue que les miens sont possibles. Au vrai ils sont *infinis*. Pas plus que la mémoire de l'individu, l'histoire n'enferme d'avance dans les préoccupations qui nous engagent à l'interroger. (DUMONT, 1993, p. 19.)

Lire Dumont inscrit ainsi la durée dans nos urgences. Le passage par le Rapport de la Commission d'étude sur les laïcs et l'Église (1971)[1] permet de lire nos urgences à la lumière des formulations antérieures des mêmes réalités. En 1971, on peut lire dans le Rapport Dumont :

> Il est évident que l'Église québécoise fait face à des situations historiques inédites. Elle a perdu la plupart des *canaux sociaux* par lesquels passait son action *dans le monde*. Par exemple, beaucoup de militants chrétiens ont connu une première inspiration dans certains *organismes* confessionnels qui les ont soutenus au départ ; aujourd'hui, ces *points d'appui* n'existent pratiquement plus et personne ne songe à les recréer comme tels. Les réserves d'énergie et d'orientations spirituelles risquent de s'épuiser rapidement à mesure que le *projet humain* de sécularisation se réalise loin de l'Église et que le monde profane se cherche sans référence à elle. (Commission d'études sur les laïcs et l'Église, 1971, p. 101.)

Ce diagnostic sur la situation de l'Église québécoise, posé il y a trente ans, ne pourrait-il pas être posé aujourd'hui encore ? Trente ans après le *Rapport Dumont*, la question « quelles sont la place et le rôle de l'Église catholique dans la société québécoise ? » n'est-elle pas encore brûlante d'actualité dans l'actuel « tournant ambulatoire » de la religion, dans le transfert de la religion du système d'éducation vers la sphère de la vie privée ? Dans ce contexte, lire Dumont est pertinent car il y a encore place pour sa vision de l'historien en tant qu'« individu qui se consacre à la quête de la signification hypothétique du devenir ».

Finalement, lire le *Rapport Dumont* aujourd'hui met en évidence que *penser la foi, intelliger de la foi* et *dire la foi*, bref, faire de la théologie s'exerce aujourd'hui dans un contexte tout aussi inédit qu'il pouvait l'être il y a trente ans, lors des travaux de la Commission d'étude sur les laïcs et l'Église. Lire Dumont, parce que pas plus hier qu'aujourd'hui, les réponses ne sont simples.

2. *Double renversement copernicien de la subjectivité*

Relire aujourd'hui les analyses de Dumont sur les transformations du catholicisme québécois donne un caractère tragique à ses pronostics des plus pessimistes.

---

1. Ce document est également connu sous le nom de *Rapport Dumont* ; c'est d'ailleurs ainsi que nous le nommons dans la suite du texte.

Reprenons le diagnostic sur les laïcs dans l'Église posé par le *Rapport Dumont* – diagnostic d'autant plus percutant qu'il est partagé par l'équipe du *Rapport Dumont*. Au cœur de ce diagnostic, l'enjeu du *lieu de réalisation du projet* humain était central, le *projet humain* qui tendait à se définir de plus en plus en dehors du cadre de la religion institutionnelle et à creuser, déjà en 1970, des gouffres entre l'Église et la société. Trente ans plus tard, non seulement l'Église n'est plus un « lieu » privilégié de réalisation du projet humain, mais même les réseaux auxquels elle est liée sont anomiques.

Où se réalise le projet humain ? Dans quels lieux peuvent se réaliser des projets humains qui s'élaborent à partir de la foi ? Autrefois, ces lieux étaient communautaires ; aujourd'hui, ils relèvent de la dimension personnelle du sujet. Autrefois, l'identité chrétienne était donnée ; aujourd'hui, le sujet construit son projet à partir de son expérience, le sujet se conçoit lui-même comme un chercheur isolé en quête de son identité religieuse. D'hier à aujourd'hui, le centre de gravité des projets humains s'est déplacé, ce qui oblige à repenser les conditions de l'interaction du sujet à l'institution.

Hier

Sans idéaliser le passé, il est possible de dire qu'autrefois, des cadres, des organismes, des structures instituaient les sujets humains pour qui la religion était d'abord une affaire publique. Les cadres étaient préalables, l'horizon de sens était donné d'avance et les institutions agissaient en tant qu'instances d'intégration sociale. La marginalité se définissait par rapport à un centre unique. Le sujet était autorisé dans une prise de parole en fonction de son lien à une institution : c'est ce qui était appelé « obéissance ». Un projet social global – souvent unique – déterminait les conditions de réalisation du projet personnel. Mais il y avait un autre côté à la médaille. Parce que le sujet qui prenait la parole le faisait « au nom » d'un autre, le lien social était déjà inscrit dans l'acte même de prise de parole. L'institutionnalisation de la parole « au nom » d'un autre a permis à des sujets, qui autrement auraient été tenus à l'écart, de prendre la parole, d'*annoncer une bonne nouvelle dont ils se faisaient les témoins*. N'idéalisons pas le passé, reconnaissons simplement que l'acte de parole était alors porté par une institution. Nulle nostalgie n'est possible puisqu'il est clair que non seulement ce type de rapport à l'institution n'est plus le nôtre, mais que les contenus des actes de parole ne nous conviendraient pas non plus. Depuis la Révolution tranquille, les transformations impliquent bien davantage que la baisse de la pratique religieuse, il s'agit de la mort d'un langage, de la fin d'un type de rapport à l'autorité et à l'institution.

Aujourd'hui

Aujourd'hui, le sujet se trouve de plus en plus à ne s'autoriser que de lui-même dans son acte de parole. Il est d'abord un individu, classé selon des variables qui particularisent la nature de son énoncé : c'est un jeune, une femme, un membre d'une minorité visible, c'est un marginal, un chômeur, un sans-abri, un gay, un séropositif, une mère monoparentale, un handicapé visuel, un assisté social, un travailleur autonome, une personne en perte d'autonomie, un artiste, un consommateur, etc. La prise de parole du sujet se fait du lieu de la singularité qui se revendique comme telle dans l'espace public (FORTIN, 2000). Le sujet intervient à partir de ce lieu et vise en retour une re-connaissance de sa singularité. Le sujet ne cherche plus à se « dé-singulariser » pour rejoindre l'universel abstrait – l'homme, le citoyen, le sujet-transcendantal. C'est bien plutôt à partir de sa singularité qu'il prétend s'inscrire dans l'espace public de discussion. Le projet humain n'est plus de changer le monde, les projets visent l'épanouissement personnel du sujet dans un monde anonyme et hostile, immuable, invulnérable.

Deux modèles peuvent alors rendre compte du lien entre le sujet et la société. Dumont propose soit le modèle de la généralisation, soit le modèle de l'universalisation. Chaque modèle construit différemment les conditions de la référence du sujet à la collectivité et à l'institution.

Selon le modèle de la généralisation, l'enjeu serait « l'addition d'un nombre x d'individus : la généralité ne prétend pas à la totalité, mais au grand nombre. C'est une notion empirique, relative, contingente ; elle relève du calcul de probabilités et des statistiques ; elle est tournée vers une fin. Il s'agit toujours de montrer que, pour telle finalité précise, la généralité fera office de preuve » (SFEZ, 2000, p. 53).

Par contre, l'universel est une affirmation qui comprend une totalité non décomptée, valable en tout temps. Les sujets se dépassent eux-mêmes tout en demeurant des sujets pour se rejoindre au-delà des différences pour discuter de « raisons communes » (DUMONT, 1995b).

Dans le monde de la généralisation ou de l'homme universel, une des exigences de survie consiste dans la re-connaissance la plus largement partagée de sa singularité. L'enjeu de la distinction entre particularité et singularité apparaît lorsque les intérêts des individus sont soutenus par tous. De là l'importance des médias : puisque le plus particulier vise la mondialisation de sa propre cause, il tend à envahir narcissiquement nos multiples écrans. S'inscrire dans l'espace médiatique pour récolter la sympathie la plus générale possible envers son intérêt particulier suppose une position éthique différente de celle qui vise l'édification de l'universel par la re-connaissance mutuelle des sujets dans leurs singularités.

Le sujet qui se dit chrétien aujourd'hui s'engage-t-il à partir de sa particularité ou de sa singularité ? Comment alors penser la collectivité, comment penser le rapport du particulier au général et du singulier à l'universel ?

Le sujet-chrétien

Le chrétien se définit aujourd'hui comme chrétien d'abord au titre de son identité personnelle. Le rapport à l'institution n'est plus donné, il est à construire à partir et en fonction des parcours personnels des sujets, plutôt qu'à partir d'une appartenance objective. Il est possible de mesurer l'écart entre le premier renverse-ment copernicien et le deuxième à la lecture de ce que Dumont pouvait encore écrire en 1968 :

> La société ne laisse pas à l'individu tout le soin de donner la dernière forme significative aux critères qu'elle lui offre par ailleurs, pour introduire la conscience intime dans la cohérence et la pérennité. Le prodigieux travail des traditions, des mythologies, de l'historiographie prétend élever l'histoire au niveau des vocations personnelles. (DUMONT, 1994, p. 247.)

L'écart se mesure dans la part de « soin » qui relève maintenant de la responsabilité du sujet de « donner une forme significative » à sa vie. La respon-sabilité accablante qui incombe au sujet d'être le principal pôle intégrateur des critères, des identités, des projets, constitue bien l'écueil sur lequel les sujets sont susceptibles de se briser actuellement.

Les institutions religieuses elles-mêmes reconnaissent ce passage du collectif au personnel dans l'identité religieuse. Bien que perdant leur fonction intégrative, les institutions ne se replient pas pour autant dans une posture de protestation. Une écoute interrogative, ouverte et constructive vis-à-vis de l'inédit du sujet commence à poindre. Ainsi en est-il dans la *Lettre aux catholiques de France*, de la Conférence des évêques de France en 1996, selon la lecture qu'en propose le sociologue Jean-Marie Donégani. Le déplacement vers le sujet semble intégré dans la vision de l'Église par les évêques français : « c'est en parlant du cœur de chaque sujet parlant que la vérité peut déployer sa splendeur et le royaume se construire *entre* les hommes parce que chacun a parlé, dans la filiation croyante, en son propre nom » (DONÉGANI, 2000, p. 55).

Au nom de quoi se fait aujourd'hui la prise de parole des sujets ? Au nom de leurs expériences propres et spécifiques. Ces expériences, différenciées à l'infini, revendiquent la re-connaissance et la prise en considération de chaque sujet en tant qu'interlocuteur valable dans l'espace public d'interlocution. Le sujet s'autorise de son identité personnelle et ne vise que la re-connaissance de celle-ci dans l'espace public. La priorité ne porte pas sur la constitution d'une identité collective, mais la recherche d'universalité se manifeste dans la prétention à ce que tous puissent entendre que chaque *expérience* particulière mérite d'être connue et re-connue dans l'espace public. Égalité dans la re-connaissance des singularités ; égalité fondée dans la liberté de se réaliser dans sa singularité.

Il y a ainsi une transformation du lieu à partir duquel s'autorise l'acte de parole : il était possible autrefois de prendre la parole « au nom » d'une institution, mais cette même parole est prise aujourd'hui « en son propre nom ». Le rapport entre l'individu et la collectivité ne s'est cependant pas simplement inversé. Ce sont les conditions mêmes du lien social qui se sont transformées.

Le passage de l'identité chrétienne à l'identité du chrétien

Le point de repère dans le temps que nous fournit le *Rapport Dumont* permet de donner un relief historique à ce passage de l'*identité collective* à l'*identité personnelle*, d'une *identité chrétienne* à l'*identité du sujet chrétien*. La perspective historique nourrie par trente années de réflexion de Dumont sur le catholicisme québécois permet de construire une « généalogie du présent », et non un modèle abstrait historiciste d'évolution ou de régression.

En trente ans, le cadre référentiel de la définition de l'identité s'est transformé, passant d'une perspective juridique et objective à une perspective anthropologique et subjective. Il était plus fréquent de parler d'*identité chrétienne* il y a trente ans, car le christianisme-institution tenait le rôle intégrateur de l'*identité*. On parlerait aujourd'hui plus volontiers de l'*identité du chrétien* que d'*identité chrétienne*. Depuis le *Rapport Dumont*, la question n'a fait que s'amplifier en Église, ou plutôt elle est devenue lancinante : qu'en est-il de ce sujet qui se dit chrétien dans l'espace public, du sujet qui veut s'identifier en tant que chrétien dans un espace public pluriel ? L'identité chrétienne pouvait encore, il y a trente ans, prétendre au titre d'identité collective ; mais déjà dans le *Rapport Dumont*, l'anomie structurelle obligeait à sortir de la logique de l'identité et de la parole unique. Les conditions du « vivre-ensemble » s'effritaient déjà, alors que les conditions du contrat social et les repères devenaient flous. Déjà se posait la question d'une éthique de la parole partagée pour vivre-ensemble. Les contenus partagés du « monde-de-la-vie », d'un savoir-immédiat et commun n'étaient plus acquis, ou plutôt ils n'ont su que de moins en moins se dire en tant que liens, canaux, médiations entre l'individu et la société. Un anthropologue dirait d'une telle société qu'elle a perdu le fil conducteur de ses récits fondateurs. Sa « pensée mythique », dirait un Claude Lévi-Strauss venu de Pluton, ne sait plus se reconnaître elle-même dans sa position de récit instituant, son rôle lui échappe, plus personne ne revendique d'ailleurs le rôle d'interprète de l'ensemble de notre civilisation.

Là où sont nos récits fondateurs, seront inscrits les projets. Ces récits doivent cependant être repris collectivement. Quelle mémoire pour quel projet ? demandait le *Rapport Dumont*. Quels récits, quels lieux, quels projets ? Autant de questions qui seraient à reprendre inlassablement en Église.

Médiations

Pour déjouer l'enfermement duel entre l'individu et le collectif, Dumont pense la fonction des *médiations* entre les deux pôles. À la « crise de l'Église québécoise », qu'il a répercutée dans le *Rapport Dumont* en 1970, et qu'il approfondit à travers un vaste travail d'équipe dans *Du temple à l'exil*, en 1982, Dumont voit une issue : la vie de l'Église catholique dans la société québécoise dépend de son investissement dans les *médiations*. Est-il trop tard pour proposer encore aujourd'hui la même médecine ? Les catholiques n'ont-ils pas tout essayé depuis trente ans ? Ne sont-ils plus qu'un petit reste, âgés, fatigués ? Quoi d'autre qu'un miracle pourrait faire revivre l'Église catholique ? Comment faire revivre une Église sans jeunes et isolée à travers une culture hostile ou indifférente ?

C'est dans ce contexte que la transformation du rôle de l'histoire et de la tradition doit être comprise comme levier pour penser le présent. L'histoire et la tradition valent aujourd'hui d'abord en tant qu'elles contribuent à l'édification de l'identité singulière. La tradition est ainsi mise au service du déploiement des récits de vie puisqu'elle peut contribuer à rendre compte de la position sociohistorique de chaque quête de sens. En effet, l'enjeu de l'adhésion des sujets « n'est pas du côté de la vérité du message auquel je me rallie, mais du côté de la définition subjective qu'il me procure. La tradition vaut d'abord en tant qu'elle est mienne, en tant qu'elle me constitue dans mon identité singulière » (GAUCHET, 1998, p. 96).

Il s'agit ainsi pour le sujet de se comprendre avant que de comprendre la culture. Cependant, comprendre la culture devient une médiation nécessaire pour arriver à se comprendre par rapport à l'autre singulier qui attend que je le re-connaisse aussi. L'exigence ne vient pas « d'en haut », du côté d'un sur-moi qui imposerait à une conscience le devoir de penser le général avant le particulier. C'est exactement le contraire : parce que l'autre singulier attend de moi une re-connaissance de sa singularité, du même ordre que mon attente de re-connaissance, il nous faut trouver une médiation trans-singulière pour penser l'universel.

L'investissement dans les médiations que Dumont voyait comme piste d'avenir pour l'Église ne pourrait-il pas ressembler à raconter nos histoires, se raconter, raconter l'histoire, passer par l'histoire de l'autre pour donner du relief à la mienne ? Ne serait-il pas possible de rencontrer ainsi l'universel à travers l'histoire de l'autre et des autres, des collectivités ? « Nos pères nous ont raconté comment le Seigneur avait agi pour eux [...] » S'écouter les uns les autres dans nos histoires de foi, et écrire ainsi un pan de l'histoire collective.

Pluralisme et culture

Déjà le *Rapport Dumont* évoque l'enjeu de la « libération de la parole » (p. 107), qui est aussi celui du passage d'une parole unique-institutionnelle aux actes de paroles situés et pluriels des sujets croyants. Ce passage à l'identité subjective a déplacé le rapport à l'institution et le rapport à la foi : 1) le cadre institutionnel a été remis en cause par la liberté de conscience, 2) l'adhésion à l'institution est devenue acte de foi, acte de la part d'un sujet-désirant.

C'est à ce point de l'analyse que la catégorie de « pluralisme » pourrait intervenir pour penser l'articulation difficile entre le sujet et la collectivité. Cependant, il faut examiner la portée que l'on est prêt à donner au terme de « pluralisme ». Le pluralisme a d'abord été conçu comme « pluralité des opinions, pluralité des options idéologiques » dans l'espace public. Une telle polarisation se révèle inopérante pour cerner la complexité qui régit l'espace public. Le pluralisme ne se réduit plus aujourd'hui à la pluralité des idéologies. Ce sont les modalités mêmes d'adhésion au « religieux » qui sont devenues plurielles. Le pôle unique de l'Église institution a été remplacé par une pluralité des canaux et un éclatement des approches, qui ne se reconnaissent cependant pas en tant que canaux et approches pouvant permettre l'intégration. De plus, l'objet lui-même s'est démultiplié : adhésion à la *religion*, au *religieux*, au *transcendant*, à la *spiritualité* ou à l'*Autre*, au *Tout-Autre*. C'est pourquoi les explications qui départageaient le sacré et le profane entre la sphère privée et l'espace public ne suffisent plus : les quêtes de sens se veulent aujourd'hui transversales, comme chez Hubert Reeves ou Albert Jacquart. « Le privé est politique » disaient les premières féministes du Mouvement de libération des femmes en France à la fin des années soixante. Aujourd'hui nous assistons à une généralisation de ce slogan par la publicisation du privé sur tous les plans.

Le sujet libéré pour la parole ?

Le sujet moderne se définit dans son droit de prendre la parole pour exprimer son propre jugement. Parce qu'il se définit comme l'artisan de son propre système de valeurs, il se comprend comme autonome au sein de la collectivité. Cette société s'est dotée d'un système éducatif qui aspire à favoriser l'autonomie du sujet. La différenciation des objectifs d'apprentissage cognitifs et des objectifs affectifs, puis la dissociation entre savoir, savoir-faire et savoir-être, forment des sujets différenciés, complexes et réflexifs vis-à-vis de leur propre acte de parole. Ces tournants, pour l'institution ecclésiale, se sont manifestés dans le passage d'une identité chrétienne-collective à l'identité du sujet-chrétien. Ce passage s'est tant et si bien fait, que le sujet se sent aujourd'hui *enfermé* dans son « vécu », démuni, impuissant ou indifférent à tout engagement communautaire au nom de la foi.

Le sujet est certes libéré pour la parole, mais isolé. Comment le sujet peut-il, dans de telles conditions, inscrire son acte de parole dans l'espace public ? Parallèlement, comment l'appel du *Rapport Dumont* à la « libération de la parole » dans l'Église s'est-il concrétisé ? Comment la parole circule-t-elle du sujet-chrétien à la collectivité ? Comment se construit la communauté, de quels projets vit-elle, que construit-elle ?

Ces questions se retrouvent tout au long du parcours de Dumont. Ce sont des « questions-projets », ouvertes sur l'avenir. Des questions que l'on choisit de continuer de poser dans l'urgence de la crise, pour mieux rejoindre l'universel de la prise de conscience sur le réel, en cherchant à transformer le monde.

L'expérience du sacré

L'effritement des modèles d'intégration du sujet dans la collectivité nous déconcerte tout autant aujourd'hui qu'il y a dix ans lorsque Dumont écrivait :

> Comment ne pas être déconcerté par la situation actuelle ? Comment s'orienter vers quelqu'interprétation plausible ? En remettant en cause les idées accoutumées sur la sécularisation. Contrairement à une vue primaire, la propagation de la rationalité scientifique et technique dans la vie sociale ne fait pas disparaître le sacré. Au contraire, elle l'exaspère : elle le fait proliférer en tout sens. Le sacré est libéré et renforcé par la sécularisation. (DUMONT, 1990, p. 83)

Un « sacré libéré » peut ainsi être observé depuis peu dans la société québécoise, alors que déjà à la fin du XIXe siècle, Troelstsch l'avait décrit en Europe, en soulignant que le religieux et les religions étaient loin de se recouper. La religion pouvait avoir comme fonction de canaliser, d'inscrire dans des limites sociales des expériences engendrées par le sacré :

> Consentant au sacré, notre tradition religieuse s'efforce de l'empêcher de se perdre dans le désir et le phantasme. Si le sacré est, pour la tradition chrétienne, indispensable ouverture sur le monde du mystère, il ne s'y identifie pourtant pas : il y est apprivoisé, institué. (DUMONT, 1990, p. 83.)

Que faire dans la situation actuelle où le sacré a été délié de l'institution qui exerçait une fonction d'institutionnalisation pour canaliser les expériences dites spirituelles, mystiques, religieuses ? Surtout que cette révolution n'a pas concerné que la foi, mais bien plutôt le régime de la conviction en général. Il s'agit ni plus ni moins d'un « renversement copernicien de la conscience religieuse » (GAUCHET, 1998). C'est peut-être le couple « foi / sacré » qui mériterait le plus d'attention dans une société dont les médiations n'intègrent plus la foi et le sacré, autrement qu'en jeux de rôles virtuels.

Le sujet se sent isolé, à l'étroit dans une parole parcellaire et autoréférentielle. Le passage par l'histoire, par les histoires, par les récits, ne permettrait-il pas précisément de proposer un modèle différencié, décentré et réflexif ? La réflexivité est inhérente à la médiation langagière car le récit sera toujours récit raconté à quelqu'un, donc susceptible d'être interprété et reçu dans un contexte où le « je » doive rendre compte de sa position dans son acte de parole devant une communauté interprétante. De quoi le sujet rend-il compte lorsqu'il parle de son expérience de *Dieu*, du *divin*, du *salut en Jésus-Christ*, du *transcendant*, du *Tout-Autre*, du *numineux*, etc. ? De quoi le sujet rend-il compte dans son récit : de sa particularité qui en fait une donnée à l'appui de statistiques, ou de sa singularité à partir de laquelle il s'ouvre à l'universel ?

Coupé du passé et sans vision de l'avenir, le présent s'est cependant complexifié et différencié. Le sujet n'est plus prisonnier d'une opposition dualiste au monde pris globalement. La complexité des rapports au monde, à autrui et à soi structure le sujet de façon ternaire et non binaire. L'enjeu ne consiste plus à trouver un vainqueur entre le sujet et la société. Le sujet est bien plutôt renvoyé à un équilibre instable qu'il doit établir lui-même entre ses rapports au monde, à la société et à lui-même.

De plus, la rationalité esthétique, qui fut le mot de ralliement des avant-gardes pendant les trois derniers quarts du XIXe siècle, est devenue le lieu même d'intégration des deux autres rationalités. L'*autonomie* morale n'exclut plus la sensibilité aux circonstances particulières, aux situations complexes (BADIOU, 1998 ; HONNETH, 1998 ; ESPOSITO, 2000). La rationalité pratique est ainsi elle-même investie par la logique de la rationalité esthétique.

C'est pourquoi les paroles dans l'espace public seront plurielles, non seulement sur le plan des options idéologiques (gauche-droite), mais aussi en fonction de la définition des objets : parle-t-on de *religion*, de *religieux*, de *spiritualité*, de *mystique*, de rapport au *transcendant*, de la quête de *sens* ? Les buts des actes de parole ne sont pas non plus les mêmes, mais tout contribue à les assimiler les uns aux autres. La parole engagée vise-t-elle la transmission d'informations, l'adhésion et l'engagement personnel, ou l'intégration holistique de toutes les dimensions de l'humain, du social et du cosmologique à partir de l'affectivité ? Comment alors assurer les médiations si tout est pensé à partir du pôle de l'individu ? Comment penser le tout et les parties, comment penser le tout à partir des parties ? Questions posées au catholicisme québécois, encore une fois, pour penser le Politique à partir de la Mémoire.

Face à toutes les morosités de notre temps, face à tous les épuisements de personnes dans des systèmes qui les broient, tenant compte du sentiment généralisé d'impuissance ressenti par les sujets par rapport aux enjeux de la mondialisation, comment les travaux des théologiens, des historiens et des sociologues peuvent-ils contribuer à la « libération de la parole » ? Voilà une autre question-projet qui peut être retenue de la lecture de Dumont.

*

*   *

Lire Dumont comme on lit Paul : par radicalisme, pour penser le présent. 1974 : « Nous entrons dans un âge inédit de la culture : pensée et pratique chrétiennes n'ont pas seulement à s'y adapter, elles doivent contribuer à édifier la culture profane en se reformulant elles-mêmes d'une autre manière » (DUMONT, 1974, p. 19).

1981 : « Il est vrai que, dans une mutation de culture, dans la crise qui l'exaspère, une religion institutionnalisée comme le christianisme entre fatalement en procès et peut se défaire, comme toute autre institution. Une religion peut aussi, par une mutation qui lui soit propre et par un mouvement de renverse, retrouver vitalité et présence grâce à la crise elle-même. Mais, à condition de jouer, dans la crise de la culture, un rôle de médiation » (DUMONT, 1981, p. 105).

Ces analyses résonnent comme des jugements de l'histoire renversés. Le passé avait tracé des chemins qui n'ont pas été suivis, de toute évidence. La pensée et la pratique chrétiennes se sont-elles illustrées dans leur contribution à l'édification de la culture depuis trente ans ? S'y sont-elles seulement adaptées ?

Fernand Dumont n'a jamais renoncé à parler au nom de sa foi dans la société. Il n'a jamais abdiqué de son rôle d'intellectuel qui réfléchit en tant que chrétien à l'intérieur de l'institution ecclésiale. Engagé dans sa foi à dire la vérité. L'appel à l'universel de ce *penseur-poète de l'événement* transparaît à la lecture de ses œuvres. Lire Dumont aujourd'hui permet de voir, dans le déplacement du pôle intégrateur vers le sujet, une ouverture à la créativité et à l'universel par la re-connaissance des singularités.

L'urgence comme fil conducteur de l'œuvre de Dumont ? Oui, si c'est ce que l'on retient de l'universalité de son geste.

Anne FORTIN

Faculté de théologie et de sciences religieuses,
Chaire Monseigneur-de-Laval,
Université Laval.

BIBLIOGRAPHIE

BADIOU, Alain

1993   *L'éthique. Essai sur la conscience du mal*, Paris, Hatier. (Optiques. Philosophie.)

1997   *Saint Paul. La fondation de l'universalisme*, Paris, Presses Universitaires de France.

Commission d'étude sur les laïcs et l'Église

1971   *L'Église du Québec : un héritage, un projet*, Montréal, Fides.

DONÉGANI, Jean-Marie

2000   « Une désignation sociologique du présent comme chance », dans : Henri-Jérôme GAGEY et Denis VILLEPELET (dirs), *Sur la proposition de la foi*, Paris, Éditions de l'atelier / Éditions ouvrières, 39-58.

DUMONT, Fernand

1974   « L'expression de la foi », *Communauté chrétienne*, 13, 73 : 11-20.

1981   « La religion dans une culture en mutation », *Critère*, 32 : 99-113.

1990   « Situation de l'Église du Québec », dans : Vincent LEMIEUX (dir.), *Les institutions québécoises, leur rôle, leur avenir. Actes du colloque du cinquantième anniversaire de la Faculté des sciences sociales de l'Université Laval. 12-14 octobre 1988*, Sainte-Foy, Presses de l'Université Laval, 77-88.

1993   *Genèse de la société québécoise*, Montréal, Boréal.

1994   *Le lieu de l'homme. La culture comme distance et mémoire*, Montréal, Bibliothèque québécoise. (Sciences humaines.)

1995a   *Le sort de la culture*, Montréal, Typo.

1995b   *Raisons communes*, Montréal, Boréal, Boréal compact.

ESPOSITO, Roberto

2000   *Communitas. Origine et destin de la communauté*, traduit de l'italien par Nadine LE LIRZIN, Paris, Presses Universitaires de France. (Essais du Collège international de philosophie.)

FORTIN, Anne

2000   « Les conditions de l'expérience religieuse dans la modernité. Publicisation d'un privé », *Laval théologique et philosophique*, 56, 1, février, 81-91.

GADAMER, Hans-Georg

1996   *Vérité et méthode. Les grandes lignes d'une herméneutique philosophique*, Paris, Seuil. (L'ordre philosophique.)

GAUCHET, Marcel

1998   *La religion dans la démocratie. Parcours de la laïcité*, Paris, Gallimard. (Débat.)

HONNETH, Axel

1998   « L'autonomie décentrée et le sujet après la chute », dans : Françoise GAILLARD, Jacques POULAIN et Richard SCHUSTERMAN (dirs), *La modernité en questions. De Richard Rorty à Jürgen Habermas*, Actes de la décade de Cerisy-la-Salle, 2-11 juillet 1993, Paris, Cerf, 239-351. (Passages.)

SFEZ, Lucien

2000   « Internet et les ambassadeurs de la communication », *Le Monde diplomatique*, mars 1999, 22-23. Repris dans *Manière de voir*, 52, juillet-août 2000, « Penser le XXIᵉ siècle », 50-54.

LA MÉMOIRE, ENJEU STRATÉGIQUE DE LA MODERNITÉ CHEZ FERNAND DUMONT

Fernand HARVEY

L'œuvre de Fernand Dumont est traversée par une préoccupation récurrente quant à l'avenir de la mémoire dans les sociétés de la modernité. Il ne saurait y avoir de culture sans référence au passé, considéré comme un élément permettant aux individus et aux collectivités de se situer par rapport au monde et de lui donner un sens. Dans les sociétés archaïques, le sens était donné d'emblée par la tradition. La société moderne, en rendant l'avenir problématique, donc sujet à interprétations, oblige à une nouvelle construction de la mémoire pour donner un sens à l'action. L'historien apparaît, à cet égard, comme un prototype de l'homme moderne, car il doit rendre compte à la fois de la prodigieuse ouverture à des événements multiples et de leur perpétuelle contestation. Dans sa démarche scientifique, l'historien fait face à un phénomène de dédoublement semblable à celui qu'on peut observer dans l'ensemble des sciences humaines : en cherchant par une méthodologie qui se veut objective à reconstituer les faits et à les analyser, il ne peut échapper à la subjectivité, sorte de résidu de la démarche scientifique, qui relève d'une recherche plus ou moins explicite des significations. C'est à partir de ce résidu que Dumont propose de fonder une nouvelle science de l'interprétation.

L'œuvre de Fernand Dumont est traversée par une préoccupation récurrente quant à l'avenir de la mémoire dans les sociétés de la modernité. Une telle préoccupation peut paraître à première vue insolite, voire paradoxale. La modernité ne suppose-t-elle pas un certain rejet du passé incarné par la tradition et alimenté par la mémoire, au nom de la libre création des individus et du « progrès » des sociétés ? N'est-ce pas au nom de ces valeurs que la modernité a cherché à imposer une nouvelle vision du monde, tant sur le plan esthétique que scientifique ? Considérée dans cette perspective, l'insistance de Dumont pour accorder une place prépondérante à la mémoire dans les sociétés contemporaines pourrait être associée à une forme plus ou moins avouée de nostalgie envers le passé considéré comme une sorte de paradis perdu, à l'image de l'enfance pour bon nombre d'individus. Mais la lucidité de Dumont à l'égard de l'impossible retour en arrière écarte une telle interprétation de sa pensée. Bien au contraire, c'est parce qu'il projette vers l'avant les sociétés de la modernité qu'il sent le besoin d'en éclairer le cheminement incertain et problématique par un recours à la mémoire, comme source d'identité et comme matrice de signification. Dans une entrevue, en 1981, Fernand Dumont insistait sur la pertinence de la mémoire et de la conscience historique dans la modernité : « L'humanité est-elle capable aujourd'hui de réactualiser – parce que c'est ça, la tradition – son héritage, c'est-à-dire ce qu'elle est ? Voilà à mon avis la grande question. Il ne s'agit aucunement de répéter le passé, mais de savoir si le passé de l'homme est mort ou s'il est vivant » (CANTIN, 2000, p. 110.)

Pour bien évaluer la portée de cette affirmation, il importe de la situer dans la théorie de la culture de Dumont. Dans *Le lieu de l'homme*, sans doute son ouvrage le plus important, il affirme d'emblée que : « Sans la culture l'homme serait immergé dans l'actualité monotone de ses actes, il ne prendrait pas cette distance qui lui permet de se donner un passé et un futur. Il lui faut un monde revêtu de sens [...] : la culture est ce dans quoi l'homme est un être historique et ce par quoi son histoire tâche d'avoir un sens[1] » (DUMONT, 1968, p. 189). La conception dumontienne de la culture va donc au-delà de la définition anthropologique classique de la culture considérée comme un ensemble de manières de penser, de sentir et d'agir servant de modèles aux individus et aux collectivités. Cette définition anthropologique, bien qu'elle ne s'oppose pas à la conception de Dumont, apparaît trop statique pour rendre compte de deux aspects fondamentaux de sa théorie de la culture, à savoir l'historicité et la recherche du sens. Ces deux aspects sont étroitement liés dans la conception dumontienne de la modernité, où le sujet historique, agissant à l'intérieur des structures sociales, joue un rôle déterminant[2].

1. *La mémoire dans la société archaïque*

Pour bien mettre en évidence les caractéristiques de cette modernité, Dumont s'emploie à préciser les rapports de la société traditionnelle avec la temporalité, en remontant jusqu'à l'époque des sociétés archaïques. La mémoire apparaît alors essentiellement liée à la tradition. Dans ces sociétés, il ne s'agit pas de reconstituer le passé ou de l'expliquer comme dans les sociétés modernes, mais bien plutôt d'y trouver une légitimation pour les actions du présent. Et cette légitimation porte sur

---

1. Danièle Letocha estime pour sa part que cet ouvrage est « le meilleur essai sur le temps jamais écrit au Québec et l'un des plus intéressants de l'après-guerre occidental ». (LETOCHA, 1995, p. 27).

2. Sur le rôle du sujet chez Dumont, voir BERNIER (1995).

les coutumes, lesquelles règlent les comportements des individus de façon routi-
nière. On trouverait dans ces sociétés deux types de temporalité : celle de la fête,
moment fort où la mémoire est tendue vers ses origines mythiques, et celle de la vie
quotidienne, qui, bien que structurée autour d'un certain nombre de points de
repère, ne laisse pas de traces durables dans la mémoire collective (DUMONT, 1968,
p. 201). Ainsi, parallèlement à des événements peu nombreux mais surchargés de
sens à travers les mythes, il existerait d'autres événements ayant simplement valeur
de signe par rapport à un ordre établi et immuable. Dans les sociétés archaïques,
l'événement ne revêtirait donc pas le caractère d'imprévu et de nouveauté que nous
lui connaissons aujourd'hui. Car une telle ouverture face à l'événement, si elle avait
existé, aurait pu signifier la remise en cause de l'ordre du monde en favorisant
l'émergence de zones d'incertitude liées à la conscience. Bien au contraire, la proxi-
mité de l'action et de la représentation au niveau de la temporalité individuelle
maintenait le rôle des individus dans le cadre strict des actions et représentations de
la communauté. Pour Dumont, les sociétés archaïques se devaient d'écarter l'impré-
visible afin d'assurer une représentation cohérente de leur existence et pour
permettre à l'individu de voir « son destin tout tracé et revêtu à l'avance de son
sens » (DUMONT, 1968, p. 204). Dans ces sociétés de la tradition, la mémoire apparaît
donc liée aux grands événements – réactualisés périodiquement – au détriment des
souvenirs multiples et énigmatiques. Dans ces sociétés, donc, l'historicité, considérée comme conscience du caractère essentiellement historique de l'existence, était
impraticable. Il ne faudrait cependant pas voir dans cette analyse des sociétés
archaïques, un quelconque jugement de valeur négatif en comparaison avec les
sociétés de la modernité. La démarche de Dumont se veut plutôt heuristique afin de
mieux faire comprendre, par opposition, la crise de la culture moderne et la raison
d'être des sciences de l'homme nées de cette crise.

2. *La crise de la culture moderne*

La crise de la culture moderne est pour Dumont inhérente à son historicité. La
cohérence des sociétés anciennes, au demeurant fragile, a été progressivement
ébranlée par la remise en cause de la tradition, à la fois comme schéma d'action et
comme représentation de l'emplacement de l'homme. Cette double remise en cause
a favorisé une ouverture, jusque-là impensable, par rapport à l'*événement*. Il s'agissait alors d'en récupérer le foisonnement, de rendre compte de la pluralité des
durées. La bourgeoisie naissante, par des stratégies basées sur le risque et le calcul,
a ainsi contribué, sans doute plus que toute autre classe sociale, à l'émergence de
nouvelles temporalités. À travers cette évolution vers une histoire plus complexe, il
devenait évident que les anciennes visions d'un monde stable articulé autour
d'événements typiques n'étaient plus opérantes. La nécessité d'instaurer une nouvelle vision du devenir collectif s'imposait de plus en plus. Pour remplacer la
tradition vacillante, il fallait donc recourir, selon Dumont, à une « mémoire capable

de se réorganiser librement » (DUMONT, 1968, p. 205.). Comment, en effet, rendre compte des situations inédites engendrées par la modernité, sans amorcer un travail d'interprétation des événements, à la recherche d'une nouvelle cohérence sociale ? Or, cette cohérence est sans cesse reportée vers l'avant comme un *horizon*. Par ailleurs, le déclin des anciennes traditions et l'incapacité ou la difficulté pour les sociétés de la modernité de créer de nouvelles traditions, puisant dans le passé certains éléments valables et signifiants pour le présent, remettent en cause la solidité du lien social, d'où la défection des appartenances, la multiplication des cultures parallèles et le développement d'une culture de masse axée sur la mobilité du marché, plutôt que sur la durée.

Ainsi, pour Dumont, s'il y a crise de la culture, son diagnostic n'est pas d'abord celui du moraliste, mais plutôt celui du sociologue et du philosophe. Cette crise est inhérente à la modernité qui rend la culture problématique. « Si nous rêvons, si nous pensons, si nous créons, écrit-il, c'est parce que nous ne sommes pas en accord avec le monde. Pas de crise, pas de culture. » Et il ajoute : « Pas de culture sans remontée à sa genèse, sans que soit envisagée la menace de sa dissolution, sans que paraisse dans sa nouveauté ce qui en fait un projet. » (DUMONT, 1987, p. 9.) On ne saurait mieux dire l'importance de l'historicité dans la pensée de Fernand Dumont. À quoi tient cette importance ? Au phénomène de dédoublement de la culture qu'il observe au sein de la modernité : d'une part, la culture première qui fait référence au sens commun, et d'autre part, la culture seconde qui s'élabore à partir des significations construites par la conscience. Ce dédoublement, prend-il soin de le préciser, n'est pas synonyme de duplication : « la culture seconde est un renversement de la première appartenance, l'existence se constituant comme un objet à distance d'elle-même » (DUMONT, 1997, p. 154). La conscience se développerait donc à partir de ce renversement.

C'est à travers l'art, la science et la participation sociale que Dumont s'emploiera à déceler le processus de construction des significations que favorise cette mise à distance par la culture seconde. Le cas de l'historiographie a particulièrement retenu son attention. Nous y reviendrons plus loin.

Auparavant, il importe de souligner le double point de vue de Dumont à l'égard de la modernité. Si la condition de l'homme moderne ouvre des perspectives inédites pour le développement de la conscience individuelle, cette ouverture se heurte à la menace de la rationalisation engendrée par les organisations et la technique. En combattant la tradition et en cherchant à la remplacer, la rationalisation ne supprime pas la référence à un avènement du sens, nous dit Dumont ; elle le fait apparaître au contraire comme irréductible. Le cas de l'organisation scientifique du travail, telle que développée par Taylor au début du siècle, est à cet égard assez évident ; en éliminant ce que Marx qualifiait de « pores » des procédés traditionnels, on cherchait à concentrer le travail en fonction d'un sens explicite : le rendement. Le danger que dans l'avenir des pouvoirs illégitimes s'approprient le contrôle de la connaissance et de la signification est bien réel, selon Dumont ; la revalorisation du rôle de l'école et la participation politique dans un contexte de pluralisme démocratique lui apparaissent dès lors comme des contrepoids nécessaires. C'est dans la Cité que doit se négocier la tension aiguë engendrée par le dédoublement de la culture entre le sens comme *événement* et le sens comme *avènement*. Dans le premier cas, il s'agit du « flux des événements à mettre ensemble, de façon à leur conférer un sens et en vue des actions à faire » (DUMONT, 1997, p. 155) ; dans le second cas, l'avènement fait référence au besoin de déchiffrer dans le devenir et d'offrir ainsi un horizon. La démocratie politique deviendrait ainsi l'un des lieux par excellence pour amorcer la coagulation de l'« extraordinaire prolifération de significations » (DUMONT, 1968, p. 222).

3. *Le rôle stratégique de la mémoire*

Dumont ne se contente donc pas d'établir un diagnostic sur la modernité ; il indique des tâches à accomplir. Après avoir constaté le déclin des anciennes traditions qui assuraient la cohésion sociale, il ne peut que constater « le vide » dans les sociétés modernes en quête de sens. Se projetant dès lors vers l'avant, il considère qu'un travail sur la mémoire s'impose. « La mémoire est devenue un chantier », affirme-t-il dans un opuscule intitulé justement : *L'avenir de la mémoire* (DUMONT, 1995, p. 80).

Pour mieux comprendre le rôle déterminant de la mémoire dans la pensée de Fernand Dumont, il importe de rappeler que pour lui, il existe une réciprocité entre la mémoire des individus et celle des sociétés. On ne saurait donc opposer « la mémoire pure » au sens où l'entendait Bergson, et « les cadres sociaux de la mémoire » tels que définis par Maurice Halbwachs. La mémoire pure fait référence au moi profond et ne peut être atteinte que dans l'isolement de l'individu et son retrait de l'action. Les cadres sociaux de la mémoire supposent au contraire que le souvenir est une réalité collective par rapport à laquelle l'individu s'identifie (Halbwachs, 1925). Dumont, qui a été marqué par l'école durkheimienne de sociologie, s'est inspiré des analyses d'Halbwachs[3] (DUMONT, 1968, p. 195). Dégagé des anciennes querelles de l'École durkheimienne contre le psychologisme, il refuse cependant de considérer le rapport individu-société dans une opposition absolue en ce qui concerne la mémoire. Selon lui, la société fournit des repères aux individus par le biais des chronologies, des commémorations et du droit. Mais ces structures ne sont pas seulement accueillies par la conscience ; celle-ci se les approprie dans la double perspective de la durée intime et de sa propre réaction à la durée sociale. D'où cette dualité de structures et son caractère de réciprocité. « La société ne laisse

---

3. Il a d'ailleurs signé la préface de la réédition d'un ouvrage de M. Halbwachs, *La topographie légendaire des Évangiles en Terre Sainte. Études de mémoire collective*, Paris, Presses Universitaires de France, 1971, p. v-x.

pas à l'individu tout le soin de donner la dernière forme significative aux critères qu'elle lui offre par ailleurs pour introduire la conscience intime dans la cohérence et la pérennité. Le prodigieux travail des traditions, des mythologies, de l'historiographie prétend élever l'histoire au niveau des vocations personnelles.» (DUMONT, 1968, p. 195.) La «vocation» est ici définie par Dumont comme «l'identité personnelle à travers le temps» (DUMONT, 1968, p. 197-198). Contrairement à Halbwachs, qui opposait mémoire et histoire (LEROUX, 1998, p. 231-241), Dumont voit plutôt un lien entre ces deux façons d'appréhender le passé. Pour Dumont, la mémoire puise ses racines dans une transmission vivante du passé, alors que l'histoire cherche à interpréter le passé à distance, pour rendre possible la mise en œuvre d'un nouveau chantier sur la mémoire individuelle et collective dans le contexte de la modernité.

Pour jouer un rôle stratégique dans la société en devenir, la mémoire ne doit pas se contenter d'être «un éclairage externe porté sur le cours de l'histoire», mais se dédoubler pour accomplir un travail au niveau des significations. Il appelle ainsi de tous ses vœux «l'assomption d'une histoire énigmatique au niveau d'une histoire significative où l'interprétation devient vraisemblable et la participation envisageable» (DUMONT, 1995, p. 90.). C'est dans ce sens que la mémoire ne doit pas se contenter d'être un rappel d'*événements*, mais qu'elle doit s'inscrire dans l'*avènement* d'une société ancrée dans l'historicité et la démocratie.

4. *L'historien, prototype de l'homme moderne*

La nouvelle façon de poser le rapport à la mémoire dans les sociétés de la modernité doit être mise en relation avec l'essor de l'historiographie. On peut, certes, remonter aux Grecs et aux Romains pour retracer les origines de la science historique, mais c'est au XIXe siècle, selon Dumont, qu'elle connaît un essor sans précédent. Cet essor, il l'explique par l'incertitude qu'avait créée une situation inédite engendrée par la révolution industrielle et la montée des nationalismes. Des groupements nouveaux, telles les classes sociales et les nations, étaient apparus dont il fallait justifier l'existence et encourager le développement. Les historiens du XIXe siècle, tant en Europe qu'en Amérique, ont ainsi joué un rôle politique stratégique pour expliquer et justifier l'existence de ces nouveaux groupements. Ainsi, cet engouement pour le passé, qui s'est traduit par une construction fébrile de la mémoire, ne serait pas uniquement relié à l'essor du milieu scientifique. À cause d'une rupture dans le devenir des sociétés occidentales engendrée par les révolutions politiques, économiques et technologiques de l'époque, le passé se présentait comme une énigme à déchiffrer, compte tenu du fait que l'avenir devenait problématique. Plutôt qu'à des coutumes à perpétuer, l'homme du XIXe siècle était donc face à des projets à promouvoir (DUMONT, 1995, p. 21).

L'historiographie moderne et contemporaine se présente donc pour Dumont comme « une prodigieuse ouverture à l'événement, à leur nombre mais aussi à leur perpétuelle contestation ». Il ne s'agit plus, comme dans le cas de la société archaïque, d'un bricolage de quelques faits représentatifs, mais d'« un incessant travail d'analyses et de synthèses toujours considéré comme provisoire ». L'historien devient donc, selon la belle formule de Fernand Dumont, « un individu qui se consacre à la quête de la signification hypothétique du devenir » (DUMONT, 1968, p. 206-207, 209). Il n'existerait donc pas de « faits purs » en histoire, parce que les événements sont retenus ou rejetés par rapport à la signification d'ensemble d'une séquence temporelle. Selon Dumont, cette démarche de l'historien n'est pas différente de celle de l'homme moderne en général, lequel retient certains épisodes de sa vie parce que significatifs pour lui dans son rapport au monde.

Dans *L'Anthropologie en l'absence de l'homme* où il entreprend une critique épistémologique des sciences de l'homme, Dumont revient sur l'importance de l'historiographie comme démarche visant à déceler les significations des devenirs concrets ; elle serait pour les sociétés l'équivalent de la psychanalyse pour les individus. Sa vocation de fond serait de « sauver la singularité des événements, des hommes, des institutions et donc l'irrémédiable présence des mémoires collectives » (DUMONT, 1981, p. 323, voir aussi p. 60). Sans quoi, elle deviendrait sociologie, ajoute-t-il. On retrouve ici une autre position épistémologique fondamentale de Dumont à savoir que l'étude des sociétés ne saurait s'appuyer sur un universalisme abstrait de la pensée, mais qu'elle doit s'ancrer dans la pluralité des cultures, seule voie plausible pour atteindre à l'universel sans évacuer l'historicité.

L'histoire, malgré le caractère singulier de son approche, n'ambitionne pas moins d'être une science au même titre que la sociologie ou les autres sciences humaines. Dumont s'attarde à analyser la démarche scientifique de l'historien. Il y distingue deux niveaux d'analyse, comme dans les sciences humaines en général. À un premier niveau, l'historien a développé une méthodologie rigoureuse qui lui permet de reconstituer les événements du passé pour en dégager les causes. L'histoire devient alors une donnée, et la distance créée par l'analyse vise à l'objectivité. On a même pu parler de positivisme pour qualifier le pôle extrême de cette attitude de distance, voire de retrait, par rapport à la communauté des hommes. Mais la méthodologie scientifique, si rigoureuse soit-elle, n'élimine pas pour autant un second niveau, celui du rapport au sens. Ce rapport au sens était relativement explicite dans l'historiographie du XIXe siècle ; celle d'un Jules Michelet ou d'un Hippolyte Taine, par exemple ; l'historiographie contemporaine, par des procédés méthodologiques plus complexes, tend à dissimuler le rapport au sens et aux valeurs, mais elle ne l'élimine pas, bien au contraire. L'historien, nous dit Dumont, est ainsi convié à la rencontre des hommes d'autrefois, à partir de sa propre sensibilité aux valeurs. On observerait alors une sorte de contamination entre la subjectivité de l'historien et celle des hommes d'autrefois qui est une condition nécessaire à la compréhension. Ce deuxième niveau, proprement herméneutique au sens de Gadamer, fait donc appel à la sensibilité de l'historien et non pas seulement à son intelligence[4]. Ainsi, on retrouverait deux niveaux dans la lecture du passé : celui de la reconstitution des événements à travers les documents et celui du témoignage dont l'historien se sent solidaire sans s'y identifier tout à fait. Cette dernière nuance est importante pour expliquer le prélèvement de sens que Dumont entend faire dans un passé dont il n'accepte pas toutes les anciennes significations, mais seulement certains éléments susceptibles de contribuer à l'élaboration d'une nouvelle mémoire (DUMONT, 1995, p. 34)[5].

Compte tenu de ce phénomène de dédoublement des représentations du passé, Dumont considère l'historien comme une espèce de prototype de l'homme moderne, lequel expérimente le même dédoublement culturel dans sa vie quotidienne, autant que dans l'art, la littérature ou la science (DUMONT, 1995, p. 34). De plus, le dédoublement de l'historiographie sur le plan social doit être mis en parallèle avec un dédoublement analogue dans le cas de la psychanalyse ; celle-ci s'intéresse, en effet, à la *genèse* pour comprendre l'aujourd'hui de la personne qui explique le présent, mais elle s'intéresse également à la *mémoire* afin de trouver un point d'appui susceptible d'aider l'individu à se dépasser[6]. Pour Dumont, l'historien occupe une position stratégique dans la modernité dans la mesure où il a pris le relais des traditions pour construire une nouvelle mémoire collective, sans laquelle il ne saurait y avoir de culture.

5. *Une science de l'interprétation ?*

Le dédoublement de la culture qui constitue le thème central du *Lieu de l'homme* amène Dumont à pousser plus loin sa réflexion sur la critique des sciences de l'homme dans *L'Anthropologie en l'absence de l'homme*. Dans leur démarche pour expliquer le monde, les sciences humaines, à l'image des organisations et des techniques, ont tendance à l'objectiver, à éliminer l'homme de leurs préoccupations. Ce faisant, elles abandonnent un *résidu*, à savoir « les significations que les individus confèrent à leurs actions et aux phénomènes sociaux ». Ce résidu se retrouve

---

4. Sur la place de l'herméneutique dans les sciences humaines, Gadamer affirme : « Ce qui caractérise proprement le scientifique productif œuvrant dans le domaine des sciences humaines, ce n'est pas la maîtrise de la méthode, mais plutôt l'imagination herméneutique ! [...] C'est le sens de ce qui est problématique et de ce que cela exige de nous » (DUTT, 1998, p. 27).

5. C'est dans cette perspective qu'il faut lire le chapitre qu'il consacre à l'historien Lionel Groulx dans : *Le sort de la culture.*

6. Entrevue avec Fernand Dumont, Cinémathèque de l'Université Laval, 1981, n° 2546-RV et 2546-RV.

néanmoins à la fin de l'analyse scientifique. « Ce sera, écrit-il, comme des *illusions*, en décalage par rapport à l'authentique explication, celle que la science fournit. Mais pourquoi, se demande Dumont, ne serait-il pas possible de fonder une autre science qui s'intéresserait à ce résidu, c'est-à-dire au moment d'avant ? » D'où son hypothèse qu'il est possible de développer une science « qui verrait avant tout dans les sociétés un ensemble de pratiques de *l'interprétation* ». (DUMONT, 1993, p. 338-339 ; 1981, p. 315-352).

Cette science de l'interprétation, Dumont l'associe aux larges groupements, tels les classes sociales et les nations, qu'il qualifie de groupements par *référence*, les distinguant ainsi des petits groupes fondés sur *l'appartenance* et des groupements axés sur la répartition formelle des rôles et des statuts, et qu'il appelle des groupements par *intégration*. Le concept de *référence* apparaît donc central dans la pensée de Fernand Dumont pour fonder la nouvelle science de l'interprétation appliquée à la culture. Interpréter ne consisterait pas à dire *la réalité*, mais à confronter deux mondes parallèles : celui des données observables et celui de l'imaginaire ; ce dernier étant, dans l'esprit de Dumont aussi *réel* que l'autre. Le concept de référence, déjà présent dans *L'Anthropologie en l'absence de l'homme* pour identifier l'un des trois grands groupements sociaux évoqués précédemment, se précise dans la pensée de Dumont par la suite. Dans un article publié en 1985, il considère que la culture, vue sous l'angle de l'identité, « n'est pas la liste de ses différences par rapport à d'autres cultures » mais bien plutôt « un système de référence, qui confine au discours explicite... » (DUMONT, 1985, p. 86).

Dumont retient trois productions de la culture seconde susceptibles de construire la référence en rapport avec les représentations collectives : les idéologies, la littérature et l'historiographie. Les idéologies, objet auquel il a consacré un ouvrage complet (DUMONT, 1974), constituent dans sa perspective une production typique des sociétés modernes ; mais, contrairement à certains sociologues marxistes, l'idéologie ne saurait se réduire pour lui à la fonction de *miroir* des situations sociales, « puisque ce sont les contradictions de ces dernières qui obligent à leur donner une cohérence dans un discours, qui n'est ni vrai ni faux mais pertinent pour l'action » (DUMONT, 1974, p. 156-158). Parce qu'elles sont plurielles et surtout parce qu'elles forment une cohérence fermée sur elles-mêmes, les idéologies ne peuvent cependant imposer une interprétation prééminente de l'histoire. D'où la fonction sociale de l'historiographie que Dumont qualifie d'*idéologie critique*, dans la mesure où elle laisse la porte ouverte à une intelligibilité hypothétique, contrairement aux idéologies qui appellent à une fermeture en vue de l'action.

Si Dumont distingue les idéologies de l'historiographie au plan conceptuel, il ne les oppose pas pour autant au niveau de la praxis puisque les deux contribuent à construire la référence des groupements sociaux ; mais il appartient à l'historiographie de prendre le relais des idéologies pour consolider, en quelque sorte, les assises de la référence. On ne saurait donc confondre l'idéologie (ou l'historiographie) avec la référence dans la pensée de Dumont. Nicole Gagnon suggère à cet égard un rapport analogue à celui qui existe entre une théorie et un paradigme : « plusieurs idéologies peuvent se combattre sous l'horizon d'une référence commune » (GAGNON, 1994, p. 134).

Sa théorie de la référence, Dumont a cherché à l'appliquer en s'intéressant plus particulièrement au cas de la société québécoise (voir HARVEY, 2001 et GAGNON, 1994). Cependant, son approche pourrait, de toute évidence, s'appliquer à toute forme de société inscrite dans la modernité. Il s'en explique dans les pages liminaires de l'un de ces derniers ouvrages, *Genèse de la société québécoise* :

> C'est entendu, on ne comprend l'état présent d'une société qu'en remontant à son passé. [...] D'une histoire longtemps vécue dans la dispersion des circonstances, elle a accédé à la sphère politique ; par les affrontements des idéologies, ont émergé une mémoire et des projets collectifs. Alors, la société a été vraiment *fondée* : avec une *référence* à laquelle des individus et des groupes ont pu se reporter, une *identité* qu'il leur a fallu définir, une conscience historique qui leur a donné le sentiment plus ou moins illusoire de faire l'histoire et la faculté plus ou moins assurée de l'interpréter.
>
> Ainsi est apparue la Cité antique. Ainsi sont nées les nations modernes. Ainsi est advenue la société québécoise... (DUMONT, 1993, p. 9.)

*

*   *

En mettant en évidence la place centrale de la mémoire dans la théorie de la culture de Fernand Dumont, on comprend mieux pourquoi sa sociologie est marquée par l'historicité. Cette dimension fondamentale d'une œuvre complexe nous renvoie à l'intention première de son auteur : rendre compte de la crise de la culture engendrée par la modernité. C'est à partir de ce cœur que s'élabore l'architecture dumontienne comme une série de cercles en spirale à la recherche d'une forme de transcendance parmi les hommes.

Il reste à évaluer l'ampleur, la pertinence et la réception de cette pensée, sans doute l'une des plus originales produites au Québec. Cette tâche ne fait que débuter. Il est à souhaiter que ses travaux soient mieux connus et diffusés à l'étranger. On peut, à cet égard, regretter que les contributions théoriques originales de Dumont sur la critique des sciences humaines, sur le dédoublement de la culture, sur la fonction de l'idéologie, sur le rôle de la mémoire dans la culture, sur la construction de la référence dans la perspective d'une science de l'interprétation n'aient eu que peu d'échos en France, à l'extérieur d'un cercle restreint d'amis et de collègues[7]. L'œuvre de Dumont aurait intérêt à être diffusée en Afrique et en Amérique latine où le concept de dédoublement de la culture trouverait sans doute

---

7. L'œuvre de Fernand Dumont est systématiquement ignorée dans les ouvrages de synthèse et les dictionnaires de sociologie française où il est question de culture, d'idéologie et de mémoire collective.

un terreau fertile. Il en va de même de la fonction qu'il attribue à la mémoire dans la transmission de la culture, une question qui l'a toujours préoccupé et qui prend un nouveau relief dans le cadre du débat actuel sur le pluralisme culturel face à la mondialisation et au danger que représente une culture seconde d'emprunt généralisée à la planète (ZOA, 1998, p. 11-20).

Il n'est pas facile de situer Fernand Dumont dans les courants de la pensée sociologique contemporaine, d'autant plus que son œuvre relève également de la philosophie[8]. Faut-il le ranger du côté de la sociologie des structures ou du côté de la sociologie des acteurs ? À vrai dire, il se situe sans doute à la jonction des deux, car l'ensemble de son œuvre invite à une dialectique de complexité entre les sujets historiques et les cadres sociaux. Bien qu'il ait résisté aux étiquettes réductrices, sans doute serait-il pertinent d'associer sa démarche à une certaine forme de constructivisme, définie comme un processus de construction permanente de la réalité sociale (AKOUN et ANSART, 1999, p. 110-111). Entre le constructivisme structuraliste de Pierre Bourdieu qui met l'accent sur la détermination des structures sociales et le constructivisme phénoménologique de Peter BERGER et de Thomas LUCKMAN (1996) qui fonde le lien social sur les rapports interindividuels, l'approche de Fernand Dumont lie la conscience des acteurs sociaux à la *référence*, cette matrice de la culture qui s'inscrit dans son historicité.

Si la théorie dumontienne de la mémoire accorde une importance prépondérante aux acteurs qui construisent la mémoire collective – tels les historiens, les idéologues et les littéraires – elle n'écarte pas pour autant le rapport de l'individu ordinaire à son passé. L'histoire vécue est alors considérée comme « transcription des repères sociaux du temps en des critères personnels où la conscience reconnaît sa temporalité » (cité dans GAGNON, 1980, p. 299). Individus et groupements sociaux apparaissent ainsi, dans la pensée de Dumont, comme deux réalités sociohistoriques interdépendantes, quoique pouvant faire l'objet d'analyses distinctes.

Fernand HARVEY

INRS-Urbanisation, Culture et société,
et Chaire Fernand-Dumont sur la culture.

---

8. Sur le plan philosophique, un rapprochement serait à faire entre la pensée de Fernand Dumont et celles de Paul Ricoeur et Hans-Georg Gadamer, qu'il cite à l'occasion dans ses ouvrages : Gadamer pour son approche herméneutique des sciences humaines (*Vérité et méthode*, 1996), Ricoeur, pour l'importance qu'il accorde à la mémoire et à la construction historiographique (*La mémoire, l'histoire, l'oubli*, 2000).

BIBLIOGRAPHIE

AKOUN, André et Pierre ANSART (dirs)

1999   *Dictionnaire de sociologie*, Paris, Le Robert / Seuil.

BERGER, Peter et Thomas LUCKMANN

1996   *La Construction sociale de la réalité*, Paris, Armand Colin.

BERNIER, Léon

1995   « Fernand Dumont, penseur de la modernité », dans : Simon LANGLOIS et Yves MARTIN (dirs), *L'horizon de la culture. Hommage à Fernand Dumont*, Sainte-Foy, Presses de l'Université Laval / Éditions de l'IQRC, 85-92.

CANTIN, Serge

2000   *Fernand Dumont. Un témoin de l'homme*, Montréal, L'Hexagone.

DUMAIS, Alfred

1999   « Fernand Dumont sociologue », *Laval théologique et philosophique*, 55, 1 : 3-18.

DUMONT, Fernand

1968   *Le lieu de l'homme*, Montréal, HMH.

1974   *Les idéologies*, Paris, Presses Universitaires de France.

1981   *L'Anthropologie en l'absence de l'homme*, Paris, Presses Universitaires de France.

1987   *Le sort de la culture*, Montréal, L'Hexagone [1995].

1993   *Genèse de la société québécoise*, Montréal, Boréal.

1995   *L'avenir de la mémoire*, Québec, Nuit blanche.

1997   *Récit d'une émigration*, Montréal, Boréal

DUMONT, Fernand et Fernand HARVEY

1985   « La recherche sur la culture », *Recherches sociographiques*, 1-2 : 85-118.

DUTT, CARSTEN

1998   *Herméneutique. Esthétique. Philosophie pratique. Dialogue avec Hans-Georg Gadamer*, Montréal, Fides.

GAGNON, Nicole

1980   « Données autobiographiques et praxis culturelle », *Cahiers internationaux de sociologie*, 69 : 291-304.

1994   « Fernand Dumont et la conscience historique », *Possibles*, 18, 2 : 126-136.

HALBWACHS, Maurice

1925   *Les cadres sociaux de la mémoire*, Paris, Albin Michel [1994].

1971   *La topographie légendaire des Évangiles en Terre Sainte. Études de mémoire collective*, Paris, Presses Universitaires de France. (Préface de Fernand Dumont, p. v-x).

HARVEY, Fernand

2001   « Construire la référence : le Québec et le Canada français selon Fernand Dumont », dans : Claude SORBETS et Jean-Pierre AUGUSTIN (dirs), *Valeurs de sociétés. Préférences politiques et références culturelles au Canada*, Sainte-Foy et Bordeaux, Presses de l'Université Laval et Maison des sciences de l'homme d'Aquitaine, 151-167.

LEROUX, Robert

1998   *Histoire et sociologie en France. De l'histoire-science à la sociologie durkheimienne*, Paris, Presses Universitaires de France.

LETOCHA, Danièle

1995   « Entre le donné et le construit : le penseur de l'action. Sur une relecture du *Lieu de l'homme* », dans : Simon LANGLOIS et Yves MARTIN (dirs), *L'horizon de la culture. Hommage à Fernand Dumont*, Sainte-Foy, Presses de l'Université Laval / Éditions de l'IQRC, 21-45.

ZOA, Anne Sidonie

1998   « Traduction, Culture et Mémoire chez Fernand Dumont : une lecture africaine », *Iapétus*, Bulletin de liaison scientifique afro-québécois, Association internationale des études québécoises, 1 : 11-20.

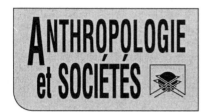

ANTHROPOLOGIE et SOCIÉTÉS

La revue francophone d'anthropologie en Amérique du Nord

Anthropologie et Sociétés
Département d'anthropologie
Université Laval
Sainte-Foy (Québec) GIK 7P4
Canada

Tél : (418) 656-3027
       (418) 656-3700
Téléc. : (418) 656-3284

proanth@ant.ulaval.ca
www.fss.ulaval.ca/ant/revuant.html

Rédactrice
Francine Saillant
Anthropologie.et.Societes@ant.ulaval.ca

Comité de rédaction
Claude Bariteau
Serge Genest
Marie-F. Guédon
Carmen Lambert
Marie-N. Leblanc
Joseph-Josy Lévy
Raymond Massé
Deirdre Meintel
Jean-C. Muller
Sylvie Poirier
Pierre-A. Tremblay
François Trudel

Adjointe à la rédaction
Pauline Curien
Pauline.Curien@ant.ulaval.ca

Secrétaire
Francine M. Gingras
Francine.Gingras@ant.ulaval.ca

ABONNEMENT

	Canada	Autres
Régulier	40 $ CAN	70 $ CAN
Étudiant	25 $ CAN	50 $ CAN
Organisme	90 $ CAN	125 $ CAN

Taxes incluses au Canada
TVQ : R 119 278 950 — TPS : 1008 154 143 TV 0003

Économie politique féministe   25-1, 2001

Présentation
Perspectives anthropologiques et féministes de l'économie politique
Marie France Labrecque

Dans la mouvance
Les femmes rurales iraniennes transforment leur vie
Parvin Ghorayshi

Les politiques de développement et les politiques de la santé
Les contradictions de la prévention du sida au Népal
Stacy Leigh Pigg

L'agriculture urbaine au sein des jardins collectifs québécois
Empowerment des femmes ou «domestication de l'espace public»?
Manon Boulianne

Familisme, despotisme et discipline dans le Languedoc rural
Le contrôle des femmes et la gestion des hommes
dans l'exploitation familiale
Winnie Lem

L'économie politique de la construction des genres ches les Mayas du Nord du Yucatan au temps des *maquiladoras*
Marie France Labrecque

Un nouveau paternalisme industriel?
Les liens affectifs dans les rapports
de production des réseaux économiques locaux
Susana Narotzky

HORS THÈME
La langue basque et le biculturalisme
(note de recherche)
Éric Schwimmer

Comptes rendus
Marcel **Detienne**, *Comparer l'incomparable*
Marcello **Massenzio**, *Sacré et identité ethnique*
Aidan **Southall**, *The City in Time and Space*
J.-M. **Berthelot**, *La sociologie française contemporaine*

et d'autres encore...

FERNAND DUMONT ET LA MODERNITÉ

Marcel FOURNIER

Dumont, sociologue classique ? Dumont, penseur de la modernité ? Nous tentons de répondre à ces questions en empruntant une voie originale, qui est de prendre en considération non seulement l'œuvre écrite mais aussi l'œuvre orale, dont un enseignement magistral de Philosophie sociale que Dumont donne au printemps 1968. L'opposition classique entre société traditionnelle et société technologique constitue l'armature de sa pensée. L'analyse que nous proposons tente d'éviter les deux pièges qui guettent toute lecture d'une œuvre, à savoir la célébration et la critique, pour emprunter une autre démarche, plus difficile, l'analyse sociologique : étude certes de l'époque et du contexte mais aussi de l'itinéraire qu'a suivi Dumont et des diverses positions dans le champ universitaire et intellectuel. Sociologue et philosophe, Dumont se retrouve dans une situation paradoxale : son ambition est d'« historiciser » sa société et sa situation personnelle, mais il cherche aussi à donner à cette histoire (et à son histoire) une portée universelle.

> « À l'exemple du poème encore, les sciences systématiques de l'homme redescendent vers la vie commune, se mêlant aux fins que l'on y poursuit »
> (*L'Anthropologie en l'absence de l'homme*, p. 63).

Quel sera le destin de l'œuvre de Fernand Dumont ? Il est encore trop tôt pour le dire, même si on peut penser qu'il ne sera pas différent de celui que connaissent les œuvres qui, aux yeux des contemporains, apparaissent importantes. La première condition pour qu'un auteur passe à la postérité, c'est qu'il soit de son vivant reconnu par ses contemporains[1]. Ce qui est évidemment le cas de Dumont, dont la

---

1. C'est la thèse que défend COLLINS (1998).

position, à titre de savant et d'écrivain, a été, dans le système universitaire et le champ intellectuel, très élevée, pour ne pas dire dominante, depuis la fondation de *Recherches sociographiques* jusqu'à la présidence de l'Institut québécois de recherche sur la culture. Son rayonnement intellectuel a débordé le champ de la sociologie pour toucher à l'ensemble des sciences humaines (histoire, économie, anthropologie, théologie, etc.). De plus, sa participation aux débats publics (collaboration à *Maintenant*, etc.), et d'une manière plus générale à la vie politique, lui a conféré le statut d'intellectuel : Dumont a été celui qui faisait connaître sur les diverses tribunes ses opinions et qu'on interrogeait sur les grands enjeux (crise des valeurs, crise du système d'éducation, place des jeunes, etc.).

Le sort qui sera réservé à l'œuvre de Dumont dépend non seulement de la notoriété qu'il a acquise, mais aussi de la signification qu'elle prendra dans le contexte intellectuel et politique du XXIe siècle. Tant que la question du nationalisme est à l'horizon et qu'on s'interroge sur son lien avec la démocratie et la citoyenneté, les réflexions et son analyse de *la genèse de la société québécoise* risquent à la fois de garder une grande pertinence et d'être l'objet de controverses. D'ailleurs, certains ne cherchent-ils pas à assimiler la position politique de Fernand Dumont au nationalisme ethnique ? Il en va de même de la distinction entre culture première et culture seconde qu'il a élaborée : cette distinction acquiert en effet une dimension politique particulière lorsqu'on la superpose à la distinction entre culture populaire et culture savante et qu'elle devient, comme on le voit chez Gérard Bouchard, le fondement théorique du populisme.

Cela dit, de la manière qu'elle se développe, aujourd'hui, avec toutes ses spécialités et ses partenariats, la sociologie ne sait probablement plus que faire de l'œuvre d'un généraliste tel Fernand Dumont, qui fut théoricien et épistémologue. Dans un tel contexte, parler de Dumont, c'est défendre une certaine idée de la sociologie qui risque de disparaître : une sociologie générale, réflexive et à caractère multidisciplinaire. Bref, une sociologie « classique ».

Le mot est lancé : Dumont, sociologue « classique ». On pense immédiatement aux Marx, Weber et Durkheim. Dumont n'a-t-il pas, jeune étudiant, dévoré méthodiquement toute la collection de *L'Année sociologique*, de 1898 à 1912, et n'a-t-il pas toujours cultivé la référence aux pères de la sociologie ? Parler de Dumont comme d'un sociologue « classique », c'est, pour certains, une critique : Dumont apparaîtrait comme un penseur du XIXe siècle, et il aurait même, aux yeux de quelques-uns de ses contemporains, un petit côté « archaïque ». Pour d'autres, c'est l'éloge suprême. Fernand Dumont, penseur de la modernité : tel est le titre d'un article de Léon Bernier qui, dans *L'horizon de la culture. Hommage à Fernand Dumont*, présente Dumont comme un penseur non seulement de la modernité mais dans la modernité, et qui analyse « le statut de la pensée dans l'écriture de Dumont » (BERNIER, 1995).

Tout se passe donc comme si entre la célébration et la critique il n'y avait qu'un petit espace, d'ailleurs difficile à occuper, pour une mise en contexte et une objectivation – en d'autres mots, une analyse sociologique – de l'œuvre et des lectures dont elle a été l'objet. L'œuvre se compose habituellement des textes – articles et livres – publiés. On tend à exclure ou à donner un statut secondaire aux interventions orales et aussi aux notes de cours, surtout si celles-ci sont retranscrites par les étudiants. Il s'agit pourtant, comme le disait Durkheim, de la science telle qu'elle se fait, de sa partie la plus vivante, la plus passionnante. Pour Dumont, les cours étaient toujours des moments privilégiés de recherche et de réflexion. Il est vrai qu'il était un pédagogue admirable.

Aux fins de notre étude, nous retiendrons non seulement les ouvrages qu'il a publiés entre 1960 et 1970 mais aussi un « grand » cours de philosophie sociale qu'il a donné à l'Université de Montréal pendant les semestres d'automne 1967 et d'hiver 1968. Ce cours s'adressait à des étudiants en philosophie mais il était ouvert à toute la communauté universitaire. Tous les quinze jours, à partir du 28 septembre, plusieurs centaines d'étudiants s'entassaient dans l'amphithéâtre. C'était un événement. Et chose exceptionnelle, s'est organisé un système de transcription et ronéotypie des notes de qualité relative bonne[2]. Date du dernier cours : le 21 mars 1968, à quelques mois de mai 1968 (qui n'a pas eu lieu au Québec si ce n'est l'automne suivant, et si peu). Parce qu'il s'adresse à un public particulier, ce cours n'est peut-être pas représentatif de l'ensemble de l'enseignement de Dumont. Mais qu'est-ce que la représentativité d'un enseignement ? Chaque cours constitue une sorte de « terrain d'essai », comportant souvent des digressions et des improvisations. Dumont s'est servi de ce cours pour approfondir sa réflexion sur la modernité et aussi, puisqu'il s'adressait à des non-sociologues, pour expliciter, en lui donnant toute sa cohérence, ce qu'on pourrait appeler l'armature ou mieux, pour reprendre une expression de Norbert Élias, la « configuration » de sa théorie.

De la modernisation à la modernité

Lorsque Dumont « entre » en sociologie, comme on entre en vocation, lorsqu'il naît à la pensée, la société qui s'offre à lui est celle d'une société en pleine transformation. Le Québec d'après la Deuxième Guerre mondiale arrive en ville et s'ouvre au monde. On a alors, au Québec, une certaine idée de la société traditionnelle : économie de subsistance, la famille comme unité fondamentale de production et de

---

2. Les quelques citations proviennent de ces notes ronéotypées, qui correspondent largement à celles que j'avais moi-même prises alors. On doit cependant se montrer très prudent dans l'usage de telles notes de cours, car la transcription de notes redouble l'effet de « schématisation » du cours lui-même. En prenant des notes, l'étudiant risque en effet de schématiser la pensée de son professeur qui, par souci pédagogique, a déjà lui-même cherché à être plus clair et aussi plus systématique.

consommation, centralité de la tradition, etc. Les tenants du progrès et les défenseurs de la modernisation se servent de ces diverses caractéristiques pour stigmatiser « notre » société en la qualifiant de « traditionnelle » : nous sommes « en retard ».

La thèse centrale de la sociologie est alors celle de la modernisation : celle du passage de la société traditionnelle (ou *folk*) à la société moderne (ou *urban*). Everett-C. Hughes a, pendant un court séjour à Québec au début des années 1940, élaboré, à l'intention de Jean-Charles Falardeau, semble-t-il, un *Programme de recherches sociales* qui invitait ses collègues québécois à étudier divers changements. On a parlé, à tort et à raison, de l'École de Laval.

Le thème de la modernisation est au centre des travaux de la première génération des sociologues professionnels québécois. Au moment où les sciences sociales connaissent ce qu'on appellera leur institutionnalisation, le premier grand débat qui oppose les sociologues porte sur cette question de la modernisation. Sur la base d'une relecture critique des travaux de Léon Gérin, Philippe Garigue, professeur et futur doyen de la Faculté des sciences sociales de l'Université de Montréal, remet en question l'analyse du Québec comme société traditionnelle (GARIGUE, 1956 et 1958). Hubert GUINDON (1960) et Marcel RIOUX (1957) se lancent aussi dans la mêlée. Le débat est vif et se déroule dans un nouveau lieu pour les chercheurs en sciences sociales : les congrès de l'Association canadienne-française pour l'avancement des sciences (ACFAS). On discute entre spécialistes.

Ce premier grand débat entre collègues dans les pages de revues ou dans les sessions d'un colloque de l'ACFAS est un moment important dans l'histoire de la discipline sociologique. L'institutionnalisation d'une discipline, ça veut dire quelque chose : c'est le processus par lequel une discipline s'insère dans le milieu de l'enseignement et de la recherche (avec des postes, des centres de recherche, des revues, des associations, etc.) et acquiert au sein de la société une légitimité. La quête d'une telle légitimité, toujours fragile et souvent remise en question, amène chaque génération de chercheurs d'une discipline, à se donner une histoire, une organisation et aussi une fonction sociale. À la fin des années 1950, la défense de la sociologie (et de la thèse de la modernisation) passe alors par la (re)découverte du premier sociologue canadien – Léon Gérin[3] – la création de revues et l'organisation de colloques, et enfin par la constitution d'un objet d'étude : les transformations de la société canadienne-française depuis la fin du XIXᵉ siècle.

Modernisation-modernité ? Tout se passe comme si, pour le Québec, la modernisation qui s'opère depuis la fin du XIXᵉ siècle, et en particulier depuis la Seconde Guerre mondiale, constituait en quelque sorte une entrée dans la

---

3. L'un des premiers textes qui paraissent dans la revue *Recherches sociographiques* porte sur Léon Gérin : c'est un texte de Jean-Charles FALARDEAU (1960).

modernité. C'est là tout le paradoxe de la période d'après-guerre : on manifeste la volonté d'opérer une modernisation qui est déjà en marche depuis plusieurs décennies – pensons à l'industrialisation – ; on identifie ce passage, selon l'expression de Gérald Fortin, à la *fin d'un règne*, bref à la fin de la société traditionnelle. « À bas la tuque et le goupillon », s'écrie Borduas. On espère réussir, par la modernisation, une (nouvelle) entrée dans la modernité, une entrée qui, la première fois, a été plus ou moins réussie[4].

Dans son autobiographie, *Récit d'une émigration*, Dumont nous fournit une clé de lecture de son œuvre : « Bien plus que par les savoirs soigneusement étiquetés, j'étais inspiré par mon émigration hors de ma culture d'origine et par le chambardement de celle du Québec au moment où j'écrivais. » (DUMONT, 1987, p. 153.) Dumont fait ici référence au *Lieu de l'homme*, un essai où « pourtant, il n'est question ni de l'une [la modernité] ni de l'autre [la modernisation], fût-ce de façon allusive ».

Des changements qui « travaillent » la société québécoise, Dumont donne la description suivante : prospérité pendant plusieurs années, apparition d'une nouvelle génération, crise religieuse, arrivée de la télévision et de la culture de masse, etc. Il réalise lui-même une étude de ces changements, en particulier les changements structurels, dans une région du Québec (DUMONT et MARTIN, 1963). Ce sont des changements qui, pour reprendre l'une de ses expressions, participent d'une « marée » plus large.

Cette marée plus large, c'est le passage de la société traditionnelle à la société « technique »[5]. Ce que propose Dumont, c'est d'élever le débat d'un ou plusieurs crans : de l'étude des changements que connaît une société particulière – le Québec – on passe à l'analyse des grandes transformations qui bousculent les sociétés occidentales depuis plus d'un siècle. En d'autres mots, Dumont inscrit la thèse de la modernisation dans la problématique de la modernité, rappelant aux spécialistes de la modernisation qu'avant la modernisation, il y a eu l'entrée dans la modernité[6].

La notion de modernité demeure en sciences humaines plutôt floue. Aussi faut-il chercher à lui octroyer des bornes précises. Dans son utilisation la plus fréquente, la modernité ne désigne, comme le note Danilo Martuccelli, rien d'autre que la société contemporaine et le temps présent. Et il ajoute : « L'interrogation sur le temps actuel et la société contemporaine est le plus petit commun dénominateur de la modernité. Elle est toujours un mode de relation, empli d'inquiétude, face à l'actualité ; c'est dire à quel point elle est indissociable d'un questionnement de nature historique (MARTUCCELLI, 1999, p. 11) ». La sociologie s'inscrit dans un

---

4. Le débat est également en cours ailleurs, comme on le voit dans MAYER (1981).

5. Fernand DUMONT, Cours de philosophie sociale, Université de Montréal, 8 février 1968.

6. Au sujet de cette distinction, voir FOURNIER (1986a et b).

double mouvement de construction de représentations globales du changement et de prise de conscience de leur écart avec la réalité : elle évoque, pour reprendre une expression de Fernand Dumont lui-même, un « nécessaire dépaysement » (DUMONT, 1970, p. 246) et elle constitue de ce fait, pour les sociétés, une conscience historique. Modernité et réflexion sur la vie sociale sont inséparables. Et si, pour la constitution d'une sociologie (de la modernité), il fallait choisir une période charnière, ce serait, tous les historiens de la sociologie en conviennent, les années 1890-1920 : les « pères » de la sociologie sont, au plein sens du mot, des intellectuels de la modernité.

Une approche typologique

Communauté et société chez Tönnies, société précapitaliste et société capitaliste chez Marx, solidarité mécanique et solidarité organique chez Durkheim, tradition et rationalisation chez Weber. Ces oppositions caractérisent la sociologie « classique » et se ramènent à la grande opposition entre société traditionnelle et société moderne. Dans sa thèse de doctorat, *La dialectique de l'objet économique*, qu'il publie en 1970, avec en exergue deux citations – la première, d'une lettre de Marx à Engels sur la critique et la deuxième, d'un texte de Bachelard sur la pensée dialectique –, Dumont explicite les fondements de sa démarche : « [...] Seule la considération des possibles me révèle le *sens* de ce qui est. » Et puisque, pour lui, « les totalités sont premières », il s'ensuit qu'il faut « comparer de vastes totalités concrètes et assez éloignées les unes des autres pour faire apparaître un champ étendu du possible » (DUMONT, 1970, p. 245). La science nous offre, ajoute-t-il, la détermination de deux grandes totalités de ce genre : ce sont, selon des appellations devenues conventionnelles, la *société traditionnelle* et la *société technologique*.

Toute l'œuvre de Dumont s'arc-boute à cette distinction, comme on le voit dans le premier essai qu'il publie en 1964 sous le titre *Pour la conversion de la pensée chrétienne* :

> « Mais il nous faut nous donner un arrière-plan. C'est-à-dire opposer notre société à la civilisation traditionnelle dont nous sortons à peine. Prendre conscience, c'est surtout comparer pour dégager les traits spécifiques. C'est là la seule façon d'atteindre les axes importants des transformations sociales présentes [...] La simple comparaison des deux sociétés a donc des chances d'être, en même temps qu'une plus rigoureuse mise en forme de nos préjugés, la voie d'accès aux interrogations décisives. Opposons donc, à grands traits, ces deux types extrêmes de milieux sociaux » (DUMONT, 1964, p. 60-61.)

La société traditionnelle, ce sont les isolats, la cohésion sociale et la stabilité, les traditions et les routines, etc. Quant à la société actuelle, « notre » société, elle se caractérise par les divers traits suivants : l'unification des populations, l'évanouissement des traditions, la multiplication des communications impersonnelles, l'empire grandissant des techniques (y compris de la technique sociale), la rationalisation du travail, la séparation de la vie de travail et de la vie familiale, etc. Dumont est un homme du progrès, et pour lui, la modernité constitue un « acquis » puisqu'elle fournit les conditions de la prise de conscience et de la lucidité. Mais il y a, reconnaît-il immédiatement, un prix à payer : « [...] Par la nécessité de réagir de manière très spécifique dans des mondes diversifiés, l'homme risque de devenir le lieu d'une multitude de moi » (DUMONT, 1964, p. 71). Le passage de l'une à l'autre des sociétés s'est fait sur la longue durée : « Plusieurs éléments essentiels de la société traditionnelle ne se sont effrités qu'à la fin du XIXᵉ siècle » (DUMONT, 1964, p. 73). L'approche est à la fois typologique et historique.

« Dès le début des temps modernes, et singulièrement depuis un siècle... » Ainsi débute le premier chapitre du *Lieu de l'homme* qui s'intitule « La crise et le procès du langage ». Même si, et peut-être parce qu'« il y a longtemps que se sont évanouis les fantômes des ancêtres » (DUMONT, 1968, p. 20), la démarche se veut comparative, bien que l'ouvrage ne s'appuie pas sur une comparaison systématique des types de sociétés. Il y a d'un côté le monde de jadis et de l'autre, le monde d'aujourd'hui, d'un côté l'homme archaïque et de l'autre, l'homme moderne (DUMONT, 1968, p. 69) ; d'un côté, la société traditionnelle ou ancienne et de l'autre, la société technique (DUMONT, 1968, p. 156). Les « temps modernes » sont le moment d'une crise fondamentale et constituent, pour Dumont, un « renversement radical » de perspective : « Progressivement, le monde cesse d'être un donné » (DUMONT, 1968, p. 134). Tout devient moderne : l'économie, le pouvoir politique, la culture. L'homme moderne, c'est évidemment l'homme du XVIIIᵉ ou XIXᵉ siècle, mais c'est aussi l'homme d'aujourd'hui qui vit dans un nouveau monde de la culture de masse, de la télévision, des loisirs et du standing. La modernité est contemporaine. D'ailleurs, le passé n'est pas si lointain : des traditions ont survécu jusqu'à récemment. Dumont cite longuement le témoignage de Philippe Ariès sur sa jeunesse, y voyant un « cas remarquable de survie des traditions familiales jusqu'au milieu du XXᵉ siècle » : « Beaucoup se souviennent encore, comme lui, que dans le milieu rural, ouvrier ou bourgeois de leurs jeunes années, les modèles de la vie quotidienne étaient assurés par un héritage » (DUMONT, 1968, p. 209). Personne, pas plus au Québec qu'ailleurs, n'est en *retard*, chacun de nous suit le « même cheminement » : « Ce qui était tradition est devenu objet d'interrogation ; le sens donné a fait place au sens à trouver ou à conférer » (DUMONT, 1968, p. 210).

Dans le cours de philosophie sociale qu'il donne à l'Université de Montréal en 1968, Fernand Dumont accorde une grande importance à cette problématique et il situe d'entrée de jeu la barre haute : « Notre réflexion se centrera, affirme-t-il, sur la distance que nous avons repérée et sur la genèse historique de cette distance du sens et de la structure. » Bref, une réflexion ambitieuse où sont mises aussi à contribution l'histoire, l'ethnologie, la sociologie, l'économie politique, etc. La documentation est riche, et les références bibliographiques, nombreuses. Pour ce travail de reconstruction historique, la société de référence est la société occidentale, l'Occident (qu'il prend non comme « une donnée de base mais comme un concept opératoire »), et non pas, tient-il à préciser, la société québécoise même s'il y fait référence : c'est une société comme les autres mais où les changements se sont faits d'une façon plus brusque qu'ailleurs : « Ce que nous appelons le problème national est le cas d'une société qui veut changer. Nous avons une angoisse de l'historique. » Convaincu que le philosophe peut jouer un rôle particulièrement grand dans notre société, Dumont définit sa démarche comme philosophique et, de semaine en semaine, il va parler de distance, de creux, de vide et aussi des inquiétudes et des angoisses de la société occidentale vis-à-vis d'elle-même et de l'Autre.

Dans le *Récit d'une émigration*, Dumont raconte qu'il a rencontré dans ses cours cette dualité fondamentale : « Plutôt que d'aborder ces deux types de société par un travail proprement historique, je m'attachai carrément à la construction de modèles, c'est-à-dire d'ensembles intelligibles auxquels on puisse reporter des collectivités concrètes pour les comprendre par ressemblances ou dissemblances. » Et il ajoutera : « [...] Les problèmes que je voulais mettre en évidence par cet échafaudage [...] se rapportaient à mon itinéraire intellectuel » (DUMONT, 1997, p. 87).

Un échafaudage ? Le terme est exact, car dans son analyse comparative des deux totalités historiques (comme idéal-type) que sont la société traditionnelle et la société moderne, Dumont distingue, un peu à la manière de Georges Gurvitch qui a été son professeur à la Sorbonne, cinq niveaux (qui sont aussi considérés comme des concepts), à savoir : la population, l'économie, l'organisation sociale, la culture et l'idéologie.

Ce découpage n'est pas très différent de celui que Dumont utilise dans l'étude de la région de Saint-Jérôme qu'il a réalisée en 1963 avec son collègue Yves Martin. À la question « Qu'est-ce qu'une société ? », ils répondent que c'est : 1) une population (c'est-à-dire un ensemble démographique avec taux de natalité, de mortalité, etc.), 2) une économie (système agraire ou industries, marchés, etc.), 3) des occupations (ou divers modes de travail), 4) une organisation sociale (armature juridique, politique et administrative, réseau d'associations), et 5) une culture (langage, traditions, coutumes, etc.).

Dumont et Martin tiennent par ailleurs à préciser que ces cinq paliers sont liés étroitement les uns aux autres : « Ces divers niveaux s'expliquent, pour ainsi dire, les uns par les autres, se définissent réciproquement les uns et les autres ». (DUMONT et MARTIN, 1963). Mais dans leur analyse, ils accordent, comme Durkheim, un primat à la morphologie sociale : c'est le substrat, disaient-ils en s'appuyant sur la tradition de l'École sociologique française, celle des Durkheim, Mauss et Halbwachs. Le premier chapitre de l'étude porte sur « le peuplement et la structure démographique ».

Dans son *Cours de philosophie sociale*, Dumont accorde à nouveau beaucoup d'importance à la morphologie sociale : la population constitue en effet l'infrastructure d'une société. Il n'en néglige pas pour autant l'économie. La variable

« technique » est centrale, qu'il s'agisse de la société traditionnelle ou de la société moderne. Il y a chez Dumont une sorte de fascination pour le système technique et en particulier pour les outils : il décrit l'usage du bâton fouisseur, analyse les techniques de la jachère, parle longuement de l'introduction du maïs et de la pomme de terre. Ce sont là, conclut-il, des transformations techniques, mais qui ont eu des « incidences sociales très importantes ».

Par organisation sociale, Dumont entend les « procédés conscients, calculés de la vie sociale », par exemple le droit. Aux fins d'analyse, il introduit trois concepts secondaires : le contrôle social, la communication et la socialisation.

Enfin Dumont distingue dans ce cours, ce qu'il ne faisait pas dans son *Analyse des structures sociales régionales*, la culture et l'idéologie. De la culture, il donne la définition suivante : « tout l'outillage mental d'une société », à savoir les coutumes, les traditions, les langages, les croyances, les habitudes. On peut aussi dire que la culture est « l'ensemble de modèles disponibles pour répondre à une situation ». Quant à l'idéologie, il s'agit de la « définition explicite de la situation sociale en fonction de l'action à poursuivre » ; elle fournit des justifications (au même titre que les rationalisations pour l'individu) et elle constitue, pour la société, une sorte de « conscience de soi d'une société ». Dans les sociétés traditionnelles, la fonction de l'idéologie est remplie par le mythe : les grands récits constituent la mémoire de ces sociétés et fournissent à leurs membres tout un ensemble de justifications. Par ailleurs, Dumont reprend à K. Mannheim la distinction entre l'idéologie et l'utopie.

Entre ces divers niveaux, pas question, on l'aura deviné, de déterminisme unilatéral : il existe de multiples enchevêtrements (qu'on pourrait dire fonctionnels) entre l'économie et la population, l'économie et la culture, l'organisation sociale et l'idéologie, la culture et l'idéologie. Les faits sociaux sont donc, pour reprendre l'expression de Marcel Mauss, des faits sociaux totaux, et la société globale fonctionne, précise Dumont, à la « totalité historique ».

Une certaine idée du monde traditionnel

Cette analyse de la totalité constitue, pour Dumont, une véritable « entreprise » qu'il définit comme phénoménologique et non historiographique. S'agissant de l'analyse sociologique de la totalité économique, celui-ci reconnaît qu'il ne faut pas partir du « foisonnement des événements » : « La démarche doit être exactement l'inverse : elle décrira comment la signification économique advient à l'histoire ». Sa première question est « Comment la signification advient-elle au monde naturel ? ».

Par ailleurs, le parti pris de Fernand Dumont – et en cela il est durkheimien – est celui de la comparaison. Il défend l'idée selon laquelle on ne peut comprendre une totalité historique, par exemple notre société actuelle, sans une prise de distance : il faut comparer des totalités historiques différentes, et pourquoi pas, comme l'ont fait les durkheimiens, effectuer un « retour aux primitifs ». Dumont s'en va pour sa part non pas chez les « primitifs », mais chez les paysans. On n'est moderne que si on ne se perçoit plus comme traditionnel et qu'on se donne une conscience historique.

Dumont n'utilise la typologie comme instrument de comparaison qu'avec prudence : la construction d'un type n'est pas, tient-il à rappeler dans son cours, contradictoire avec l'histoire minutieuse. Ses mises en garde sont nombreuses : il y a, répète-t-il, une « diversité fantastique », une « hétérogénéité effarante » des sociétés traditionnelles. La société traditionnelle ne se limite donc pas seulement à la société primitive, elle va du néolithique au XIXᵉ siècle et englobe la société paysanne jusqu'à la période charnière de la révolution agraire (qui est aussi une révolution démographique). Dans sa thèse de doctorat, *La dialectique de l'objet économique*, Dumont tient en note à préciser ce qu'il entend par société traditionnelle : « Nous ne la [société traditionnelle] considérons pas à partir des sociétés proprement archaïques [...]. Nous nous reporterons plutôt aux sociétés rurales de l'Occident avant la révolution agraire. L'assise fondamentale en est le village. » (DUMONT, 1970, p. 245).

Dans cet ouvrage, Dumont donne en trois mots la définition de la société traditionnelle : « c'est le syncrétisme de la signification et de la praxis » (DUMONT, 1970, p. 247). Et il identifie les principales caractéristiques qu'on donne habituellement de ce type de société : économie de subsistance, rôle central de la famille, division du travail basée sur les groupes d'âge, technique stable et élémentaire, hiérarchie qui s'exprime dans une dépendance d'homme à homme (comme on le voit avec la féodalité), cohésion sociale forte (autour du village), système d'échange qui ne fonctionne pas à l'investissement et où la monnaie a comme première fonction la conservation de la valeur, etc. Il n'est pas fait référence, on l'aura remarqué, à la hiérarchie des genres et au paternalisme.

Dans son *Cours de philosophie sociale*, Dumont reprend cette analyse en l'approfondissant et en l'élargissant. Ainsi, sur le plan morphologique, ce qui caractérise la société traditionnelle, c'est moins la taille ou le degré d'isolement des groupes (qui peut être fort variable) que des mécanismes de régulation des volumes de population, par exemple, l'encouragement au célibat et le relèvement de l'âge du mariage des femmes. Par ailleurs, comme elle prédomine sur les impératifs techniques, la culture l'emporte sur l'organisation sociale : inconscience et stabilité des valeurs, syncrétisme du symbole et de la praxis, profonde intégration fonctionnelle du pouvoir empirique et des valeurs symboliques. C'est un monde où la tradition prédomine sur la théorie, et l'empirisme sur l'abstraction.

Nostalgie d'une époque révolue ? On peut, ici et là dans l'œuvre de Dumont, par exemple, dans la *Genèse de la société québécoise*, déceler une idéalisation de la société traditionnelle. Mais, à ses yeux, cette société est « dépassée » : elle est en effet le monde de l'inconscience, de la stabilité des valeurs et de la lutte contre la rareté.

C'est une société où la prise de conscience critique est impossible. Il ne peut donc pas être question d'y revenir, et si Dumont critique la société technologique ce n'est pas pour se replier sur le passé.

Critique de la société technologique

L'analyse que Dumont propose de la société moderne comporte une dimension critique et s'inscrit dans la tradition des intellectuels du XIX° siècle. Saint-Simon, Comte, Marx, Proudhon, Tocqueville mettent en évidence diverses caractéristiques de la société nouvelle : conscience de la fin de l'unanimité sociale, rôle déterminant de l'économie, division des classes, rôle de l'État comme providence et transformateur de la société en masse. Dumont esquisse dans son *Cours de philosophie sociale* une mise en scène historique de la genèse des sciences humaines (qu'il reprendra et développera en 1981 dans *L'Anthropologie en l'absence de l'homme*)[7].

Dumont est conscient de la diversité des expressions usuelles par lesquelles on veut caractériser cette société : la société civilisée, la société moderne, la société urbaine, la société industrielle, la société individualiste, la société de masse, la société historique, la société rationnelle. Pour sa part, il propose celle de société technologique, qui permet d'englober diverses facettes déjà identifiées par les autres expressions. La notion de *technique* est en quelque sorte à la société moderne ce que celle de tradition est à la société traditionnelle, et les réalités qu'elle recouvre sont très diverses : technique de communication, technique de contrôle des naissances, technique de manipulation des besoins, technique de production, l'État comme technique, les procédés des divers pouvoirs, les normes et le droit, etc. Par conduite technique, Dumont entend « celle où l'ajustement des fins et des moyens repose sur des critères rationnels ».

Comme pour la société traditionnelle, Dumont subdivise son analyse de la société technologique en cinq parties, chacune traitant d'un niveau de la réalité sociale. D'abord, la morphologie : population de vaste dimension et intégrée, avec de vastes zones urbanisées, constitution d'un équilibre général ville-campagne, prépondérance de plus en plus grande des techniques de contrôle de population (y compris les techniques contraceptives), la valorisation de l'enfant et de la vie privée, la dissociation du privé et du public. L'urbanisation a un tel impact qu'on peut la considérer comme « le processus transitoire de passage de la société traditionnelle à la société technique ».

---

7. Dans cet ouvrage, Dumont utilise l'opposition traditionnel / moderne, mais d'une façon moins schématique. « Sans doute, la culture n'a jamais été homogène [...] Aussi, les sociétés traditionnelles traduisent déjà dans leur culture la contradiction nécessaire à toute conscience. » (DUMONT, 1981, p. 80.)

En deuxième lieu, l'économie : indépendance et caractère systématique de la technique, effacement des finalités et constitution de l'économie comme système qui tend vers la fermeture sur des impératifs techniques, discontinuité entre l'univers technique et la vie privée, économie de production, caractère abstrait de la monnaie (qui favorise l'orientation de l'activité vers une valeur économique autonome). Fernand Dumont consacre une partie d'une leçon à l'analyse du système social de l'usine, dont l'organisation des tâches et de l'autorité lui apparaît « modelé jusqu'à l'extrême limite sur le système technique ». En troisième lieu, l'organisation sociale : dépersonnalisation et impersonnalisation du pouvoir, corporatisation du pouvoir politique, rôle des groupes de pression et aussi des classes sociales (qui sans être des pouvoirs n'en exercent pas moins un pouvoir) l'État et le droit comme techniques sociales, dissociation entre contrôle social et communication, rôle de l'école. En quatrième lieu, la culture : caractère rationnel de la conduite (technique), inversion du rapport valeur-technique, dissociation culture populaire / société globale, dichotomie de la culture collective et de la culture privée, la première fonctionnant au formel, à l'impersonnel et au fonctionnel et la seconde, au spontané, au personnel et au symbolique[8]. La médiation entre ces deux cultures se fait essentiellement par l'opinion et la mobilité sociale[9]. Enfin, l'idéologie qui suppose le sens de l'histoire et à son tour le nourrit et qui implique l'idée d'évolution, et plus précisément un « mécanisme évolutif » (qui, chez les économistes, se traduit par les concepts d'équilibre, de cycle, de croissance et de développement). L'idéologie comporte toujours une dimension utopiste, en rapport avec des possibles.

Dans *La dialectique de l'objet économique*, Dumont donne un caractère plus systématique à sa réflexion sur la modernité et définit la société technologique par la « dualité de la signification et de la praxis ». Les grandes caractéristiques de ce type de société sont : la dialectique du public et du privé (dont une figure est l'opposition du travail et de la consommation), la diversification des statuts et la

---

8.   Les valeurs et les finalités sont considérées soit comme des données (ex. d'un sondage), soit comme des facteurs de motivation. La technique peut aussi devenir une valeur spécifique. « Les notions d'âme, de vie, de finalité sont grossièrement inutilisables » (*Cours de philosophie sociale*, 7 mars 1968).

9.   Loin de négliger les classes sociales, Fernand Dumont veut montrer comment celles-ci « constituent une forme essentielle de la définition de la situation de l'homme dans notre totalité historique. Cela touche de très près le problème de la participation » (*Cours de philosophie sociale*, 7 mars 1968). S'inspirant des travaux de Maurice Halbwachs sur les classes sociales, il distingue la classe ouvrière et la bourgeoisie, puis situe entre les deux une « masse confuse », la classe moyenne, qui se situe entre les deux et « participe des deux ». C'est cette ambiguïté qui caractérise les classes moyennes. Le problème est que les membres de ces classes « vivent dans un milieu où n'existent plus les traditions des classes ouvrières et où ils ne profitent pas des relations sociales de la bourgeoisie moderne ». Et, peut-être en référence à sa propre situation, il ajoute : « Ce sont des individus isolés. On fait instruire *son* fils. Ils trouvent dans les associations un substitut de la vie communautaire qu'ils ne trouvent pas dans leurs classes ».

montée de mécanismes de contrôle anonymes (médias de masse, publicité, etc.), la mise en procès des anciens mythes qui se réfugient dans la vie personnelle, l'effacement des finalités et la manipulation de la signification, la rationalité (dans la mise en relation des moyens et des fins), l'impersonnalisation du pouvoir, etc. Et si, dans la société traditionnelle, la tradition aménage la relation entre la conscience et l'objet et établit le rapport de signification, dans la société technologique, c'est la théorie qui va servir de point de repère.

Une sociologie d'ici

Faut-il s'en plaindre ? Si on veut savoir ce que Dumont pense personnellement de la société technique, on peut se référer aux derniers mots qu'il prononce dans le *Cours de philosophie sociale* : « À présent, la nostalgie de l'adolescence se double d'une angoisse de la vieillesse » (21 mars 1968). Nostalgique face au passé et angoissé face à l'avenir, Dumont serait-il, comme Durkheim, un mélancolique ? L'angoisse dont il parle, c'est celle-là même que Durkheim a tenté d'expliciter dans ses ouvrages et qui a pour objet les crises que traverse l'Occident, les drames auxquels sont confrontés les individus et les luttes qui opposent les groupes sociaux. L'histoire est elle-même, écrit Dumont, dans *L'Anthropologie en l'absence de l'homme*, une tragédie.

Distanciation entre la culture première et la culture seconde et opposition entre le privé et le public : y a-t-il dans la conception dumontienne de la modernité quelque chose de spécifique (à une société et / ou à un auteur) ? *Le Récit d'une émigration* nous fournit de nombreuses informations sur Dumont, sur son milieu et sur sa société telle qu'il se la représente tout en l'objectivant : itinéraire scolaire non linéaire avec des retards (y compris pour la thèse de doctorat) et des hésitations (la sociologie, puis la psychologie et enfin la sociologie), surinvestissement dans les études (jusqu'à l'obtention d'un deuxième doctorat en théologie), rapport autodidacte à la culture savante. Cet itinéraire est celui d'un jeune qui, issu de milieu populaire « de province » et membre d'une collectivité dominée, accède au monde universitaire et à la culture savante. On a là un principe d'explication des ambivalences de Fernand Dumont relativement au monde de la technique et aussi à la culture populaire, une culture qu'il admire et qu'il délaisse (ou qui le délaisse).

La société québécoise, telle que la décrit Dumont, est une société dominée, un « pays hypothétique », une « contrée marginale » à la conscience malheureuse et caractérisée par la dépossession de soi. D'où, conclut Dumont, « une espèce de dédoublement de la conscience chez l'intellectuel québécois : la référence aux civilisations prédominantes, qui font figure de l'universel, et la référence à un chez-soi qui ne serait qu'un lieu sans portée » (DUMONT, 1997, p. 99). Un dédoublement et aussi un déchirement entre la culture universelle et la culture particulière, dont il refuse de s'accommoder. Nationaliste et chrétien engagé, Dumont vit son double engagement sous le mode à la fois de la conviction – responsabilité – et de la déception – sentiment d'échec. Tout en croyant au progrès, ce qu'il voit aujourd'hui le désenchante, voire le désespère.

Devant l'œuvre de Dumont, on peut adopter trois positions (qui ne sont pas exclusives l'une de l'autre) : l'éloge, la critique et l'analyse (sociologique). L'éloge est une façon pour une discipline ou une institution, par exemple, l'Université Laval, de s'approprier une œuvre pour se donner une plus grande légitimité : une sorte de marketing. Mais mettre Dumont sur un piédestal ou le classer parmi les sociologies « classiques », c'est aussi une façon élégante de le déclasser : sa pensée est « dépassée » et son œuvre devient une « affaire classée ».

Surtout lorsqu'elle apparaît centrale dans une discipline ou dans un milieu scientifique, une œuvre devient habituellement la cible de critiques. Quelle est, se demande-t-on immédiatement après la disparition de son auteur, l' « actualité » de sa pensée ? Que vaut aujourd'hui le modèle d'analyse qu'a élaboré Fernand Dumont ? Son étude de la société traditionnelle est-elle remise en question par des travaux plus récents (pensons à ceux de Jean-Pierre Vernant sur le mythe dans la Grèce antique) ? Son analyse de la modernité peut-elle s'appliquer à une société que d'aucuns qualifient de postindustrielle, d'informationnelle ou postmoderne ? Poser ces questions, c'est laisser entendre d'une manière insidieuse que l'œuvre est « dépassée ». La critique n'est jamais totalement indépendante d'une stratégie (de carrière) : elle permet en effet à des chercheurs, surtout lorsqu'ils sont en début de carrière, de « se faire les dents ». La critique, tout comme d'ailleurs l'éloge, est une manière de « se grandir » : on peut en effet tenter de grandir, soit en montant sur les épaules d'un « grand », soit en abaissant celui que d'autres considèrent comme « grand ».

L'éloge et la critique n'ont de sens que s'ils comportent une large part de réflexivité : réflexivité certes épistémologique mais aussi sociologique. Si la sociologie a quelque chose à dire sur la société, elle doit bien avoir aussi quelque chose à dire sur les représentations (y compris les représentations savantes) que cette société se donne d'elle-même. La seule (ou la meilleure ?) façon d'aborder l'œuvre de Dumont, c'est en fait d'appliquer à celle-ci ce qu'il dit de la culture et de la considérer comme distance et mémoire. Dans ses ouvrages théoriques et dans son enseignement, Dumont ne cesse de parler de sa propre société (et aussi de lui-même) : la « crise de la culture actuelle » dont il parle dans Le lieu de l'homme est celle-là même que traverse la société québécoise à un moment où elle tente de se moderniser et de devenir enfin moderne.

Le cours de philosophie sociale que donne Fernand Dumont à la fin des années 1960 illustre bien la situation paradoxale dans laquelle il se trouve : il est à la fois sociologue et philosophe (et épistémologue). Son ambition est certes d'«historiciser» sa société, sa religion et sa situation personnelle, mais il cherche aussi à donner à cette histoire (et à son histoire) une portée universelle.

Marcel FOURNIER

Département de sociologie,
Université de Montréal.

BIBLIOGRAPHIE

BERNIER, Léon

1995   « Fernand Dumont, penseur de la modernité », dans : Simon LANGLOIS et Yves MARTIN (dirs), *L'horizon de la culture. Hommage à Fernand Dumont*, Sainte-Foy, Presses de l'Université Laval / IQRC, 85-92.

COLLINS, Randall

1998   *The Sociology of Philosophies. A Global Theory of Intellectual Change*, Cambridge (Mass.), Harvard University Press.

DUMONT, Fernand

1964   *Pour la conversion de la pensée chrétienne*, Montréal, HMH, Montréal, 60-61. (Constantes.)

1968   *Le lieu de l'homme*, Montréal, HMH.

1970   *La dialectique de l'objet économique*, Paris, Éditions Anthropos.

1981   *L'Anthropologie en l'absence de l'homme*, Paris, Presses Universitaires de France.

1997   *Récit d'une émigration. Mémoires*, Montréal, Boréal.

DUMONT, Fernand et Yves MARTIN

1963   *L'analyse des structures régionales*, Québec, Presses de l'Université Laval.

FALARDEAU, Jean-Claude

1960   « Léon Gérin : une introduction à lecture de son œuvre », *Recherches sociographiques*, 1, 2 : 123-160.

FOURNIER, Marcel

1986a   « Intellectuels de la modernité et spécialistes de la modernisation », dans : Yvan LAMONDE et Esther TRÉPANIER (dirs), *L'avènement de la modernité culturelle au Québec*, Québec, IQRC, 231-253.

1986b   *L'entrée dans la Modernité. Science, culture et société au Québec*, Montréal, Éditions Saint-Martin.

1994   *Marcel Mauss*, Paris, Fayard, 1994.

GARIGUE, Philippe

1956   « Mythe et réalités dans l'étude du Canada français », *Contributions à l'étude des sciences de l'homme*, 3 : 123-132 .

1958   *Étude sur le Canada français*, Montréal, Presses de l'Université de Montréal.

GUINDON, Hubert

1957   « The social evolution of Quebec reconsidered », *The Canadian Journal of Economics and Political Science*, XXVI, 4, novembre 1960, p. 533-551.

MARTUCCELLI, Danilo

1999   *Sociologies de la modernité*, Paris, Gallimard.

MAYER, Arno

1981   *The Persistence of the Ancient Regime*, London, Croom Helm.

RIOUX, Marcel

1957   « Remarques sur les concepts de folk-société et de société paysanne », *Anthropologica*, 5 : 147-162.

FERNAND DUMONT
ET LA SOCIOLOGIE DURKHEIMIENNE

Robert LEROUX

La démarche de Fernand Dumont, si on la suit en détail, est
compliquée, sinueuse ; elle s'inspire d'une telle diversité de courants
théoriques qu'à première vue il devient parfois difficile de s'y retrouver, comme si chacun des nombreux problèmes qu'il a traités appelait
la nécessité de se référer à un corpus intellectuel particulier. Dumont a
beaucoup lu. Alors que sa pensée est en pleine gestation, au moment
même où il s'initie au savoir sociologique dans la première partie des
années 1950, il fait des découvertes fécondes et décisives. Très tôt,
parmi les fondateurs de la pensée sociologique, il est particulièrement
fasciné par Émile Durkheim. Il est autant séduit par l'architecture
théorique de l'œuvre que par ses larges vues ou par la profondeur de
l'analyse. Mais ce n'est pas tout : contrairement à Marx ou à Weber,
par exemple, Durkheim a la particularité et le mérite d'avoir fondé
une école, groupée autour de *L'Année sociologique*, qui rassemble
quelques-uns des plus brillants jeunes esprits de la Troisième République, comme Marcel Mauss, Célestin Bouglé, François Simiand et
Maurice Halbwachs. En étudiant les travaux des membres de l'École
française de sociologie, Dumont découvre d'innombrables matériaux
qui lui permettront de donner une profondeur supplémentaire à sa
propre pensée.

À sa manière, Dumont s'est plongé dans les grandes œuvres de la pensée
durkheimienne, sans jamais s'y perdre cependant. Il en a saisi les plus vives contradictions, les plus profondes difficultés qui reposent sur de multiples formes de
dualités : le positivisme et la métaphysique, la connaissance et la culture, le fait et la
loi, l'événement et la mémoire. Il faut ajouter que chez les durkheimiens, comme
chez Dumont, au cœur des textes théoriques, il y a des indications claires et
importantes qui montrent l'attention accordée aux représentations collectives.

Recherches sociographiques, XLII, 2, 2001 : 283-297

Certes Dumont n'est pas pour autant un fidèle continuateur de Durkheim, pas plus qu'il ne pourrait être considéré comme un lecteur orthodoxe, encore moins comme un disciple. Les liens qu'entretient Dumont avec Durkheim et son école sont, *mutatis mutandis*, du même ordre que ceux qu'il entretient avec Marx : sa profonde connaissance de l'œuvre de l'auteur du *Capital*, les emprunts féconds aux concepts marxistes et les inspirations sourdes ne font pas de lui, bien entendu, un marxiste. D'ailleurs, sur le plan méthodologique, on le verra, les critiques qu'il a adressées au sociologisme durkheimien sont importantes, ses objections sont nombreuses. Rien n'est sans doute plus étranger à Dumont que l'idée selon laquelle l'objet sociologique doit être considéré comme une chose, que le sujet doit se taire au nom d'une doctrine, qu'il doit s'effacer.

Cela dit, plusieurs critiques ne se sont pas fait faute de relever, à la lecture de l'œuvre de Dumont, une « traduction », sans même qu'elle ne soit toujours mentionnée explicitement, de la pensée durkheimienne. Il faut leur donner raison. Malheureusement, ces critiques n'ont pas approfondi la portée et la signification des accents durkheimiens qui parsèment l'œuvre du sociologue de Laval ; ils ont méconnu, par exemple, l'appui qu'elle a fourni dans la construction de sa théorie de la culture ; ils ont dit peu de choses aussi sur l'ampleur de sa dette intellectuelle à l'égard de l'épistémologie durkheimienne des sciences de l'homme ou de la théorie de la mémoire sociale de Maurice Halbwachs. C'est sur cette dette intellectuelle que je voudrais revenir.

Avec Falardeau, peut-être, Dumont est l'un des premiers sociologues québécois francophones à avoir lu Durkheim en profondeur et à s'en être inspiré librement dans la construction de sa propre pensée[1]. Curieusement, plusieurs pionniers de la pensée sociologique au Québec l'ont superbement ignoré ; un Léon Gérin, par exemple, réfute les travaux de Durkheim. Quant aux contemporains de Dumont, ceux du moins qui ont construit une œuvre le moindrement originale, ils ne manifestent pas plus d'ouverture à l'égard du fondateur de la sociologie française : Marcel Rioux appartient à un tout autre univers intellectuel, celui de la théorie critique et de l'anthropologie américaine. Je ne crois donc pas trop m'avancer en affirmant que l'héritage intellectuel de Durkheim sur la pensée sociologique au Québec a d'abord été très largement assumé par Dumont.

Au-delà des écrits, très connus, je m'appliquerai à saisir la portée de cet héritage, à indiquer les idées-forces de la pensée durkheimienne qui inspirent Dumont. Il sera donc nécessaire de faire ressortir les passages où Dumont mentionne explicitement les travaux de Durkheim et de certains de ses disciples, comme ceux notamment de Halbwachs sur la mémoire collective, mais il conviendra aussi d'indiquer les points de rencontre entre les deux œuvres. Car la rencontre de

1. À l'Université McGill, Dawson prend cependant connaissance des travaux de Durkheim vers le tournant du siècle. Voir à ce sujet l'ouvrage de Marlene SHORE (1987).

Dumont avec Durkheim ne se résume pas à une influence passive, mais davantage à une inspiration, voire à une convergence. C'est pour une bonne part par le biais d'un incessant questionnement sur la valeur de la science en tant que production sociologique, dans une théorie générale de la culture que Dumont rejoint Durkheim. Autant la sociologie de la connaissance de Durkheim que l'anthropologie de Dumont s'interrogent sur les formes de savoirs, leur signification et leur rôle dans la culture. Aucune sociologie ou anthropologie ne se conçoit hors d'une histoire culturelle des représentations collectives.

Les limites de la méthode durkheimienne et l'objet de la sociologie

À l'évidence, Fernand Dumont, comme le témoigne éloquemment son œuvre sociologique, fut très peu intéressé par les questions de méthode. En fait, on chercherait en vain chez lui l'application mécanique d'une méthode quelconque. Ce que recherche Dumont avant tout c'est la liberté intellectuelle, la liberté de style, mais aussi celle de puiser des matériaux dans diverses sources. On peut ainsi supposer aisément que la lecture des *Règles de la méthode sociologique* ait pu le déranger, sinon le rebuter quelque peu en raison des austères principes de méthode qui y sont exposés. Il s'agit, pour Durkheim, de considérer la matière sociale comme une chose, comme un objet inanimé :

> Il nous faut considérer les phénomènes sociaux en eux-mêmes, détachés des sujets conscients qui se les représentent ; il faut les étudier du dehors comme des choses extérieures ; car c'est en cette qualité qu'ils se présentent à nous [...] On reconnaît principalement une chose à ce signe qu'elle ne peut pas être modifiée par un simple décret de la volonté [...] Donc, en considérant les phénomènes sociaux comme des choses, nous ne ferons que nous conformer à leur nature. (DURKHEIM, 1895, p. 28-29.)

On ne reconnaît pas, dans pareille déclaration, la pensée sinueuse de Dumont. Contrairement à Durkheim qui « avait soigneusement dissimulé sa biographie sous le revêtement de la théorie » (DUMONT, 1987b, p. 10), Dumont estime que le sociologue, loin d'être passif devant la réalité empirique, doit au contraire interagir avec elle ; il ne renonce pas à se dévoiler au grand jour : il se confesse, il recoupe même son objet avec son histoire personnelle. La société n'est donc pas une chose, elle est d'abord « un construit » (DUMONT, 1962, p. 121).

Il y a chez Fernand Dumont un mouvement de pensée, une fougue dans la prose, qui évoque davantage le lyrisme d'un Michelet ou d'un Renan que les sèches démonstrations statistiques d'un François Simiand ou d'un Maurice Halbwachs. D'une certaine façon, une partie de l'œuvre de Dumont nous plonge directement au mitan du XIXe siècle, au début même de la transition du romantisme au positivisme.

Il faut dire que cette inclination intellectuelle ne relève point du hasard puisque plusieurs de ses modèles intellectuels appartiennent précisément à cette époque[2].

C'est, semble-t-il, dans un texte de jeunesse, en 1958, *Du sociologisme à la crise des fondements en sociologie*, que l'on retrouve la critique à la fois la plus sévère et la plus systématique que Dumont ait proposée du durkheimisme. Certes, l'article ne porte pas à proprement parler sur Durkheim, mais le père de l'École française de sociologie est sans cesse cité en tant que principal porte-parole du sociologisme. Ce courant théorique, déclare Dumont, « est bien mort » (DUMONT, 1958, p. 194) ; « il est dépassé » ; « il masquait une crise permanente des fondements » (*idem*, p. 195) ; en outre, il est « irrémédiablement périmé » (*idem*, p. 205). Il n'en demeure pas moins, admet Dumont, que le sociologisme, celui de Durkheim tout particulière-ment, a constitué une étape décisive dans la genèse de la pensée sociologique. « Au fond, le sociologisme de Durkheim n'aura été qu'une certaine définition de l'objectivité. En ce sens, et pris globalement, il répondait à une sorte de nécessité dans le développement de la pensée sociologique » (DUMONT, 1958, p. 193.) Au demeurant, c'est la définition du fait social par la « contrainte » et la « coercition » qui pose problème aux yeux de Dumont. Cette critique laisse entrevoir le cœur de la théorie sociologique de Dumont :

> Tout ce travail à faire nous ramène à une évidence de mieux en mieux connue : la *théorie* sociologique est aussi une *conscience*. Ce que Durkheim avait écarté par quelques parades dialectiques constitue, en réalité, le fond de la question. De la signification que l'agent donne à ses conduites à celle que leur confère notre propre conscience de sociologue, à travers nos concepts et nos techniques, à la vérité ce que nous traquons est au cœur d'un complexe dialogue. (DUMONT, 1958, p. 195.)

Bref, prévient Dumont, la société ne peut se présenter à nous « comme un objet auquel il suffirait d'appliquer des théories et des méthodes » (DUMONT, 1995a, p. 17).

En critiquant la méthode durkheimienne de cette manière, Dumont veut surtout montrer que le modèle méthodologique qu'utilisent les sciences de la nature sied mal aux sciences de l'homme, que ces deux types de savoirs doivent s'en remettre à des principes méthodologiques distincts. Il cherche ainsi à circonscrire l'objet sociologique. « Nous croyons que pour ce qui concerne leurs intentions d'objectivité, les sciences de l'homme sont encombrées de doctrines empruntées. Il est temps de nous débarrasser de ces idéaux souvent laissés pour compte par les autres sciences, pour reconnaître les démarches effectives de notre pensée. » (DUMONT, 1959, p. 213.) Durkheim lui-même, remarque Dumont dans sa *Genèse*, et

---

2. « L'autre jour, écrit Dumont, Jean-Charles Falardeau me posait la question classique : "À quelle époque auriez-vous aimer vivre ?" Je n'ai pas eu le temps de lui expliquer pourquoi j'aurais choisi le XIXe siècle, le temps de Michelet, de Sainte-Beuve, de Renan, de Taine. Je dois bien avouer que tels furent mes modèles d'adolescence ; si je ne lis plus guère les deux derniers, je pratique encore les deux premiers ». (DUMONT, 1974a, p. 256.)

ce peut-être inconsciemment, laisse entrevoir dans son œuvre cette idée selon laquelle les sciences sociales et la sociologie se reconstruisent constamment en fonction des pratiques sociales ambiantes :

> Certains s'étonnent de le voir (Durkheim) revenir si souvent, et pas seulement dans ses textes de méthode, sur le bien-fondé de la sociologie, sur son analogie avec la religion comme vue d'ensemble des sociétés : n'est-ce pas admettre que la science ne s'approprie pas d'un coup son objet ? Les sociétés s'interprètent elles-mêmes ; quand la science abandonne derrière elle cette interprétation qui lui a donné naissance, c'est par une argumentation jamais achevée qu'elle affirme son autonomie. (DUMONT, 1993, p. 339.)

Les sciences de l'homme ne peuvent donc jamais être dissociées du contexte culturel où elles émergent : pour Dumont, elles en sont l'horizon, elles construisent la culture en même temps qu'elles l'interprètent. C'est de cette manière que les sciences de l'homme sont amenées à devenir ce qu'il appelle des « cultures secondes ». Plus précisément, et de façon plus riche et plus stricte, Dumont affirme que les cultures secondes naissent des cultures premières et, dans la sociologie durkheimienne, par exemple, aspirent à redevenir cultures premières. « Pas plus que l'art, la science ne décrit le monde. Elle en construit un autre ; elle explique l'univers familier à nos sens en n'y voyant plus que sa propre organisation des références [...]. La science engendre une culture seconde parce qu'elle a conquis, aux dépens du monde, sa référence à elle-même, aux procédés, aux signes, aux valeurs qu'elle a produits » (DUMONT, 1987a, p. 149-150). C'est pourquoi, contrairement aux sciences de la nature, les sciences de l'homme, afin de se donner une identité propre, reconstruisent sans cesse la genèse de leur propre entreprise[3]. C'est ici que la théorie sociologique et l'épistémologie s'entrecroisent dans l'œuvre de Dumont. Peut-être même qu'elles se confondent, un peu comme chez Durkheim.

La question méthodologique constitue sans doute la discordance la plus importante entre Dumont et la sociologie durkheimienne. Le plus curieux, cependant, c'est qu'à travers sa critique de la méthode durkheimienne on voit poindre chez Dumont une sociologie de la connaissance qui n'est pourtant pas aussi éloignée de Durkheim que certaines divergences importantes peuvent laisser croire.

Fonctionnalisme et impérialisme sociologique : la sociologie comme science maîtresse

Mais Fernand Dumont, le métaphysicien, ne s'oppose pas pour autant à une vision positive de la société. Dès ses travaux de jeunesse, il est clair qu'il souscrit à

---

3. Dans *L'Anthropologie en l'absence de l'homme*, Dumont met en relief un important contraste entre les sciences de la nature et les sciences sociales en ces termes : « Chez le physicien ou le mathématicien, le passé de la science peut être, à la rigueur, abandonné à l'inconscient ; chez le sociologue ou l'historien, toute innovation de quelque importance suppose une relecture du passé de la pensée » (DUMONT, 1981, p. 106).

l'idée selon laquelle les éléments d'une société forment un tout indissociable[4]. L'ouvrage sur Saint-Jérôme qu'il écrit avec Yves Martin en donne un premier aperçu.

> Considérons le sociologue devant une société quelconque : celle-ci peut être une entité très vaste, une région ou une simple localité. Qu'est-ce que cette société ? À cette interrogation, toute une série de thèmes d'analyse surgissent dans l'esprit du sociologue. Sur un plan très général, voici comment on pourrait les schématiser ; la société en question, c'est : 1. *une population* : un ensemble démographique avec des taux de natalité, de mortalité caractéristiques ; des processus de migrations ; etc. ; 2. *une économie* : un système agraire ou une infrastructure industrielle ; des marchés ; etc. ; 3. *des occupations* : des modes divers de travail qui constituent un indice privilégié de la situation des individus dans une société donnée ; 4. *une organisation sociale* : les individus et les groupes aménagent la société en question par une armature juridique, politique, administrative et par un réseau de diverses associations volontaires ; 5. *une culture* : c'est-à-dire un langage, des traditions, des coutumes, etc., constituant ce qu'on a appelé *l'outillage mental d'une société donnée*. Ces divers paliers d'une entité sociale sont, on le remarquera aisément, liés étroitement les uns aux autres. (DUMONT et MARTIN, 1963, p. 9.)

De la définition de la société, on arrive à une définition de l'objet sociologique qui se veut « la structuration des phénomènes sociaux » (DUMONT et MARTIN, 1963, p. 7). Si Dumont et Martin ne se réclament pas explicitement du fonctionnalisme, il n'en demeure pas moins que c'est là, on le voit, la source théorique primordiale de leur ouvrage. Toutefois, ce qui est annoncé par les auteurs en début de parcours ne correspond pas nécessairement à ce que l'on trouve dans le livre. Ainsi, les questions culturelles sont abordées superficiellement au profit de la démographie et de l'aménagement du territoire qui occupent la majeure partie de l'ouvrage. Du reste, l'ouvrage n'a pas nécessairement de grandes ambitions théoriques ; et si on y perçoit l'influence de Durkheim et de son école dans l'approche générale, notamment dans l'introduction générale qui a probablement été écrite en grande partie par Dumont, on y rencontre aussi, à plusieurs moments, l'influence de Le Play bien qu'il ne soit jamais cité. Qu'importe. Ce qu'il faut retenir de cette monographie de jeunesse, qui « devait vieillir très vite », comme l'admettra Dumont (DUMONT, 1974a, p. 259), ce n'est pas tant la timidité théorique que le rôle important

---

4.   Ajoutons que dans son mémoire de maîtrise Dumont propose une définition du droit tout à fait analogue à celle de Durkheim dans la *Division du travail social*. « De façon très générale on peut dire que le droit est instrument de coordination entre deux ou plusieurs personnes, entre des individus à l'intérieur d'un groupe, ou encore instrument d'intégration des activités des groupes par des entités supérieures (droit public). Le droit est ainsi création ou garantie d'un ordre, ou plutôt d'une multitude d'ordres [...] Cet ordre est une solidarité. Le droit ne crée pas la société ; il en est la première organisation, la plus élémentaire, mais aussi la plus forte. Avec sa précision rigoureuse, le droit vient comme spécifier la fonction sociale de chaque individu et de chaque groupe au sein de la société. » (DUMONT, 1953, p. 37-38.) Pour bien comprendre le mémoire de maîtrise de Dumont et son rapport avec Durkheim, il faut revenir au père Delos et à la querelle du droit en France à cette époque.

accordé à l'emplacement des individus sur le territoire dans une éventuelle compréhension des représentations collectives.

Cette approche appelle à elle seule une conception pluridisciplinaire de la réalité sociale. À l'évidence, l'un des aspects fondamentaux de l'œuvre de Durkheim et des principaux membres de son école qui a soulevé l'intérêt de Dumont est ce que certains de ses opposants ont appelé l'impérialisme sociologique. On retrouve, autant chez Durkheim que chez Dumont, la préoccupation de situer la sociologie sur le territoire des sciences de l'homme voisines. Dans le bilan de son cheminement intellectuel, au milieu des années 1970, Dumont avoue à quel point il fut séduit par l'idée de Durkheim selon laquelle la sociologie devait pour ainsi dire fédérer les savoirs. À propos de sa première année d'enseignement à l'Université Laval, où il donnait un cours de sociologie économique, il rappelle : « Dans ce cours, j'ai dû pourtant, et je n'ose pas (sic) revenir à mes notes, fabriquer je ne sais quelle concoction de Simiand, de Halbwachs, de Marx, de Akerman, de je ne sais qui encore. Mes collègues économistes n'aimaient guère cet impérialisme sociologique que j'avais hérité, il faut l'avouer, de la lecture émerveillée de Durkheim » (DUMONT, 1974a, p. 259-260)[5]. *Lecture émerveillée de Durkheim...* Dans ses *Mémoires*, Dumont parle encore de sa rencontre intellectuelle avec l'école durkheimienne.

> J'entrepris la lecture méthodique de Durkheim dont je résumai les ouvrages avec application. J'ai continué au cours des années suivantes en abordant les autres sociologues de l'école durkheimienne, Halbwachs, Simiand, Bouglé, Mauss [...]. Je ne cacherai pas que cet engouement pour les durkheimiens était motivé par ce que certains appelaient impérialisme, leur volonté de transgresser les barrières des sciences humaines et, plus encore, de fondre celles-ci dans une discipline unificatrice. Comment un tel dessein n'aurait-il pas séduit un jeune intellectuel venu à la sociologie faute d'avoir pu s'adonner directement à la philosophie ? En outre, l'école durkheimienne accordait priorité aux représentations collectives, à la culture, dans l'explication sociologique ; cela convenait au mieux à mon tour d'esprit et correspondait aux préoccupations auxquelles m'avait conduit mon cheminement antérieur. (DUMONT, 1997, p. 75-76.)

Montrer que Dumont fut, d'une certaine manière, inspiré par le fonctionnalisme durkheimien comporte le danger de l'y réduire ou encore de le rattacher à d'autres théories du même genre, comme l'organicisme. Ce serait se méprendre sur les intentions générales de l'œuvre, sur sa portée générale. Dumont est un penseur libre, original, hostile à l'esprit de système mais ouvert à la synthèse.

Sociologie de la connaissance

La contribution de Durkheim au domaine de la sociologie de la connaissance, même si elle demeure encore mal connue, est fondamentale. Très tôt, Fernand Dumont en a entrevu la signification : « Durkheim n'est évidemment pas étranger à

---

5. Cet impérialisme sociologique avait été hérité aussi bien du père Lévesque et de Jean-Charles Falardeau, pour qui la sociologie était la reine des sciences de l'homme.

ce que nous appelons aujourd'hui la sociologie de la connaissance ; mais il n'en a sans doute pas senti toutes les implications par rapport à la théorie sociologique elle-même » (DUMONT, 1958, p. 195). Le constat de Dumont est juste. Mais, bien qu'il soit parfaitement conscient du fait que la sociologie de la connaissance durkheimienne est embryonnaire, peut-être même lacunaire, il ne manque pas pour autant de s'en inspirer : il y puise une vision de l'objet sociologique qui s'élabore autour du double versant morphologique et physiologique.

Chez Durkheim, comme on le voit de la *Division du travail* aux *Formes élémentaires de la vie religieuse*, le morphologique est le premier niveau d'analyse ; son objet est l'emplacement des individus sur le territoire et ses rapports avec l'organisation sociale. Quant au physiologique, le couronnement de l'édifice sociologique, il examine l'articulation des représentations collectives. Mauss et Fauconnet, deux des plus importants membres de l'École française de sociologie, écrivent :

> Les phénomènes sociaux se divisent en deux grands ordres. D'une part, il y a les groupes et leurs structures. Il y a donc une partie spéciale de la sociologie qui peut étudier les groupes, les nombres des individus qui les composent et les différentes façons dont ils sont disposés dans l'espace : c'est la morphologie sociale. D'autre part, il y a les faits sociaux qui se passent dans ces groupes : les institutions ou les représentations collectives. Celles-ci constituent, à véritablement parler, les grandes fonctions de la vie sociale. (MAUSS et FAUCONNET, 1901, p. 41.)

Un mouvement de pensée analogue peut être observé chez Dumont. De ses premiers jusqu'à ses derniers travaux sociologiques il n'a jamais dérogé à cette conception bipartie de l'objet sociologique. Jeune, Dumont s'était partagé l'étude du social avec son ami Yves MARTIN : à lui, le physiologique, à Martin la morphologie[6]. Qu'on lise la *Genèse* et on verra aisément qu'avant de s'attarder aux idéologies, aux représentations collectives, Dumont, à la manière des durkheimiens, situe les individus sur le territoire, scrute leur emplacement, analyse leur situation : en outre, il cherche à décrire « la mise en place des premières structures, l'embryon d'une société avant que débute la référence qui lui soit propre » (DUMONT, 1993, p. 59). L'ouvrage qui devait suivre la *Genèse*, et dont Dumont avait esquissé un plan général, était conçu de la même manière : « Des chapitres devaient reconstituer l'infrastructure : l'aménagement de l'espace, l'économie, l'organisation sociale. Ce que les sociologues appellent parfois la *morphologie*. Néanmoins, comme dans la *Genèse*, importerait avant tout la référence, la *représentation* de la société par elle-même : les idéologies, l'historiographie, la littérature » (DUMONT, 1997, p. 262).

---

6. Dans le même mouvement d'idées, Dumont, qui a lu Marx assez tôt, parle parfois de l'opposition classique de l'infrastructure et de la superstructure. Voir DUMONT, 1982, p. 45 ; DUMONT, 1963, p. 157.

Crise de la culture, crise de la connaissance

Si Durkheim ne cesse de répéter que le sujet ne doit pas intervenir dans la construction de l'objet sociologique, jamais en revanche il n'affirme que les formes de savoirs doivent être comprises en dehors de la vie sociale qui les conditionne. *La Division du travail social* n'est rien d'autre qu'une brillante tentative pour expliquer les rapports entre la crise sociale – caractérisée au premier chef par le passage d'un type de solidarité mécanique à un type de solidarité organique – et la crise de la connaissance en général. En fait, l'intention de Durkheim est de montrer que l'effritement de la connaissance n'est que le reflet d'une crise sociale largement généralisée, plus profonde encore ; en outre, elle n'a d'autre origine que l'émiettement de la conscience collective.

L'exemple de la philosophie est particulièrement révélateur à ses yeux : « la philosophie est comme la conscience collective de la science, et, ici comme ailleurs, le rôle de la conscience collective diminue à mesure que le travail se divise » (DURKHEIM, 1893, p. 355-356). Mais si la division du travail, et ici il s'agit de la division du travail scientifique que Durkheim limite au cas des sciences sociales (BESNARD, 1987, p. 35), ne produit pas la solidarité « c'est que les relations des organes ne sont pas réglementées, c'est qu'elles sont dans un état d'*anomie* » (DURKHEIM, 1893, p. 360). Le problème, c'est qu'aucune science ne coordonne les différents savoirs, c'est pourquoi ils évoluent dans des directions éparses et se perdent dans les méandres de la spécialisation : « Nous sommes loin du temps où la philosophie était la science unique ; elle s'est fragmentée en une multitude de disciplines spéciales dont chacune a son objet, sa méthode, son esprit » (DURKHEIM, 1893, p. 2). Il appartient à la sociologie, soutient Durkheim, de recréer l'unité du savoir : « On peut donc s'attendre, écrit-il dans la préface de la deuxième livraison de *L'Année sociologique*, que la sociologie détermine une redistribution nouvelle, plus méthodique, des phénomènes dont s'occupent (les) diverses études ; et ce n'est pas un des moindre services qu'elle est destinée à rendre ». (DURKHEIM, 1899, p. iv).

Avec la *Division du travail social*, Durkheim ne livre qu'une première ébauche de sa sociologie de la connaissance ; celle-ci s'articule d'une manière plus formelle, plus décisive encore dans *Les Formes élémentaires de la vie religieuse*. Objet social par excellence, contraignante de nature, la religion est la « matrice où sont élaborées tous les principaux germes de la civilisation humaine. Parce qu'elle s'est trouvée envelopper en elle la réalité toute entière, l'univers physique aussi bien que l'univers moral, les forces qui meuvent les corps comme celles qui mènent les esprits ont été conçues sous forme religieuse » (DURKHEIM, 1912, p. 319). En fait, « presque toutes les grandes institutions sociales sont nées de la religion » (DURKHEIM, 1912, p. 598). Au même titre que la religion dont elle découle, la science est éminemment un phénomène social : elle est un système d'idées impersonnelles, extérieures aux individus ; elle tente de classer, de systématiser le réel.

Mais il y a plus encore, et c'est à partir de cette idée que l'on peut déceler un terrain d'élection commun à Durkheim et Dumont : les formes de solidarité et les formes de connaissance s'entrecroisent, se supposent mutuellement. Ainsi, comme Durkheim le montre dans la *Division du travail social*, dans une société caractérisée au premier chef par un type de solidarité dit mécanique (là où les « consciences individuelles vibrent à l'unisson », pour reprendre son expression), il se développe une connaissance extrêmement générale de l'homme et de l'univers, tandis que dans une société où prévaut un type de solidarité dit organique (qui est le foyer de l'individualisme et de l'anomie) s'élabore une connaissance fragmentée, parcellaire.

Si Durkheim explique l'éclatement du savoir à partir de la crise de la morale, Dumont en cherche les raisons dans la crise de la culture et des valeurs, sans jamais souscrire toutefois à une approche qui relèverait, de près ou de loin, d'une quelconque philosophie de l'histoire. La crise de la culture, chez Dumont, c'est davantage que la crise de la morale dans la culture, c'est la crise de la morale du scientifique. Car, pour lui comme pour Durkheim, la science ne survole pas la culture mais y plonge ses racines comme à son terreau premier.

Si Durkheim nous affirme dans les *Règles de la méthode sociologique* et ailleurs que le sujet ne doit pas interférer sur son objet, que le sociologue ne doit rien indiquer au lecteur quant à ses préoccupations personnelles ou encore l'époque à laquelle il appartient, il n'affirme jamais que la science doit se construire en dehors de la société où elle émerge. Au contraire, la science est d'une certaine manière, pour les durkheimiens, une pure construction sociale. La société, si on peut dire, est en dehors de la démarche méthodologique, mais elle est par ailleurs l'élément constitutif par excellence de la connaissance. La conclusion de *L'Anthropologie en l'absence de l'homme* le rappelle : « Notre objectif [...] était d'étudier le rôle et le statut de l'anthropologie dans la culture et, à l'inverse, les conséquences des avatars de la culture sur le travail anthropologique [...] Le fondement, en fin de compte, d'une anthropologie de l'opération, ce n'est ni l'assurance de ses méthodes ni l'assurance de ses théories, mais la conviction que la production de la culture trouvera, dans la culture elle-même, un empire assuré de savoir » (DUMONT, 1981, p. 354-355). Pareille réflexion ramène Dumont au cœur même de la tradition sociologique française qui va de Comte à Durkheim en passant par Cournot, et à l'importante question qu'elle a sans cesse tenté de résoudre, à savoir la place du savoir et son insertion dans le devenir des sociétés et des cultures modernes.

Maurice Halbwachs et la sociologie de la mémoire

En lisant *L'Année sociologique*, Dumont a très vite compris que Durkheim ne pouvait être détaché de son école, et que la tâche collective qu'il avait entreprise avec ses principaux disciples (Marcel Mauss, François Simiand, Célestin Bouglé, Maurice Halbwachs, Marcel Granet, et d'autres) faisait partie intégrante de l'œuvre.

Mais il est assez évident que, parmi les principaux disciples de Durkheim, Halbwachs vient au premier rang dans l'estime de Dumont. Peut-être Dumont s'est-il davantage inspiré d'Halbwachs que de Durkheim lui-même. Dans la préface à la réédition de la *Topographie légendaire des Évangiles* de Halbwachs, Dumont se prend à regretter que la réputation et l'influence de Halbwachs « sont restées fort discrètes, un peu tamisées sans doute par celles de Durkheim et de Mauss. J'ai toujours pensé que c'était grand dommage » (DUMONT, 1971, p. v). Il ne s'agit pas là d'un éloge gratuit. C'est que Halbwachs incarne le modèle du sociologue complet aux yeux de Dumont : capable des plus hautes spéculations, comme le prouvent ses travaux sur Leibniz et sur la mémoire sociale, il pouvait en même temps s'intéresser aux revenus des familles ouvrières françaises ou encore à la question de l'expropriation des terrains à Paris. Voilà deux genres de travaux qui sont rarement cultivés par un même esprit. Dans ses *Mémoires*, Dumont fait l'éloge de cette double compétence qu'il retrouve chez Halbwachs : il lui parut, écrit-il, « le modèle du sociologue complet, auteur à la fois de travaux en démographie et d'une théorie célèbre sur la mémoire sociale, d'une thèse sur la classe ouvrière et d'une étude sur la topologie légendaire des Évangiles » (DUMONT, 1997, p. 75). Cet intérêt soutenu dans les travaux d'Halbwachs pour la classe ouvrière n'était pas sans séduire Dumont. Il n'en demeure pas moins cependant que ce ne sont pas les travaux empiriques de Maurice Halbwachs qui ont surtout retenu son attention, mais bien ses recherches sur la mémoire inspirées à la fois par Durkheim et par Bergson.

Halbwachs distingue deux sortes de mémoires : l'une individuelle et l'autre collective. Bien entendu, en bon durkheimien, Halbwachs soutenait que la mémoire collective était plus profonde, plus dense encore que la mémoire individuelle.

> S'il est entendu que nous connaissons notre mémoire personnelle seule du dedans, et la mémoire collective du dehors, il y aura en effet entre l'une et l'autre un vif contraste. Je me souviens de Reims parce que j'y ai vécu toute une année. Je me souviens aussi que Jeanne d'Arc a été à Reims, et qu'on y a sacré Charles VII, parce que je l'ai entendu dire ou que je l'ai lu [...] En même temps, je sais bien que je n'ai pu être témoin de l'événement lui-même, je m'arrête ici aux mots que j'ai lus ou entendus, signes reproduits à travers le temps, qui sont tout ce qui me parvient de ce passé. (HALBWACHS, 1950, p. 37-38.)

C'est à Halbwachs que Dumont fait précisément référence dans *Le lieu de l'homme* lorsqu'il explique que

> Les mécanismes sociaux jouent un rôle fondamental dans l'organisation du temps personnel. La société fournit des repères : des chronologies, des calendriers, le souvenir de grands événements qu'elle a élevés au-dessus du chaos de l'histoire. Plus encore, en définissant des rôles et des modèles, elle propose à l'action des formes et des lignes de continuité et, par là, elle donne à la durée des rives qui la font apparaître comme un développement. La profession, le mariage, les contrats de tous genres introduisent l'individu dans des systèmes de complémentarité avec autrui où deviennent solidaires la mémoire personnelle et la mémoire historique. (DUMONT, 1968, p. 195.)

Parler de la mémoire collective, c'est aussi parler de soi, c'est se situer dans le grand tout collectif. Dumont ne fait pas autre chose dans sa *Genèse* ; sa propre mémoire et la mémoire collective viennent se juxtaposer, se compléter.

> Je voulais, au début de ce livre, ressaisir la jeunesse d'une question qui risque de se perdre trop vite dans la théorie, alors qu'elle l'inaugure. Jeunesse : on ne l'entendra pas seulement comme le moment de l'envahissement de l'histoire dans la conscience adolescente, mais comme la remise en cause, par le retour sur soi de la pensée, des visions accoutumées où se fige notre complicité avec la vie collective. (DUMONT, 1993, p. 12.)

Mais il y a plus : en tant que représentation collective par excellence, la mémoire sert non seulement à mettre des événements importants à l'abri de l'usure du temps, mais elle sert surtout à produire des liens de solidarité entre les individus. C'est là que la mémoire a une indéniable fonction sociale : « On ne peut se souvenir qu'à condition de retrouver, dans les cadres de la mémoire collective, la place des événements passés qui nous intéressent » (HALBWACHS, 1976, p. 278). Chez Halbwachs, mais aussi chez Dumont, c'est donc la mémoire collective qui donne un sens aux diverses mémoires individuelles. « Un homme, pour évoquer son propre passé, a souvent besoin de faire appel aux souvenirs des autres. Il se reporte à des points de repère qui existent en dehors de lui, et qui sont fixés par la société. ». (HALBWACHS, 1950, p. 36.) Se souvenir, c'est donc réveiller les influences sociales cachées dans l'immédiat de la conscience. Dumont souscrit parfaitement à cette définition de la mémoire collective, et dans sa belle préface à la *Topographie légendaire des Évangiles*, il loue Halbwachs qui « veut retrouver ce qu'il appelle une histoire vivante : celle que se donnent les concentrations obscures des consciences et qui, dans nos sociétés modernes, forment ce qu'on est tenté d'appeler des traditions » (DUMONT, 1971, p. viii). Mais la mémoire se distingue de l'histoire à proprement parler. Elle n'est pas simplement une lecture objective de faits passés, elle est plutôt une construction sociale, une conscience de soi. La mémoire devient alors un outil fondamental dans la compréhension du présent, mais aussi de l'avenir (DUMONT, 1966). Dans *Raisons communes*, Dumont écrit :

> Une personne a un avenir en se donnant des projets ; mais cela lui serait impossible sans le sentiment de son identité, sans son aptitude à attribuer un sens à son passé. Il n'en va pas autrement pour les cultures. Elles ne sauraient affronter les aléas de l'histoire sans disposer d'une conscience historique. Quand, dans son célèbre rapport, Durham prétendait que nous étions un « peuple sans histoire », il ne voulait évidemment pas dire que nous n'avions pas de passé ; il constatait que ce passé n'avait pas été haussé au niveau d'une conscience historique où un ensemble d'individus eussent pu reconnaître les lignes d'un même destin, les repères d'une continuité collective (DUMONT, 1995a, p. 103.)

C'est justement au lendemain du rapport Durham, remarque Dumont, que les contours d'une authentique mémoire collective commencent à se dessiner grâce au labeur des historiens, des littéraires et des débats politiques du temps. C'est là que l'identité de la société québécoise s'affirme. C'est là en outre, pour parler comme Halbwachs, que l'histoire devient mémoire.

En définitive, s'agissant de l'intérêt que porte Fernand Dumont à la question de la mémoire on ne peut manquer de déceler des points de convergence, qui sont loin d'être négligeables avec les travaux du durkheimien Maurice Halbwachs. Du reste, en filigrane à travers l'œuvre ou plus particulièrement dans un opuscule tardif (DUMONT, 1995b), Dumont ne cesse de reprendre l'idée selon laquelle la mémoire a une fonction sociale fondamentale : elle sert non seulement à rattacher les générations les unes aux autres, mais surtout à forger l'identité des sociétés. Si bien que mémoire et identité se supposent mutuellement. « Le groupe, au moment où il envisage son passé, sent bien qu'il est resté le même et prend conscience de son identité à travers le temps [...] Mais le groupe qui vit d'abord et surtout pour lui-même, vise à perpétuer les sentiments et les images qui forment la substance de sa pensée. » (HALBWACHS, 1950, p. 77.) À la question de l'identité, soutient Halbwachs, se juxtapose celle de la référence, thème central dans la pensée sociologique de Dumont. À ce sujet, il faut lire ce passage de *La mémoire collective* qui, semble-t-il, aurait pu être écrit par Dumont à propos de la question du Québec. « Un peuple qui en conquiert un autre peut se l'assimiler : mais alors lui-même devient un autre peuple, ou tout au moins entre dans une nouvelle phase de son existence. S'il ne se l'assimile pas, chacun des deux peuples garde sa conscience nationale propre et réagit de façon différente en présence des mêmes événements. » (HALBWACHS, 1950, p. 112.)

*
*   *

Le sociologue français Henri Mendras a déclaré récemment que sa « génération était durkheimienne sans le savoir » (MENDRAS, 1995, p. 405)[7]. Qu'en est-il de Fernand Dumont, qui appartient précisément à la même génération que Mendras ? Aurait-il, lui aussi, été durkheimien « sans le savoir » ? Chose certaine, à travers toute son œuvre sociologique, le vocabulaire durkheimien – représentation collective, morphologie sociale, mémoire collective – revient obstinément sous sa plume. Faut-il en conclure que Dumont a emprunté à l'École française de sociologie le noyau de son argumentation ? Érudit, lecteur infatigable, Dumont a nourri sa pensée de divers courants d'idées – au premier chef desquels il faut placer les œuvres de Blondel, Mounier et Bachelard. Mais il faut convenir que l'idée de représentation collective, centrale dans son œuvre sociologique, pouvait difficilement arriver à son esprit par d'autres voies que le durkheimisme.

---

7. Il est à signaler, ne serait-ce qu'à titre anecdotique, que, tout comme Fernand Dumont, Henri Mendras est né en 1927.

Aussi, l'une des convergences essentielles entre Dumont et la sociologie durkheimienne concerne sans doute la vision générale de la réalité sociale qui s'exprime à partir d'une double dualité : celle d'abord entre le morphologique et le physiologique puis celle entre la mémoire individuelle et la mémoire collective. Ce modèle théorique ne manquera pas d'inspirer Dumont quand il cherchera à comprendre sa propre société.

Robert LEROUX

Département de sociologie,
Université d'Ottawa.

BIBLIOGRAPHIE

BESNARD, Philippe

1987   *L'anomie, ses usages et ses fonctions dans la discipline sociologique depuis Durkheim,* Paris, Presses Universitaires de France.

DUMONT, Fernand

1953   *L'institution juridique : essai de situation du problème,* Université Laval. (Mémoire de maîtrise.)

1958   « Du sociologisme à la crise des fondements en sociologie », *Chantiers, Essais sur la pratique des sciences de l'homme,* Montréal, Hurtubise HMH, 191-205 [1973].

1959   « La référence aux valeurs dans les sciences de l'homme », *Chantiers, Essais sur la pratique des sciences de l'homme,* Montréal, Hurtubise HMH, 212-227 [1973].

1962   « L'étude systématique d'une société globale », *Chantiers, Essais sur la pratique des sciences de l'homme,* Montréal, Hurtubise HMH, 121-139 [1973].

1963   « Notes sur l'analyse des idéologies », *Recherches sociographiques,* IV, 1 : 155-165.

1966   « Idéologie et conscience historique dans la société canadienne-française », *Chantiers, Essais sur la pratique des sciences de l'homme,* Montréal, Hurtubise HMH, 85-114 [1973].

1968   *Le lieu de l'homme. La culture comme distance et mémoire,* Montréal, Hurtubise HMH.

1970b   « La fonction sociale de la science historique », *Chantiers, Essais sur la pratique des sciences de l'homme,* Montréal, Hurtubise HMH, 51-61 [1973].

1971   *Préface,* dans : Maurice HALBWACHS, *La topographie légendaire des Évangiles en Terre Sainte,* Paris, Presses Universitaires de France [1941].

1973   *Chantiers, Essais sur la pratique des sciences de l'homme,* Montréal, Hurtubise HMH.

1974a   « Itinéraires sociologiques », *Recherches sociographiques,* XV, 2-3 : 255-261.

1974b   *Les idéologies,* Paris, Presses Universitaires de France.

1981   *L'Anthropologie en l'absence de l'homme,* Paris, Presses Universitaires de France.

1982   « La raison en quête de l'imaginaire », *Recherches sociographiques,* XXIII, 1-2 : 45-64.

1987a   *Le sort de la culture*, Montréal, L'Hexagone.

1987b   *Préface*, dans : José PRADES, *Persistance et métamorphose du sacré*, Paris, Presses
             Universitaires de France.

1993   *Genèse de la société québécoise*, Montréal, Boréal.

1995a   *Raisons communes*, Montréal, Boréal.

1995b   *L'avenir de la mémoire*, Québec, Nuit blanche.

1997   *Récit d'une émigration, Mémoires*, Montréal, Boréal.

DUMONT, Fernand et Yves MARTIN

1963   *L'analyse des structures sociales régionales, Étude sociologique de la région de Saint-
             Jérôme*, Québec, Presses de l'Université Laval.

DURKHEIM, Émile

1893   *De la division du travail social*, Paris, Presses Universitaires de France [1991].

1895   *Les règles de la méthode sociologique*, Paris, Presses Universitaires de France [1983].

1899   « Préface », *L'Année sociologique 1897-1898*, 1 : i-iv.

1912   *Les formes élémentaires de la vie religieuse*, Paris, Presses Universitaires de France
             [1991].

HALBWACHS, Maurice

1976   *Les cadres sociaux de la mémoire*, Paris, Mouton [1925].

1950   *La mémoire collective*, Paris, Presses Universitaires de France.

MAUSS, Marcel

1975   *Essais de sociologie*, Paris, Seuil.

MAUSS, Marcel et FAUCONNET

1901   « La sociologie : objet et méthode », *Essais de sociologie*, Paris, Seuil, 6-41 [1975].

MENDRAS, Henri

1995   « Comment j'ai rencontré Durkheim », dans : Massimo BORLANDI et Laurent
             MUCCHIELLI (dirs), *La sociologie et sa méthode : les « Règles » de Durkheim un siècle
             après*, Paris, L'Harmattan, 401-405.

SHORE, Marlene

1987   *The Science of Social Redemption : McGill, the Chicago School and the Origins of Social
             Research in Canada*, Toronto, University of Toronto Press.

HABITABLE EXIL[*]

LA NOTION D'EXIL ET L'ŒUVRE DE FERNAND DUMONT

Jean-Philippe WARREN

Cet essai n'entend pas résumer la problématique offerte par le thème de l'exil dans l'œuvre riche et complexe de Fernand Dumont, ni rapatrier tout entière celle-ci dans un questionnement littéraire quelconque. Il s'agit seulement de comprendre l'articulation de son œuvre autour du thème de l'exil en la replaçant dans le contexte idéologique du Québec littéraire des années 1950-1960, ne serait-ce que pour montrer ensuite comment l'attachement à une interrogation littéraire assez commune à son époque fut la première condition de l'accession à une pensée intellectuelle pleinement universelle. L'enracinement d'une pensée dans le terreau d'une époque singulière, loin de la rabaisser ou de la relativiser, en révèle la portée et le sens, tel un regard anxieux porté sur ses origines.

> Sommes-nous condamnés à ne retrouver le véritable lieu de l'esprit que dans un univers rêvé dont les objets culturels et la science ne seraient que les témoins épisodiques : débris épars de quelque désastre primitif qui aurait accouché de l'histoire, laquelle ne serait plus ainsi que l'interminable et absurde errance de notre exil ?
>
> DUMONT (1994, p. 122).

[*]   Je voudrais remercier Simon Langlois et Pierre Nepveu pour leurs judicieux commentaires.

Le thème de l'exil est présent dans l'œuvre dumontienne sous deux chapitres : le premier, plus existentiel d'où le titre *Récit d'une émigration* de son autobiographie, ainsi que le titre « Exil » d'un de ses chapitres ; le second, théorique d'où le sous-titre « Distance et mémoire » de son grand livre *Le lieu de l'homme*. La vie et l'œuvre de Fernand Dumont furent écrites en dialogue avec les thèmes récurrents de distance, de séparation, de rupture. De là sans doute le remords de la différence sur lequel il revient à maintes reprises et l'idée d'une béance creusée à même la culture, béance autour de laquelle tourne, sous une forme ou une autre, le questionnement principal de ses travaux savants.

Cependant, avant d'être sous la plume du sociologue de Laval une interrogation philosophique ou sociologique, l'exil fut en quelque sorte l'obsession existentielle et lyrique de toute une génération, aux premières loges de laquelle je placerai les versificateurs et les poètes. Le thème de l'exil se découvre aussi bien dans les recueils des poètes, dans les paroles des chansonniers que dans les drames des romanciers. Il envahit en quelque sorte par osmose les travaux des critiques. « Pour le discours commun québécois, écrit Micheline Cambron au bout d'un long parcours sur le discours culturel, la disjonction apparaît comme indépassable dans l'ordre de la culture, et les écrivains ont choisi pour lieu d'ancrage de leur parole cette disjonction même » (CAMBRON, 1989, p. 186). Aussi Dumont n'a tellement pié-tiné autour de l'idée de distance et d'exil que parce que son vocabulaire participait – avec des nuances infinies, certes – des leitmotive de déchirure et d'exil communs à son temps.

1. *L'aliénation du langage*

Faisons de la configuration idéologique du début des années 1960, telle que décrite par les poètes de l'époque, le point de départ de nos réflexions. Que disent-ils exactement, que pensent-ils de la situation générale de la province ? Quels rêves entretiennent-ils pour la collectivité à laquelle ils appartiennent et se refusent à la fois ? Il est possible, sans crainte de se tromper, d'affirmer que les poètes constatent l'incapacité des Canadiens français d'alors à entrer dans l'histoire pour s'être réfu-giés dans le mythe, c'est-à-dire l'impossibilité pour eux de participer à l'histoire pour avoir immolé l'aventure du présent au culte aveugle du passé. Yves Préfontaine, très proche de Dumont dans son entreprise poétique, pouvait ainsi écrire : « Le pays nous harcèle de ses langages étouffés, de ses énergies longtemps réprimées, de son hiver qui nous mine et nous recrée et nous enlise » (PRÉFONTAINE, 1967, p. 7). Le Québec est en quelque sorte un coin de pays encore à nommer, une province en quête d'elle-même, à la recherche d'une nouvelle voix et d'une conscience de soi authentique après s'être sortie d'une Grande noirceur définie sans nuances comme janséniste par sa religion et moyenâgeuse par sa politique. Dans l'esprit des poètes, traduisant sur un mode lyrique la conscience populaire, la société québécoise aurait vécu depuis près de cent ans en dehors du mouvement historique de la modernité, sorte de réserve isolée du reste du monde occidental, sur les rives de laquelle venaient mourir les vagues rugissantes du progrès. Les images utilisées sont vives, les paroles sont brusques, les raccourcis terribles.

Sur le plan plus existentiel, plus psychanalytique, si l'on me permet de le nommer ainsi, la Révolution tranquille semble exhausser dans les poèmes la quête d'une identification paternelle (BIGRAS, 1966). Nombreux sont les vers où est dénoncée la figure des pères châtrés par l'ordre traditionnel de la société canadienne-française, reprenant à leur compte l'image immortalisée par le roman *Les Plouffe* (roman dans lequel, on s'en souviendra, le père, voulant se révolter, finit paraplégique, incapable de parler et cloué à sa chaise berçante, pendant que la mère, active à son fourneau, contrôle la maisonnée par des attentions discrètes et l'alliance avec ce « père » castré par excellence qu'est le curé). La paternité apparaît dans la poésie québécoise comme exploitée économiquement, dépossédée symboliquement, culturellement vide, pathétique et pitoyable sous tous rapports. Le Québec d'avant les années soixante consacre un immense échouement du rôle du père. Au milieu d'une société formellement patriarcale, c'est en effet l'ordre de la mère qui partout triomphe : *notre mère l'Église, notre mère la terre, notre mère la Vierge Marie*, toujours notre mère nourricière, enveloppante et chaude.

Les pères crucifiés
anges rompus salamandres atterrées
vont au bois le dimanche
semaines perpétuelles et vaines (LAPOINTE, 1971, p. 207).

Vue sous cet angle, la poésie apparaît comme l'occasion de retrouver une paternité niée ou vidée, de retracer le fil des paroles paternelles dont l'écho s'est perdu dans un impénétrable silence, de surprendre l'ordre du père au moment où les pères, au lieu de forcer leur destin, s'inclinaient toujours plus bas et disparaissaient lentement, pour emprunter l'expression du poète Fernand Ouellette, « comme des cierges » (OUELLETTE, 1988, p. 34). Elle symbolise le dire d'une société interdite, soumise à des pouvoirs adventices et forclose dans une histoire qui ne laissait rien transparaître de ses rêves profonds. Aussi la parole poétique, parce qu'elle semble plus directement mythique, authentique et prophétique que la prose, est le truchement par lequel les Québécois, désaliénés et *rapaillés*, croiront pouvoir parvenir à la pleine conscience d'eux-mêmes et ainsi accéder à la pleine maîtrise de leur destin. Elle désigne, dans les années cinquante et soixante, une tentative désespérée de se nommer enfin, concrètement, charnellement, par une démarche d'écriture qui, certainement dans son intention, se rapproche de celle suivie à la même époque par les sociologues dits positivistes de l'École de Laval (WARREN, 1998, p. 49-89). Elle est l'instrument privilégié d'une régénération culturelle grâce à laquelle les non-dits, les murmures, les bruits inaudibles, les chuchotis des hommes et des femmes (surtout des hommes castrés, juvéniles jusqu'à la mort, apeurés par la vie tentatrice, vicieuse et corruptrice, refoulés dans leur être et leurs désirs) pourront envahir la place publique d'un immense cri unanime de libération.

Jusqu'ici, je n'ai rappelé que des lieux communs sur un langage poétique chargé de dénoncer, dans la lignée du manifeste *Refus global*, l'aliénation de la société traditionnelle canadienne-française et le silence des pères humiliés, rompus à toutes les servitudes. La poésie est l'occasion pour le Québécois d'écrire ce qu'il est, de dire enfin ce qu'il est devenu depuis la dissolution de l'ancien ordre social rural et paysan. Mais cela signifie du même coup dire le peu qu'il est. Son existence ne se déroule-t-elle pas dans un présent vulgaire, aliénant, dégradé, où éclatent les signes humiliants de sa difficulté d'être au monde ? Comment donc la parole, même poétique, pourrait-elle parvenir à nommer l'inexistence de l'homme québécois ? Car, aussi paradoxal que cela puisse aujourd'hui paraître, c'est bien « à partir [du] silence que le Québécois veut maintenant parler, dire, signifier » (BIGRAS, 1966, p. 91). Fernand Dumont affirme venir d'un milieu où les planchers sont recouverts de prélart et où l'on boit un peu trop de bière. « Comment, je vous le demande, faire de la littérature avec de pareils matériaux ? » (DUMONT, 1972). Et Miron dénoncera dans *L'homme rapaillé* exactement cela : que la fulgurance du poème ne pourra se déployer qu'en dehors du non-poème de la condition aliénée de l'homme québécois. J'ai exprimé ailleurs, par des voies différentes, dans un petit ouvrage consacré aux intentions primordiales de Dumont (WARREN, 1998), la contradiction de cette parole des années soixante devant traduire le silence d'un peuple sans paroles. Elle se répète ici sous la forme de l'impossibilité d'exprimer le non-être, de nommer la ténèbre dans sa vérité profonde et ontologique, sinon dans une éternelle fuite en avant qui ressemble un peu à celle de la flèche de Zénon d'Élée, incapable de s'immobiliser dans son mouvement pour dire point à point l'espace infini qu'elle traverse.

La brièveté de ce texte ne me permet malheureusement pas de m'étendre davantage, cependant on devine déjà que la prise de parole des années soixante n'est pas aussi simple que des critiques le supposent, et que la poésie a suivi ici, chez certains, une démarche trouble et complexe. Il ne suffisait pas d'avoir le droit de parler pour s'autoriser à prendre la parole.

La poésie québécoise de ces années se ressent de ce paradoxe d'une parole contredite par le silence qu'elle tente d'exprimer. Des poètes s'essaient à faire dans le mythe, tel Paul-Marie Lapointe avec son merveilleux poème *Arbres*, ou alors dans l'archaïsme avec Gatien Lapointe et son *Ode au Saint-Laurent* ; Vigneault chante les exploits de Jos Montferrand pendant que Gaston Miron invente l'espèce du québécanthrope. Cependant le pullulement de contes, de légendes, de fables et de mythes de cette époque est à jamais impuissant à refaire sur le mode archaïque une parole moderne véritable, c'est-à-dire qu'il se trouve incapable de réaliser la jonction tant souhaitée par Dumont, dans un autre registre, de l'archaïsme et du progressisme (DUMONT, 1967). La poésie ne saurait représenter le lieu où seraient réconciliées les valeurs et la rationalité, elle évoque cependant un âge passé, mythique, où la vérité existait pleinement et où l'être était spontanément en accord avec lui-même. N'est-ce pas retrouver ici cette idée de Dumont que la poésie annonce l'âge de la parole, mais une parole qui serait une sorte de silence inversé, un silence devenu enfin éloquent, audible, loquace, concret, grâce auquel l'homme pourrait se passer de mots afin d'entrer directement en dialogue avec les êtres ? Une poésie qui, selon les mots de Dumont, dépassant images et sensations, conduit « par le langage », mais tout en « dénonçant pour ainsi dire à mesure l'illusion d'exprimer », à une espèce de silence « peuplé, dense, habité » (DUMONT, 1989) ?

Considérée sous cet angle, il faut bien l'admettre, la poésie de la Révolution tranquille eût pu être un échec. Et pourtant poésie il y a eu, et une poésie par ailleurs admirable, florissante, étonnante... Comment se fait-il que les contradictions de cette époque n'aient pas réduit les poètes au silence ? Pourquoi, loin de tendre progressivement vers le silence, les textes poétiques montrent-ils une telle vitalité, je dirai une telle exubérance dans la parole, une telle démonstration verbale faite de jouissances littéraires et d'expériences d'écrire inlassablement répétées ?

2. *Un curieux exil*

L'hypothèse de cet essai, reprise en partie du très beau livre de Pierre Nepveu, *L'Écologie du réel*, (NEPVEU, 1999) est qu'une notion toute simple, anodine en apparence, va servir, en attendant la réconciliation future et utopique, de « truchement » à la génération de l'après-guerre. Cette notion, c'est celle de l'exil. Par-delà la constance de cette notion dans la poésie moderne (ne pensons qu'à Rimbaud ou Nerval), l'utilisation qui en a été faite ici est originale à plus d'un titre et éclaire peut-être mieux qu'une longue analyse des idéologies la conscience de soi de la génération intellectuelle de l'après-guerre. L'exil, en effet, loin de décrire uniquement ou principalement la condition du poète, désignera ici la situation même du peuple québécois. « Oui l'exode ici des racines qu'accable une errance d'acier immobile ». (PRÉFONTAINE, 1967, p. 30)[1]. Le poète exilé sera le symbole d'une terre expatriée. La parole dont il est la plus haute figure et le plus clair symbole, dans son aliénation constitutive, devient un mal d'être inscrit au plus intime de la conscience, tendu par le silence des origines, animé par le souffle créateur et éveillé sans cesse par la quête du pays réel.

Le réel n'est plus une rencontre, une conjonction du temps et de l'espace. La dichotomie est reconnue, la séparation accusée. Séparation entre sentiment et acte, réel et conscience. L'exil n'est plus un rapport avec l'espace mais une expression de la

---

1. Cf. Gaston Miron : « Homme aux labours des brûlés de l'exil / [...] en vue de villes et d'une terre qui te soient natales / Je n'ai jamais voyagé / vers autre pays que toi mon pays / un jour j'aurai dit oui à ma naissance [...] / un homme reviendra / d'en dehors du monde » (MIRON, 1970, p. 50).

division de l'être, du conflit entre réel et conscience, acte et théâtralité. L'exil est intériorisé. Il devient une dimension de l'être. Et d'abord l'exil de la parole. (KATTAN, p. 63, cité par NEPVEU, p. 47.)

L'impossibilité immédiate de l'enracinement renvoie à un acte d'écriture en tant que promesse, mais toujours promesse du réel, dans une configuration idéologique nouvelle qui préserve la modernité québécoise au prix de son errance[2].

Nous en aurons un premier signe dans la façon dont les critiques de ces années ont célébré deux écrivains, Octave Crémazie d'abord, auteur du *Drapeau de Carillon*, pivot de l'École littéraire de Québec, dont l'étoile avait commencé à décliner dès les années vingt, à l'époque de la littérature du terroir et de la poésie intimiste ; Émile Nelligan ensuite, porté aux nues par Louis Dantin et mort dans la plus complète indifférence. Avec la Révolution tranquille, un engouement nouveau va sortir de l'oubli ces deux poètes, que tout séparait au départ, et solidariser leur vision poétique en leur composant une destinée commune autour de la notion de l'exil. Crémazie, poète somme toute mineur, se voit accorder une place au panthéon de la littérature québécoise pour avoir nourri une poésie de l'exil : mort à Paris, son œuvre évoque une certaine étrangeté à la vie, une douloureuse aliénation intérieure, de même qu'un sentiment de l'inachèvement propres à séduire les jeunes critiques de la génération de l'après-guerre. Ainsi en fut-il de Nelligan. Pierre de Grandpré, dans son *Histoire de la littérature française du Québec*, écrit :

> Le poète [...] est né à Montréal [...], la veille de Noël de l'année 1879, soit l'année même où mourait, au Havre, après sept ans d'activité poétique et dix-sept ans d'exil, [...] Octave Crémazie. Après une brève et fulgurante carrière poétique de quatre années [...], Nelligan entrera, lui aussi, dans un long exil, mais intérieur, celui des quarante-deux années d'aliénation et de réclusion [...]. Il entre donc dans le silence et se laisse sombrer dans « l'abîme du rêve », comme Nerval, comme Crémazie en exil notant, un demi-siècle plus tôt : « Le rêve prend dans ma vie une place de plus en plus large ». Pour Nelligan, second des poètes maudits du Canada français, ce retranchement est total. (ÉTHIER-BLAIS et GRANDPRÉ, 1968, p. 43-44.)

Dans le cas de Nelligan, l'errance est celle de la folie ; mais Crémazie, dans l'esprit des critiques, a lui aussi *sombré dans les abîmes du rêve*. C'en est assez pour en faire de grands écrivains, ayant traduit dans leur détresse morale et leur aliénation l'essentiel de la condition québécoise. L'étrangeté et l'absence à soi sont devenues des marqueurs de l'identité, des preuves d'authenticité, la littérature québécoise se

---

2. Un des derniers représentants peut-être de cette épistémè des années soixante, disciple avoué de Fernand Dumont, François Ricard a commis quelques essais, dont celui sur Gabrielle Roy (RICARD, 1975), qui reprennent cet acte interprétatif. Je ne peux m'empêcher de citer cet extrait d'une critique d'Edmond de Nevers, « condamné à un exil irrémédiable » : « L'articulation, l'enclenchement ne se fait pas, et la pensée reste là, sans appui, inopérante et vaine, hésitant entre un exil qui lui échappe et des appels emprisonnés dans l'abstraction. [...] Par certains côtés, de Nevers a été dans l'ordre du savoir et de la pensée ce que fut dans l'ordre de la poésie et de la sensibilité son contemporain Nelligan : un magnifique exilé [...] » (RICARD, 1985, p. 356 et 352).

laissant désigner par un vide dont Nelligan et Crémazie auraient jadis été les témoins, à Paris ou à Saint-Jean-de-Dieu. Il faut relire à ce sujet les pages de Gilles Marcotte (MARCOTTE, 1962, p. 65-83), aux chapitres « Une poésie d'exil » et « Double exil d'Octave Crémazie », où il écrit que l'absence, la solitude, l'interdiction de vivre chez soi et l'étrangeté constituent non seulement des sentiments constants de la littérature canadienne de langue française, ce que le lecteur d'aujourd'hui pourrait facilement concéder, mais la trame définitive et irréductible de l'histoire poétique québécoise. Dans un article paru en 1958, Marcotte résumait avec force cette idée que la poésie canadienne-française, désormais libérée d'elle-même par l'éclatement des frontières littéraires, porte comme interrogation fondamentale celle de son enracinement *hic et nunc*. Il utilisait tour à tour les expressions « difficultés de vivre », « pourrir de l'intérieur », « interdiction de vivre ici », « sentiment d'étrangeté à la vie, d'exil radical ». Les termes « effroi », « regret », « mort », « désespoir » reviennent sous sa plume. « L'exil que subit la poésie canadienne-française est celui, sans forme ni visage, qui se loge au cœur, et nourrit la tentation de l'absence. » (MARCOTTE, 1958, p. 7-8.) La poésie est devenue sans voix pour s'exprimer elle-même à mesure qu'elle s'est dépouillée de ses ancrages patriotiques et régionalistes sans être capable de prendre possession d'un territoire universel ni prendre pied dans la vérité des choses. Cette « aliénation intérieure » consacrait pour Marcotte « la figure définitive de l'Absence ». « La poésie canadienne-française a trouvé son centre : avant toutes choses, elle confesse une division intérieure, un profond malaise à vivre [...] qui se mesure d'abord au péril de l'absence. » (*Ibid.*, 9.) Absence, exil, ces mots éternels de la poésie moderne résonnent différemment aux oreilles canadiennes ; ils évoquent moins la condition du poète que celle d'une société mal assurée, pour ne pas dire plus, de son langage et de sa culture.

Pourquoi donc les critiques littéraires de la Révolution tranquille ont-ils cru que la véritable tradition poétique québécoise était celle de l'exil et qu'il suffisait d'en suivre le fil d'Ariane pour en dérouler l'évolution, voilà une question qui ne laisse pas de troubler l'historien des idées. Comment ont-ils pu croire faire de la dépossession, du manque, du vide, de l'irréalité, de l'aliénation et de la mort des valeurs positives ? Voilà qui n'est pas moins déroutant et curieux. N'est-ce pas que l'exil a été alors perçu par eux comme le seul lieu habitable d'une littérature incapable de s'aboucher au silence dont elle doit être la parole ? Aussi paradoxal que semble la chose, l'exil de Nelligan, celui de Crémazie, ne représenteraient-ils pas dans l'esprit des critiques l'habitation d'un pays et d'une tradition ?

Il s'élabore en effet, dans les années 1960, un espace de l'exil d'où pourra surgir la promesse du pays objectif et personnel. Les poètes découvrent l'exil comme le lieu impossible où habiter un pays impossible. Non seulement l'exil, d'ailleurs, mais par lui et à travers lui, malgré la valorisation constante de l'action et de la réalisation de soi, les thèmes de la folie, de l'ennui, de l'irréel, du silence ou de la mort. Qu'on se rappelle le propos si curieux de Gilles Marcotte dans son livre *Le roman à l'imparfait* : le roman moderne, y écrivait-il, trouve son achèvement dans son éternel inachèvement. Le ratage de l'écriture et l'imperfection du discours sont des valeurs positives pour l'écrivain de la Révolution tranquille. « La poésie », écrit avec justesse Pierre Nepveu, doit échouer « si elle prétend dire vrai », car il s'agit « précisément de faire de l'inachèvement formel un critère poétique indépassable » (NEPVEU, 1999, p. 75). Entre la détresse et l'espérance, entre l'hiver du passé et les promesses de l'avenir, l'exil vient jeter un pont imaginaire où la réconciliation se réalise mais au prix de rendre le présent un espace interdit. Le Québec devient le non-lieu à partir duquel nommer le monde, les êtres et les choses. Le non-lieu, lui, ne se dit pas et pourtant se révèle dans son impuissance à se dire. La modernité est une dépossession et une aliénation, là où les modernes européens avaient cru y voir une appropriation et une réconciliation.

Déjà Jean Lemoyne, dans *Convergences*, avait fait le procès de l'écartèlement séculaire de la conscience canadienne-française, prise dans un combat incessant entre le corps et l'âme, entre l'idéal d'incarnation et la tension de la mystique. La culture canadienne-française avait évolué jusque-là, si on l'en croit, dans un éther, abstraction sans ancrage dans la réalité concrète, pureté angélique mais vide, ouverte elle-même sur le vide, d'où l'appétit terrestre s'était lentement perdu. Lemoyne tentera donc d'insuffler à ses compatriotes une volonté nouvelle d'habiter le présent, l'ici-maintenant, selon la ligne morale d'un idéal d'incarnation, dont l'expérience du corps et du charnel sera sans doute la plus troublante, sinon la plus révolutionnaire pour la génération de l'après-guerre.

Cependant Jean Lemoyne appartient à la génération de la *Relève*, et s'il demeure vrai que l'idéal d'incarnation fut un des idéaux les plus partagés des années 1960, il ne pouvait être compris et vécu, en vertu de la situation sociopolitique du Québec, que sur un mode radicalement paradoxal. Car, qu'est-ce que représentait alors le Québec, sinon en histoire un hiver, en parole un silence, en fils des orphelins, en pères des castrés, en politique un *pays incertain*, en Amérique du Nord une anomalie ? Lorsque le Québec sortira de sa condition déchirée, écrasée, humiliée, colonisée, alors, pensent les poètes de l'après-guerre, peut-être sa littérature pourra-t-elle être une littérature saine, positive. En attendant, l'aliénation des poètes est le signe de leur conformité avec le monde concret et leur déchirure la preuve de leur adéquation avec le pays réel. Jadis le Québec vivait dans l'absence de soi ; à l'avenir il vivra enraciné profondément dans son être. En attendant, le poète doit connaître l'exil pour vivre, comme l'écrivait Aragon, cité par Miron, *en étrange pays dans son pays lui-même*.

3. *L'exil dumontien*

La Révolution tranquille connaît un exil, mais pour la première fois l'exil est conscient, il peut faire retour sur lui-même et se dépasser car il est devenu la forme volontaire du rapport au monde dans ce qu'il a de plus incarné, de plus enraciné dans la substance de la nation à laquelle appartient le poète. Exaspérée par l'expérience chrétienne (et sur l'exil chrétien il serait possible de s'étendre longuement), renforcée par une épistémè propre à la culture québécoise, l'expatriation est une manière paradoxale d'investir le pays réel ; l'indigène est l'habitant d'un pays impossible. Il ne sert de rien, dans le cas particulier de Dumont, de revenir sur l'expérience biographique d'une émigration d'à peine dix kilomètres séparant Montmorency de la ville de Québec. Il sert à peine davantage, dans le cadre restreint de cet article, d'invoquer la rupture d'avec la communauté première et l'accession au monde de la culture classique (lire à ce sujet le chapitre « Exil » de WARREN, 1998, p. 17-29). C'est la nation québécoise tout entière qui est désormais une terre d'exil : y vivre, c'est donc vivre en dépossession de soi-même. L'homme y est en exil en son propre pays.

> [Il existe] une espèce de dédoublement de la conscience chez l'intellectuel québécois : la référence aux civilisations prédominantes, qui font figure de l'universel, et la référence à un chez-soi qui ne serait jamais qu'un lieu sans portée.

> [...] Une culture universelle, venue d'ailleurs, et une culture particulière, la sienne : un intellectuel québécois devrait-il juxtaposer dans ses travaux, dans sa pensée, ces deux appartenances ? Devrait-il plutôt choisir : s'enfermer dans l'étude de sa tribu, lui appliquer des modèles mis en œuvre dans l'une ou l'autre des cultures dominantes ; ou bien se consacrer à des questions qui n'ont rien à faire avec la réalité québécoise et ainsi consentir au déracinement ? [...]

> Cette tension rejoignait celle que j'avais vécue auparavant avec une beaucoup plus grande intensité : la migration de la culture populaire à la culture savante ne me laissait-elle pas devant une contradiction qui n'était pas sans ressemblance avec l'autre ? Ces perplexités, je ne voulais pas qu'elles fussent comme des fardeaux accessoires que l'on s'acharne à oublier. Je résolus d'y consentir comme à une impulsion de ma vie d'intellectuel, de penser à partir d'un emplacement éclaté plutôt que malgré lui. (DUMONT, 1997, p. 98-99.)

Dans *Le lieu de l'homme*, Fernand Dumont a su élever cet exil culturel à la hauteur d'un archétype, c'est-à-dire qu'il a su en faire, ontologiquement, la forme du rapport au monde de l'homme, non plus de l'homme québécois, celui de sa génération, mais de l'homme universel – un peu comme Gilles Marcotte faisait de l'imperfection du roman et de son inachèvement le critère de sa modernité. L'existence humaine tirerait son origine d'une distance de soi-même à soi-même dans laquelle se déploierait la conscience. Si la vie ne connaît « d'autre finalité que de produire l'objet culturel », de se déléguer autrement dit dans un « autre monde », elle apparaît toujours déjà déchirée entre l'existence et l'expression : qu'est alors le procès de dédoublement de la culture dans l'œuvre de Fernand Dumont (son éclatement entre une culture première et une culture seconde) sinon « le déchirement de la conscience soucieuse de se voir et de se contester, attachée à son paysage familier, mais hantée d'autres décors, hésitante entre le chez-soi et l'ailleurs » (DUMONT, 1994, p. 65) ? La distance entre la culture première et l'autre culture inaugure en quelque sorte un exil, la conscience se déployant dans la rupture, le « déchirement irrémédiable », entre l'expérience de la vie quotidienne et l'interrogation de l'expression humaine. La personne n'est jamais assurée d'elle-même puisqu'elle repose tout entière sur un vide. Ce vide provoque le vertige et conséquemment la tentation de le résorber de quelque manière, il est aussi bien une ouverture par laquelle la personne réalise l'enchantement de son enfantement comme être. « De cette rupture surgissent l'angoisse et la recherche de l'Être, le sentiment d'un abîme et d'une présence qui ne sauraient combler ni le monde ni la parole. Et pas davantage, sans doute, la conscience elle-même. » (DUMONT, 1994, p. 39.) La culture seconde ne prête pas seulement la parole à l'animal humain, elle éveille chez lui une conscience dans la distance qu'elle crée, une conscience tragique, puisque toujours déjà incapable de se réconcilier et le monde et soi-même, quoique ainsi par là, pour Dumont, hantée par une quête de son propre mystère. S'il est vrai que pour celui-ci « la dualité de la culture représente l'échappée et le lieu propre de la conscience » (DUMONT, 1994, p. 43), celle-ci ne trouve une assise à sa parole que dans la mesure où son écho se perd dans les espaces infinis de l'Être. La définition de la poésie nous le révèle chez Dumont. La poésie instaure une ouverture en déplaçant le sens de la vie au ras de la culture commune, elle provoque ainsi naturellement une angoisse qui sommeille au cœur de l'homme. Or, cette angoisse est une blessure en même temps qu'un appel. Plus clairement dans la poésie que partout ailleurs sans doute, entre la culture première et seconde apparaît un espace de la parole qui se découpe sur un arrière-fond de silence, lequel n'est ni parole ni absence de parole, mais la Vérité réconciliée dont la parole est l'écho.

Dumont a vécu l'exil non pas comme une occasion de se bâtir une vie ailleurs, d'émigrer, ainsi que le faisaient les explorateurs d'autrefois ou les colonisateurs de l'Amérique, vers des terres exotiques où la vie pourrait continuer son cours au milieu d'un paysage nouveau, mais il l'a vécu comme une proscription de la terre natale, comme un certain éloignement vers des rivages étrangers et une impossibi-lité de se refaire un pays sous le ciel inconnu où l'avait porté sa destinée. Toujours il s'inquiétait de la situation d'expatrié de l'intellectuel, habitant les lieux de l'abstrac-tion, perdu dans le monde des théories, forcément incapable de vivre du pays, et pourtant passionnément tourné vers le pays réel. Cela s'entend : aux yeux de Dumont ni les livres scientifiques, ni l'avenir, ni la théorie, ni le rêve, ni quoi que ce soit d'un peu abstrait n'est un lieu habitable. « Je passe le plus clair de mon temps en exil, dans les contrées de la noosphère. » (DUMONT, 1972.) L'intellectuel s'installe par nature dans un univers paradoxal : l'adéquation immédiate à soi-même lui est refusée aussi bien que la possibilité d'habiter les régions de la noosphère. Il est la personnification du paradoxe d'une existence prise entre la réification du dire et l'aveuglement du vivre. Que lui reste-t-il donc, où pourra s'ériger la maison de l'homme, sinon dans ce *no man's land* de la culture qui n'est ni tout à fait ici, ni tout à fait là-bas ? Aussi Dumont affirme-t-il l'obligation constante pour le philosophe, aussi bien que pour l'être humain dont le philosophe figure le prototype dans la société moderne, de « s'installer carrément dans la distance créée par la culture » (DUMONT, 1994, p. 264). En d'autres termes, de faire de l'exil un chez-soi[3].

Dans *L'Anthropologie en l'absence de l'homme*, Dumont a traduit sur le mode de l'épistémologie ce qui n'était encore dans *Le Lieu de l'homme* que le drame de la culture. Le livre se clôt sur l'interrogation posée par l'absence dans la pratique des sciences de l'homme. Qu'adviendra-t-il de l'absence une fois terminé le travail de ceux qui tentent de dissoudre la culture (DUMONT, 1981, p. 368-369) ? Un savoir, d'une part, qui enrichira les tablettes des bibliothèques ou deviendra objet de savoir à son tour. Une ouverture vers l'Être, d'autre part, puisque l'unité de la vie – que cernent le poème comme pratique de la totalité, la sociologie comme science des médiations ou la politique comme pédagogie sociale –, est une exigence de l'homme, dont le désir d'être chez soi enfin, et ainsi de taire le douloureux sentiment de l'apatride, se fait plus pressant à mesure que la distance se creuse et se fait plus abstraite.

La réconciliation viendra – du moins Dumont l'espère comme l'horizon de la société future –, que ce soit par la poésie qui en remémore la moment primitif, par la religion chrétienne dont le langage évoque au-delà de la mort une transparence enfin totale, par la quête inlassable du pays à venir, par le mythe qui en représente en quelque sorte la nostalgie. En attendant ce jour lointain, utopique, l'homme doit habiter l'exil comme l'impossible demeure de son espérance dans un pays et une humanitude qui ne s'appartiennent pas et qui ne possèdent que le vide où faire fleurir leur parole.

Jean-Philippe WARREN

BIBLIOGRAPHIE

BIGRAS, Mireille

1966 « La fonction du père dans l'imaginaire du Québécois », *Liberté*, VIII, 5-6 : 88-96.

ÉTHIER-BLAIS, Jean et Pierre DE GRANDPRÉ

1968 « Un vrai poète : Émile Nelligan », dans : Pierre DE GRANDPRÉ (dir.), *Histoire de la littérature française du Québec*, Montréal, Beauchemin, 43-44.

CAMBRON, Micheline

1989 *Une société, un récit, Discours culturel au Québec (1967-1976)*, Montréal, L'Hexagone.

CANTIN, Serge

1997 *Ce pays comme un enfant*, Montréal, L'Hexagone.

---

3. Dumont a rappelé souvent une page (qu'il disait savoir par cœur) de Hegel, celle où le philosophe allemand évoque le départ d'Abraham de sa patrie comme l'allégorie de l'intellectuel en exil de la culture commune.

DUMONT, Fernand

1967   « Y a-t-il un avenir pour l'homme canadien-français ? », *Le Devoir*, 30 juin.

1972   « Montmorency : si c'était un pays », *Le Devoir*, 28 octobre.

1981   *L'Anthropologie en l'absence de l'homme*, Paris, Presses Universitaires de France.

1989   « À l'écoute de Fernand Dumont », Entrevue avec Wilfrid Lemoyne, Radio-Canada, 8 janvier 1989.

1994   *Le lieu de l'homme*, Montréal, Fides.

1997   *Récit d'une émigration*, Montréal, Boréal.

LAPOINTE, Paul-Marie

1971   *Le réel absolu*, Montréal, L'Hexagone.

MARCOTTE, Gilles

1962   *Une littérature qui se fait*, Montréal, HMH.

MIRON, Gaston

1970   *L'Homme rapaillé*, Montréal, Presses de l'Université de Montréal.

NEPVEU, Pierre

1999   *L'Écologie du réel*, Montréal, Boréal (première édition 1988).

OUELLETTE, Fernand

1988   *Journal dénoué*, Montréal, L'Hexagone.

PRÉFONTAINE, Yves

1967   *Pays sans parole*, Montréal, L'Hexagone.

RICARD, François

1975   *Gabrielle Roy*, Montréal, Fides.

1985   « Edmond de Nevers : essai de biographie conjecturale », dans : Paul WYCZYNSKI, François GALLAYS et Sylvain SIMARD (dirs), *Archives des lettres canadiennes*, tome VI, *L'Essai et la prose d'idées au Québec*, Montréal, Fides, 347-366.

WARREN, Jean-Philippe

1998   *Un supplément d'âme. Les intentions primordiales de Fernand Dumont (1947-1970)*, Sainte-Foy, Presses de l'Université Laval.

UNE INTERPRÉTATION SOCIOLOGIQUE EST-ELLE POSSIBLE ?

NOTE CRITIQUE

Éric GAGNON

De la lecture de trois articles de Fernand Dumont, nous dégageons ce qui serait trois conditions de possibilité de l'interprétation sociologique : le débat sur l'unité et la nature de la société, l'engendrement réciproque des faits et des valeurs, la transparence et le refus de l'expertise. Méthodologique, le propos s'appuie sur deux exemples : une typologie de Dumont, remarquable exemple d'imagination sociologique, et la sociologie de la santé. De l'ensemble, nous concluons qu'il n'y a pas de sociologie (ni d'interprétation) sans mémoire.

En tête d'un imposant *Traité des problèmes sociaux*, on trouve le texte de Fernand Dumont « Approche des problèmes sociaux » (1994), texte dans lequel il propose une typologie d'une remarquable intelligence, et qui en fait l'un des grands textes sociologiques du philosophe. Cinq conceptions de la réalité sociale sont présentées, auxquelles il fait correspondre cinq conceptions des problèmes sociaux. L'exercice a d'abord pour but de montrer qu'il n'y a pas de saisie positive de cette réalité sans recours à une norme et inversement ; faits et normes « s'engendrent réciproquement » dans la problématisation de la réalité sociale.

J'en rappelle les grandes lignes. 1) La première conception consiste à voir la société comme un *organisme* dont les éléments – les institutions – sont envisagés d'un point de vue fonctionnel. Dans cette perspective la norme est relative au maintien des fonctions nécessaires de l'organisme ou du système ; « la norme est immanente au réel ». L'écart entre les phénomènes normaux et pathologiques est la dysfonction que les seconds introduisent ; un problème social est ici envisagé comme un problème de *dysfonctionnalité*. 2) La société est comprise, dans une seconde approche, comme un *ordre social* ou ordre juridique. Les normes ne se déduisent pas du bon fonctionnement, mais s'imposent à lui. Elles sont autonomes, bien qu'ouvertes et nourries par les valeurs qui prévalent. Elles forment elles-mêmes un système – le droit – qui régule le système social et même le fabrique. Un problème social est alors compris comme un *délit*. 3) Dans une troisième perspective, la société est faite d'*idéaux collectifs*, qui assurent un contrôle social. Des institutions (famille, école) transmettent ces idéaux, consolidant l'emprise du groupe sur les individus. À la différence des normes juridiques, celles-ci sont plus diffuses, moins cohérentes entre elles ; il y a pluralisme, et un problème social en est un d'*anomie* : effet d'une « évanescence » des valeurs et d'une érosion des solidarités et appartenances ainsi provoquée. 4) La quatrième conception se centre sur un « foyer » particulier de valeurs ou d'idéaux collectifs, touchant au partage des biens collectifs : l'*égalité*. La société est vue comme divisée et inégale, et c'est dans la répartition qu'elle trouve sa cohésion. L'égalité des droits ou l'égalité des chances fonde les normes de justice. L'injustice tient à l'*inégalité*, laquelle définit le problème social : différences des revenus, dans l'accès aux services ou à l'éducation, par exemple. 5) La cinquième et dernière perspective est le résultat d'un « déplacement supplémentaire ». L'idéal est encore l'égalité, mais la répartition des biens conduit à une demande de *participation* aux décisions. Les classes sociales ont un accès différent, non plus seulement aux biens, mais au pouvoir et à la parole. Le normal se reconnaît par la participation à l'instauration de la norme, et l'anormal, par l'*exclusion*. En somme, cinq conceptions de la société (vision organique, ordre social, ensemble d'idéaux, partage, réseaux de participation), auxquelles correspondent cinq critères d'anormalité (dysfonctionnalité, délit, anomie, inégalité, exclusion).

L'exposé est remarquable. En associant à chaque conception de la société, une approche des problèmes sociaux, on récapitule tout à la fois l'histoire de la sociologie et celle de la question sociale telle qu'elle a été problématisée dans les interventions et les politiques publiques. En quelques pages et en un élégant schéma, défile un siècle de vie intellectuelle et de vie politique.

Aussi avons-nous l'impression d'avoir affaire à un schéma historique, résumant le passage de la société traditionnelle à la société postmoderne. De la société conçue comme organisme à celle conçue comme participation se dessine en effet un mouvement historique où s'affirment toujours plus les valeurs d'égalité et de liberté, conduisant à ne plus accepter une norme uniquement parce qu'elle appartient à un ordre hérité, et exigeant, selon Dumont, l'égalité de tous dans la reconnaissance de la norme ; le scandale n'est plus le délit, de moins en moins l'anomie (l'absence de consensus sur les valeurs) et davantage un accès refusé à la parole. Nous sommes ainsi conduits à la société technocratique, celle de la participation et de la consultation des citoyens. Mais la société technocratique est également celle qui cherche à fonder les décisions sur des normes d'efficience et de fonctionnalité, qui pense les réalités en termes de coordination et de gestion. Et nous voilà alors ramenés au point de départ, à la société comme organisme, où les problèmes en sont de dysfonctionnement. Notre société se pense autant comme organisme qu'en regard de l'idéal de participation. Le parcours tracé par la typologie n'est donc pas linéaire, et ressemble davantage à un cercle. Dumont fait d'ailleurs cette remarque : « Ces deux extrêmes (vision fonctionnelle et vision participative) ne sont pas seulement des points de vue concurrents sur les problèmes sociaux ; ils commandent la double configuration de nos sociétés » (DUMONT, 1994, p. 10). La suite du texte tend à montrer que les cinq conceptions coexistent. Qu'est-ce à dire ? La typologie, selon les mots de l'auteur, dessine un « parcours », une « dénivellation », une « dérive ». Les mots sont beaux, séduisants même, mais peu précis. Rendant compte de ce texte (et du *Traité* dans son ensemble), Daniel DAGENAIS (1995)[1] a souligné l'ambiguïté du vocabulaire de Dumont et plusieurs questions que le texte laisse en suspens.

> Qu'est-ce qu'une « conception du social » ? Comment se réalise-t-elle ? Quel est son lieu d'ancrage dans la société, son mode d'existence ? Comment comprendre la coexistence de plusieurs conceptions du social dans une même société ? S'agit-il de conceptions renvoyant à des façons historiques de se représenter la société qui coexisteraient aujourd'hui d'une manière stratifiée ? Ou renvoyant à des niveaux hiérarchisés d'action sur la société ? (DAGENAIS, 1995, p. 227.)

Ce sont des questions auxquelles il faut répondre, non pas à la place de Dumont (ce qui est impossible) ni même en cherchant à le faire « à la manière de », mais dans son prolongement, comme s'il nous les avait adressées et qu'il nous incombe de poursuivre la recherche... sans se sentir obligés de donner la même réponse que lui. Cette typologie, nous allons le voir, pose la question de l'interprétation sociologique, de sa place et de sa possibilité même.

Le débat

Le problème central soulevé par ce schéma est celui de la synthèse et de l'unité, problème qui a constamment occupé Dumont, et qui est au centre d'une entreprise du genre du *Traité*. Chaque conception du social est en soi une synthèse, le modèle d'une vision de la société globale, et la typologie est un effort de rassemblement de ces modèles. Mais la synthèse n'est pas dans l'inventaire ou la sommation, et il n'est pas certain que l'on parvienne à quelque vue d'ensemble d'une collectivité simplement en choisissant l'une des conceptions, et en l'appliquant.

---

1. Je dois beaucoup à cet article de Dagenais, sur lequel je prendrai encore appui plus loin. J'y renvoie le lecteur pour ses analyses pertinentes.

Cette question de la société globale est l'objet d'un autre des meilleurs articles de Dumont, « L'étude systématique de la société globale canadienne-française », texte de clôture du colloque de 1962 sur la *Situation de la recherche sur le Canada français*. L'argument alors développé était à la fois simple et convaincant : l'étude de la société globale, de la société considérée dans son ensemble, ne peut être une synthèse des recherches particulières, non pas tant en raison du peu d'avancement de ces recherches que du fait que la société globale est d'abord une *représentation*, une vision d'ensemble qu'elle se donne d'elle-même. Il n'est pas nécessaire, pour envisager la société comme un tout, d'adopter une sorte de fonctionnalisme, présupposant l'intégration de tous les éléments qui la composent, et dont l'inventaire serait « indéfini » (DUMONT, 1962, p. 287). Plus juste, – et plus économique – est d'analyser les mécanismes qui travaillent à son intégration : les idéologies, l'école, le pouvoir. Si la société n'est jamais parfaitement intégrée, du moins se donne-t-elle toujours des mécanismes pour y parvenir. L'étude de la société globale est l'étude de la manière dont une société se pense et cherche son unité, et de la concurrence entre diverses représentations de son unité portées par différents groupes.

Pareille perspective est inséparable d'une autre idée que Dumont n'a cessé de défendre : la sociologie naît des représentations que la société se donne d'elle-même, des idéologies. « Toute interprétation scientifique d'une société globale sera fatalement en continuité avec les idéologies dominantes du milieu. Parfois, elle en constituera simplement l'explication et la systématisation ; souvent, elle en sera une mise en question chargée plus ou moins de revendications et de jugements de valeur. » (DUMONT, 1962, p. 278-279). L'une des conséquences de cette idée est qu'il ne saurait y avoir de vue de surplomb de la société globale. Et c'est ce que montre très bien la typologie de 1994 que nous discutons ici, en liant représentations de la société et représentations des problèmes sociaux.

Il est intéressant de remarquer au passage que le texte de 1962 clôt un colloque (et un ouvrage) dont l'ambition, tout comme le *Traité des problèmes sociaux*, était de dresser un bilan et des synthèses. Dumont, ne l'oublions pas, a dirigé de nombreux ouvrages collectifs, jouant un rôle de rassembleur et luttant contre la dispersion. Mais il n'est pas moins paradoxal que l'effort débouche sur la publication d'ouvrages, dont le moins que l'on puisse dire, c'est qu'ils expriment – sinon accentuent – la dispersion et la spécialisation. Daniel Dagenais (1995) a montré à quelles impasses le projet s'est heurté, notamment en raison du caractère collectif du *Traité* et de certaines pratiques actuelles en recherche : en 54 articles, 73 spécialistes se partagent les « problèmes » : suicide, violence conjugale, mauvais traitements aux enfants, analphabétisme, chômage, etc. La projet « sommatif » n'a pas suffi à donner un ouvrage cohérent, et la fragmentation des problèmes sociaux se traduit jusque dans le livre qui entendait la surmonter. Fernand Dumont, dans son texte introductif et dans la typologie proposée, corrige, comme par avance, le caractère trop étroit et trop positif des articles qui vont suivre[2].

Mais ce qu'il faut retenir, c'est que la typologie est synthèse, non pas parce qu'elle fait le tour des conceptions du social et des approches des problèmes sociaux, mais parce qu'elle porte sur des tentatives de synthèse ou d'unité, et les confronte. La synthèse est dans le débat entre les idéologies et les conceptions concurrentes, et c'est au travers de ces débats que, non seulement l'on peut apercevoir la société globale, mais tenter une interprétation sociologique. C'est pour cela que la typologie dessine un « parcours » plutôt que de dresser un inventaire. Elle consacre la recherche d'une vision d'ensemble comme une nécessité de l'interprétation sociolo-gique, en même temps que son impossibilité. Les conceptions de la société émergent d'un débat, et c'est parce qu'elles sont en débat qu'elles deviennent visibles pour les sociologues qui peuvent les formaliser et en faire des types.

Et si le débat au sein de la société donne au sociologue son objet, n'a-t-il pas besoin de le poursuivre lorsqu'il interprète ? Ce débat n'est-il pas encore présent dans sa propre démarche ? N'a-t-il pas besoin de ces diverses conceptions de la société, chacune trouvant appui sur les autres, ou contribuant à mettre les autres en évidence ? De la société comme organisme à la société comme idéaux[3], nous passons de ce qui serait une réalité positive et permanente de toute société, extérieure aux individus, à ce qui serait une réalité variable, « construite » et portée par chaque individu. Ce sont là peut-être des « moments » de l'interprétation et non simple-ment trois interprétations distinctes (ordre fonctionnel, ordre juridique ou idéaux), car loin d'être irréductibles, elles renvoient chacune les unes aux autres. Elles s'épaulent et se contestent en même temps. Ce mouvement fait voir la société, tantôt hors des individus, tantôt intériorisée en chacun d'eux. L'interprétation de la société par ses fonctions prend toujours appui sur des valeurs, et inversement dégager les idéaux collectifs exige une référence positive, qui les fait apparaître, comme un fond ou un arrière-plan fait apparaître un objet. Les fonctions ne sont discernables que sur l'horizon d'une finalité qui leur donne un sens, et donc d'idéaux et de valeurs qui leur donnent une direction ; les idéaux et valeurs ne sont compréhensibles qu'en

---

2. Dans ses mémoires, Dumont évoque le *Traité d'anthropologie médicale* et le *Traité des problèmes sociaux*, non sans laisser percer une certaine déception : « Ces *Traités*, de dimensions considérables, étaient eux-mêmes, dans mon esprit, des tentatives pour réunir des compé-tences multiples autour de projets de synthèses où l'éthique rejoindrait le savoir positif. [...] Malgré nos efforts pour donner une structure systématique à ces ouvrages, il était inévitable que l'on aboutisse, étant donné l'initiative laissée aux auteurs et les orientations de chacun, à des dossiers, certainement précieux, plutôt qu'à une nouvelle vision d'ensemble. » (DUMONT, 1997, p. 229.)

3. Les troisième, quatrième et cinquième conceptions de la société repérées par Dumont peuvent être regroupées en une seule : la société conçue comme idéaux collectifs, les quatrième et cinquième conceptions étant des cas particuliers de la troisième (idéaux d'égalité dans l'accès aux biens et à la parole).

les rapportant à une réalité plus positive (fonctions ou ordre juridique), une situation à laquelle elles réagissent, qu'elles soutiennent ou contestent. Une représentation de la société selon les idéaux et valeurs partagées ne se suffit pas, il faut remonter à la précédente (ordre juridique) pour lui donner un horizon et une origine. L'on est ainsi ramené à la fonctionnalité et à la nature des sociétés comme interrogation inépuisable et jamais congédiable. La typologie décrit un mouvement de la pensée, plus qu'un progrès de la compréhension. Les conceptions de la société qu'elle expose ne peuvent donc être appréhendées et utilisées que les unes avec les autres. Nous dirons, avec Bachelard (1949, p. 5 et 41), que « l'une achève l'autre » et qu'ensemble elles forment une « échelle polémique » : la cohérence de la typologie, c'est sa dialectique[4].

Le débat au sein de la société sur son unité et sur le normal, le sociologue le poursuit pour son propre compte. Ce débat est constitutif de sa démarche. L'interprétation sociologique est elle-même débat entre ces approches, qu'elle confronte pour cerner son objet. Elle loge dans l'écart et la circulation entre ces perspectives.

Les valeurs

Ce mouvement de l'interprétation en signale un autre sur lequel Dumont attire spécialement notre attention. Celui du va-et-vient, dans la compréhension des faits sociaux, entre la saisie positive de la réalité et le recours à une norme. L'une et l'autre « s'engendrent réciproquement » dans la « description » des faits sociaux et la reconnaissance des problèmes sociaux. La typologie en est certainement la plus belle démonstration, en montrant comment chaque conception de la société est tributaire d'un jugement sur la normalité, et inversement. Mais la saisie positive ne se limite pas aux faits dits sociaux (normes, valeurs, conduites) ; plus avant le sociologue rencontre aussi parfois le corps, les faits biologiques et doit recourir à la norme pour le saisir.

Un exemple peut aider à le montrer. La sociologie et l'anthropologie médicale (les deux disciplines peuvent ici être confondues[5]) comportent deux branches : la première se consacre à identifier les déterminants sociaux de la maladie, en quoi certains faits sociaux (pauvreté, migration, par exemple) ont des effets sur la prévalence des maladies (morbidité et mortalité) ; la seconde s'emploie plutôt à une critique des conceptions et représentations de la maladie et des pratiques curatives (particulièrement la médecine moderne), à montrer leur origine, leur relativité, leur caractère idéologique, en quoi elles justifient un monopole professionnel ou une

---

4.   De ce point de vue, la typologie ressortit à la « philosophie du non », affiliation que n'aurait pas rejetée Dumont, je crois.

5.   Aucune des distinctions habituellement proposées entre sociologie et anthropologie n'est ici décisive.

forme de domination. Le premier courant apporte une contribution à l'épidémiologie, l'étude des facteurs de prévalence et de distribution de la maladie, et dans cette perspective, il reprend à son compte les catégories de la médecine, et entend produire un savoir rigoureusement positif. Le second courant s'inscrit plutôt dans le cadre d'une sociologie critique, dans la mesure où il conteste, du moins implicitement, la vérité et l'évidence de ce qui passe pour être vrai ou évident (les catégories et l'autorité médicales au premier chef), et en montre le caractère normatif. Si différents qu'ils puissent paraître, ces deux courants renvoient l'un à l'autre, l'épidémiologie sociologique s'appuyant sur une contestation de l'hégémonie du savoir médical pour faire une place aux facteurs sociaux, et la critique des savoirs et pratiques de santé ayant besoin des déterminants sociaux pour faire une place au symbolique et aux valeurs dans les phénomènes de maladie. Le second courant a besoin du savoir positif produit par le premier, qui lui-même implique, dans sa propre production, une orientation normative. Chacun fournissant les points d'appuis nécessaires à l'autre.

Dans ce mouvement et ce partage, la distinction entre le positif et le normatif est certes problématique, et tout aussi rigoureusement impossible à opérer que celle entre le biologique et le symbolique dans la maladie, et plus généralement entre nature et culture. Entre les deux ordres de réalité, impossible d'établir une ligne de partage et un soupçon demeure toujours quant à leur réalité, c'est-à-dire quant à la pertinence de la distinction. Et pourtant, ces deux ordres de réalité ont besoin d'être *posés* pour que l'interprétation sociologique soit possible ; plus exactement, nous ne connaissons pas d'autres schèmes ou modèles pour fonder nos interprétations. L'interprétation sociologique est ainsi tributaire d'un autre débat (nature/culture ; faits/valeurs) qui lui est également constitutif.

L'institution de la santé et de la maladie est un objet privilégié pour la sociologie et l'anthropologie. D'abord pour une raison assez immédiatement perceptible : par ses représentations de la maladie, par les pratiques de soins qu'elle institue, la société parle d'elle-même, elle tient un discours sur ce qu'elle est et ce qu'elle doit être. La médecine, par exemple, autorise et interdit nombre de conduites, et la maladie est l'une des plus usuelles métaphores des rapports sociaux ; ses représentations médiatisent chez l'individu le rapport de soi à soi, de soi aux autres et de soi au monde. Ensuite, et plus profondément, parce que la question de la « nature » de la société et du fondement naturel des normes émerge avec l'affranchissement à l'égard de la nature, devenue elle aussi question[6].

Isoler la part du symbolique dans la maladie et son institutionnalisation se fait ainsi dans un va-et-vient entre nature et culture, faits et valeurs, et engage nécessairement et rapidement dans le débat sur la nature de la société, que Dumont expose dans sa typologie de 1994. L'étude des déterminants de la santé est en partie issue

---

6. Quand la nature n'est plus subie mais transformée.

de la santé publique et de l'hygiène sociale de la fin du XIXᵉ siècle, dans laquelle les maladies apparaissent comme le produit de dysfonctions sociales, plus tard de ruptures dans l'ordre moral, et plus récemment comme problème d'inégalité dans le partage des biens ou dans la participation à la vie collective. Le courant critique, à l'inverse, partant d'une inégalité de la parole entre experts et profanes pour interpréter la maladie et dire le normal, remonte vers l'ordre moral et juridique. L'institution de la santé et de la maladie apparaît ainsi tour à tour comme : 1) jouant un rôle fonctionnel (réguler les perturbations engendrées par les maladies ; décider qui est malade et donc exempté de ses rôles), 2) réalisant et légitimant l'ordre juridique (elle est productrice de droit, de savoirs autorisés, d'une division juridique du travail), 3) exprimant ou heurtant des idéaux collectifs, dans la relation médecin-malade (la question de l'autorité et de l'accès au savoir et à la parole) comme dans les politiques et l'organisation des services (répartition et affectation des ressources et lieux des prises de décisions). Toujours revient la question de ce qui fait tenir ensemble la collectivité et de la déviance possible, inévitable, autorisée ou anormale.

La sociologie de la santé a pour objet les mêmes débats sur la réalité sociale que les autres sociologies, ce qui l'oblige à un mouvement constant entre les faits et les valeurs, autour de la nature des normes. Et comme dans les autres domaines d'investigation du sociologue, ce débat demeure ouvert.

La transparence

Notre exemple, s'il a permis d'apporter quelques précisions, risque cependant d'avoir fait perdre à l'interprétation sociologique sa spécificité. Le sociologue ressemble maintenant au médecin, posant un diagnostic non seulement sur la nature de la société, mais sur des faits biologiques, et allant même jusqu'à proposer des remèdes. C'est ici qu'il faut introduire un troisième texte de Dumont consacré au problème de l'interprétation. Il s'agit d'un autre texte introductif à un imposant ouvrage de synthèse, le *Traité d'anthropologie médicale*, où il s'efforce (entre autres choses) de distinguer l'interprétation sociologique de l'interprétation médicale.

L'interprétation médicale, telle que la comprend Dumont, est la réconciliation du singulier et du général : le témoignage du patient rencontre le savoir du médecin, et ensemble ils convergent vers le diagnostic, le second donnant au premier son sens général, permettant ainsi au patient de « réintégrer la communauté humaine » (DUMONT, 1985, p. 35). Telle n'est pas la sociologie, qui, réduite à n'être que l'application d'une théorie générale à des cas particuliers, perdrait tout intérêt et toute pertinence. Elle a pour objet l'institutionnalisation (de la santé, entre autres), c'est-à-dire le processus de rationalisation, de production des normes et des savoirs par les experts et les pouvoirs, l'organisation de l'interprétation. L'institutionnalisation est à l'origine une contestation des interprétations reçues et admises, puisqu'elle s'oppose à la simple reprise des croyances et habitudes héritées (pensons à la médecine). Mais l'expertise et le contrôle des experts conduisent à un monopole, à une inégalité dans l'accès à cette interprétation, à une opacité des savoirs produits. L'institution alors s'éloigne ; elle apparaît aux non-experts, comme quelque chose d'étranger, de lointain même. Surtout, l'institution congédie les valeurs, ramène le savoir au positif, bien qu'elle fût d'abord protestation contre les vérités admises. La médecine est également va-et-vient entre faits et valeurs, mais elle l'oublie. La sociologie intervient d'abord pour le rappeler : l'interprétation médicale mène à une décision, une action thérapeutique, elle a une finalité et elle implique par conséquent un jugement évaluatif et un choix. La part des valeurs ou du symbolique dans la maladie ne s'isole pas (comme un élément chimique), et le sociologue ne le circonscrit jamais, mais il oblige par contre à en reconnaître la présence et à en débattre.

Également produit d'une institutionnalisation, la sociologie s'en démarque cependant, non pour prendre une vue surplombante, une critique distante, mais pour discerner les valeurs et les enjeux, dans l'institutionnalisation des savoirs et des pratiques. Elle participe de l'explosion de l'interprétation dans les sociétés modernes, de la prolifération des discours, de l'accroissement tant des lieux que du rythme de production des interprétations, ce que Dumont appelle ailleurs la « communauté des interprétants », et qui donne à la sociologie sa pertinence et son objet[7]. Elle n'y échappe pas, à moins de se ranger à son tour dans l'expertise et le positivisme, ce qui serait le meilleur moyen d'annuler le débat sur l'unité et la nature de la société en se l'appropriant, et d'ignorer la référence obligée aux valeurs dans le travail d'interprétation. Si la rigueur de la démonstration dans l'interprétation est une condition essentielle au débat et contribue à le maintenir ouvert, elle ne peut être confondue avec l'autorité que revendique l'expert[8].

Interpréter exige du coup le dépassement des frontières disciplinaires et la méfiance à l'égard des spécialités. Dumont, qui n'avait pas de gêne à passer de l'analyse positive à l'éthique, de la sociologie à la philosophie, a cette jolie formule : « Les niveaux de réflexion, dont il est important certes de se soucier, s'appellent par implications au lieu de se contracter dans des frontières » (DUMONT, 1985, p. 16)[9]. La typologie de 1994 et la dialectique qu'elle met en œuvre en est une belle démonstration : elle oblige à poser la question de la reproduction (biologique et sociale),

---

7. Des médias aux universités, jusqu'aux « Centres d'interprétation » (musées régionaux ou locaux d'histoire naturelle ou culturelle) que mon fils s'étonnait de découvrir dans chaque village du Québec lors de nos vacances.

8. Avec des moyens encore insuffisants, je dois le reconnaître, j'ai tenté ailleurs de cerner le problème de la position critique dans le champ de l'interprétation (GAGNON, 1997).

9. La préférence de Dumont pour les vues d'ensemble lui fait d'ailleurs préférer, dans son analyse de la médecine, les omnipraticiens aux spécialistes ; de la division du travail et de la spécialisation, il ne relève que les inconvénients (1985, p. 8, 9, 10). Une méfiance est également affichée à l'endroit des comités d'éthique composés d'experts.

ainsi que celle des statuts, des rôles et des classes, et appelle ainsi la démographie et l'économie auprès de la sociologie.

La sociologie n'est pas pour autant effort de synthèse des sciences de l'homme (médecine incluse) sur la maladie. Si la sociologie les réunit, ou les « enveloppe » comme dit Dumont, c'est autour d'une interrogation sur leur projet et leurs finalités. Elle n'est pas une épistémologie qui départage les bonnes théories médicales des mauvaises, mais une exploration de leur genèse et de leur légitimation, c'est-à-dire leur institutionnalisation. Non seulement le sociologue n'a pas à imiter la clinique médicale, mais son analyse tend plutôt à rapprocher l'interprétation médicale de la sociologie, en montrant en quoi elle est aussi un débat d'interprétation, où le malade (et le médecin) cherche à reconnaître ses valeurs, et pas uniquement à faire établir un fait.

De nos lectures de Dumont nous retenons trois conditions de possibilité de l'interprétation sociologique : d'abord le maintien du débat sur l'unité et la nature de la société (conséquemment sur le normal), puis l'engendrement réciproque de la saisie positive et de la norme dans l'analyse des institutions, et enfin, la transparence et le refus de l'expertise, qui maintiennent ouvert ce débat et rendent visible la dimension normative des représentations et des pratiques. Peut-être même pourrions-nous en ajouter une quatrième, qui serait un certain sens de l'héritage : inventorier les diverses conceptions de la société, c'est un peu récapituler l'histoire de la sociologie, comme nous le faisions remarquer au début ; aussi se donner des moyens d'interprétation, c'est se souvenir de ce que nous devons à nos prédécesseurs[10].

Éric GAGNON

CLSC Haute-Ville-des-Rivières,
et Département de médecine sociale et préventive,
Université Laval.

BIBLIOGRAPHIE

BACHELARD, Gaston

1949   *La philosophie du non. Essai d'une philosophie du nouvel esprit scientifique*, Paris, Presses Universitaires de France. (1ère édition, 1940.)

---

10.   Pour mémoire, rappelons le texte de présentation de la revue *Recherches sociographiques*, signé par Dumont et Falardeau, où la question de la synthèse et de la société globale est posée et *liée* à celle de l'héritage intellectuel et des origines de la sociologie.

DAGENAIS, Daniel

1995   « La question sociale a-t-elle une signification ? », *Cahiers de recherche sociologique*, 24 : 223-247.

DUMONT, Fernand

1962   « L'étude systématique de la société globale canadienne-française », *Recherches sociographiques*, III, 1-2 : 277-292. (Repris dans *Chantiers*, 1973, p. 121-139.)

1985   « Le projet d'une anthropologie médicale », dans : Jacques DUFRESNE, Fernand DUMONT et Yves MARTIN (dirs), *Traité d'anthropologie médicale*, Québec et Lyon, Presses de l'Université du Québec, Institut québécois de recherche sur la culture, Presses de l'Université de Lyon, 1-39.

1994   « Approche des problèmes sociaux », dans : Fernand DUMONT, Simon LANGLOIS et Yves MARTIN (dirs), *Traité des problèmes sociaux*, Québec, Institut québécois de recherche sur la culture, 1-22.

1997   *Récit d'une émigration. Mémoires*, Montréal, Boréal.

DUMONT, Fernand et Jean-Charles FALARDEAU

1960   « Pour la recherche sociographique au Canada français », *Recherches sociographiques*, I, 1 : 3-5.

GAGNON, Éric

1997   « Imagination sociologique et interrogation philosophique », *Société*, 17 : 187-208.

L'ANTHROPOLOGIE ÉCONOMIQUE DE FERNAND DUMONT. SUR *LA DIALECTIQUE DE L'OBJET ÉCONOMIQUE*

NOTE CRITIQUE

Gilles GAGNÉ

Cet article propose une lecture d'un ouvrage de Fernand Dumont publié en 1969, *La dialectique de l'objet économique*, ouvrage où celui-ci se livrait à un examen épistémologique des limites de *l'axiomatique* économique au regard des totalités historiques concrètes, pour lui opposer une *phénoménologie* du monde économique prenant son départ sur le phénomène universel de la rareté. L'article soutient d'abord que, menées en parallèle, la critique de la pauvreté des abstractions de la science économique et la ressaisie phénoménologique des structures élémentaires du monde économique ne pouvaient que reconduire l'écart que cette double démarche voulait combler, la première en négligeant le caractère objectif et pratique des abstractions de la science (*la valeur*, notamment), la seconde en présupposant l'existence du monde économique qu'elle projette dans les catégories d'une anthropologie générale (*le besoin, le travail, la décision*). L'article veut ensuite suggérer que la pensée de Dumont, vouée à la recherche de médiations nouvelles entre des termes « antinomiques » de la pratique sociale plutôt qu'à la saisie des médiations historiques qui instaurent « l'autonomie relative » de ses moments, prend son motif dans le dualisme de la conscience religieuse. L'auteur en voit une illustration dans le fait que les relations entre la science économique et le monde économique sont posées comme cas particulier de *l'opposition* de la culture seconde à la culture première, ce lieu d'une défaillance tragique où Dumont inscrit aussi bien la possibilité de la conscience que la source de son malheur plutôt que d'y voir le *détour* par un idéal expressif et critique dont il nous appartiendrait de comprendre les formes historiques pour retenir ce que nous y sommes devenus et pour nous y retenir pour la suite.

Avec *La dialectique de l'objet économique* (1970), sa thèse de doctorat, Fernand Dumont nous a laissé son ouvrage le plus abstrait et le plus difficile. L'auteur y montre la finesse de sa pensée, sa grande érudition et la hauteur de vue de son approche des *sciences de l'homme*, comme il les appelait. Il s'agit là, certes, d'une belle thèse de doctorat, à ceci près que, pour une lecture de premier niveau à tout le moins, elle ne soutient pas de thèse. L'auteur y fait se déployer sous nos yeux la dialectique de l'objet économique, c'est-à-dire le raffinement progressif d'une science, *l'économique*, partie à la conquête de la vérité. Cette étude d'épistémologie laisse en suspens sa propre conception de la connaissance de la société pour s'investir tout entière dans l'effort de repérer les détours et les difficultés du développement des paradigmes (dirait-on de nos jours).

J'ai lu ce livre à quelques reprises, toujours avec le même mélange d'irritation et de ravissement, et j'eusse volontiers déclaré forfait à la tâche d'en faire l'examen critique si j'avais pu me convaincre que l'essentiel de l'illisibilité de cet ouvrage se trouvait du côté d'une mienne indisposition au style de l'auteur. Car il y a de ça, je dois l'admettre, comme je dois admettre que la fréquentation des textes de Dumont m'a toujours paru singulièrement difficile. Aussi aurai-je l'impression de me mettre au clair avec les lecteurs de cette revue si je commence ici par souligner que le style de Dumont me fait obstacle, justement par la manière qu'il a de cacher l'idée que, pourtant, il contribue à exposer.

De la forme...

Le discours dumontien est abstrait, comme peut l'être, me semble-t-il, une pensée théorique qui ne s'expose pas explicitement et qui se découvre plutôt au fil d'une narration. Sa pensée se déploie dans l'élément de notions générales qui lui sont propres et quand il en redescend, fréquemment, pour donner des exemples, on est toujours surpris du niveau de l'exemple. Le texte foisonne d'aperçus éclairants et de rapprochements saisissants, mais la pensée rebondit d'un problème à l'autre, toujours jetant au devant d'elle l'impasse d'une nouvelle *antinomie*, le redoublement d'une dualité. Et quand vous croyez entrevoir l'unité du riche contenu de déterminations empiriques que l'auteur accumule par cette méthode dans l'une ou l'autre de ses notions générales (« la » vection, « la » stylisation, « l »'avènement, « la » décision, etc.), le voilà qui la déconstruit par un de ces *dédoublements* inopinés qui relancent la pensée vers de nouvelles contradictions que nulle « dialectique de complémentarité » n'est en mesure de réconcilier. Toute chose chez Dumont se divise en deux, soit qu'une pratique s'organise selon deux pôles, qu'une conduite se réalise en deux orientations, qu'une expérience se présente sous deux formes, qu'une notion se précise en deux types, qu'une discipline s'articule en deux intentions ou qu'une stratégie emprunte deux voies – chaque moitié, aspect, point de vue, forme, voie, approche, type, pôle, terme, orientation, intention, dimension ou pratique devant fatalement subir de nouvelles divisions (et passer par de nouveaux *avatars*) selon l'une ou l'autre (ou plusieurs) des modalités (objectives ou subjectives, théoriques ou pratiques, produites ou vécues, premières ou secondes, épistémologiques ou phénoménologiques) du *dédoublement*.

Bref, la mélodie dumontienne (et j'ai envie d'ajouter : « abstraction faite de ses paroles » pour souligner ainsi ce que cette pensée nous murmure en arrière-fond de son travail explicite) est celle d'une mélancolie douce mais tragique. Au début du monde il y eut la faille, la brèche, la séparation, mieux : *la défaillance* et, depuis, tout s'applique à répéter ce début, à reconduire l'étrange loi d'entropie de l'ordre symbolique et à promouvoir la *défection* récursive de toute unité. Cela n'est pas, cependant, sans aller à double sens ; car en même temps que l'histoire, qui dédouble tout, accroît l'homme en le séparant de lui-même, elle *révèle* dans cet écart le sens fondateur de ce mouvement, qui est celui, justement, de la perte originelle de son unité. D'où, finalement, cette espèce de devoir de souffrance qui est celui de l'homme, l'obligation de garder, sans espoir de réconciliation, le souvenir d'une défaillance primordiale afin de ne pas se perdre, absolument, en se dispersant sans arrière-pensée dans les morceaux de son monde. Souviens-toi que tu es poussière car à l'oublier tu ne serais que poussière.

Dirai-je que j'entends aussi dans cette mélodie dumontienne une confiance sourde en la pérennité de la souffrance de l'homme, en cette sorte de ruse de l'irraison qui préserverait jusqu'à la fin des temps le sens du début dans le souvenir salvateur de la perte initiale ?

Ce premier niveau du style dumontien, pour moi le moins explicite mais le plus présent, combine ses effets à ceux que produisent les entrelacs de la ligne narrative propre aux ouvrages de Dumont, entrelacs qui évoquent la structure du mythe et qui donnent aux *récits théoriques* de Dumont leur inimitable signature. L'expérience de la lecture d'un ouvrage de Dumont a toutes les allures du voyage d'instruction. Nous voilà, Alice au pays des merveilles, partis sous la gouverne de notre auteur pour explorer un univers dont il a déjà lui-même arpenté tous les sentiers. Le *nous* de la narration est le *nous* inclusif, le *nous* qui entraîne avec lui et qui constamment appelle la participation : « Arrêtons-nous ici... », « ... demandons-nous ce qu'il en est... », « ... mais allons plus avant sur cette voie... », et nullement le *je* impersonnel que la littérature savante met au pluriel. Vous avancez avec Dumont, vous pensez avec lui, et vous découvrez dans l'entreprise une enfilade de paysages dont vous avez à chaque fois le sentiment profond de saisir le sens ou d'en ressaisir à nouveaux frais des lumières jusque-là inaperçues. Par des sentiers et des bifurcations dont vous arrivez mal à garder la structure à l'esprit, vous allez d'une clairière à l'autre, cavalant du panorama à la miniature, et vous voilà bientôt désarmé, convaincu que chez Dumont tous les chemins mènent quelque part par des voies de lui seul connues. Vous n'êtes pas ici dans l'espace cartésien d'une pensée dont le système de coordonnées vous serait accessible ; en tout cas, si un tel système existe, là n'est pas l'essentiel. Bien que l'image ici soit quelque peu vulgaire je dirai, en manière de comparaison, que Dumont vous mène dans une sorte de Mario Land ; s'empare-t-il, au détour d'une pensée, du plus modeste « besoin » que, l'ayant prestement dédoublé et dédoublé à nouveau, il fait se dérober le sol sous vos pieds pour vous expédier par un obscur passage dans le monde supérieur d'une typologie des sociétés. Et quand au beau milieu d'une exploration phénoménologique du quotidien votre guide ouvre la télé, comme en passant, c'est pour vous entraîner par ce canal, comme cela arrive quelque part dans *Le lieu de l'homme*, de la Cuisine à la Civilisation occidentale. Et vous allez à ce régime de-ci, de-là, repassant, revenant, retrouvant, recommençant ou repensant, enchanté de chaque invitation à ouvrir le mystère des choses que la culture nous cache en les montrant. Dumont, qui n'a pas inventé de mots, ne se sert jamais que des plus humbles, quitte à les enluminer tous de la majuscule à mesure qu'il les enrichit de rapprochements métaphoriques qui compensent en eux le dédoublement des idées. Chaque phrase est une citation en puissance, chaque paragraphe fait le tour d'une question et si le passager d'un ouvrage a le plaisir VIP d'entendre résonner dans chaque passage l'écho de tous les autres passages, l'ouvrier de la onzième heure sera presque aussi bien servi que ce fidèle passager quand il lui arrivera de tomber sur un extrait exilé dans un commentaire ; il n'aura alors qu'à laisser parler les sous-entendus du langage commun pour retrouver sous la plate surface de l'aphorisme le grouillement des pensées qui s'y trouvent. L'écriture de Dumont est fondamentalement poétique ; récusant le détour par des définitions, il s'empare de « l'horizon », de « la pertinence », de « l'absence » ou de « l'événement » pour couler dans ces petits mystères de l'expérience commune son rapport à des doctrines et à des auteurs, pour les charger du sens d'autres mots, pour les mettre en résonance avec leur double et pour les faire vibrer d'étranges harmoniques. Le texte foisonne, dédoublement oblige, de typologies binaires prestement construites mais le réseau des *correspondances* qui les relie les unes aux autres s'obstine à vous échapper. Tant et si bien que vous ne savez jamais si vous abattez de la matière nouvelle ou si vous révisez, comme on dit à l'école, si vous êtes dans le même ou si vous êtes dans la suite. Vingt pages après le début, vous croyez que « de toutes provisoires conclusions » vont fixer de premiers acquis, mais vous vous trompez, et vous pensez encore, à vingt pages de la fin, que de « rapides premières approximations » vont vous initier à une nouvelle topique, mais ce n'est pas le cas. Vous ressortez de l'ouvrage ébahi, c'est-à-dire enchanté et ahuri, incapable de dire comment vous êtes passé de A à B, ni même de dire *si* vous êtes passé de A à B. La parfaite lisibilité de la phrase et la non moins parfaite illisibilité de la thèse vous laissent à la fin comme au sortir d'un rêve : occupé par la prenante clarté des énoncés, perplexe devant le subtil retrait de l'énonciation.

... et du fond :

A)   *L'objet économique*

La dialectique de l'objet économique, pour le dire naïvement, porte sur les rapports de la pensée et de la réalité dans le domaine des sciences de l'homme. Se saisissant de la science économique comme d'un exemple éminent, l'ouvrage veut contribuer à la critique épistémologique, « encore peu développée », des sciences de l'homme en montrant, dans les failles et les antinomies de cette discipline particulière, les ressorts de la praxis historique qu'elle suppose. L'entreprise s'ordonnant depuis l'un et l'autre pôle de cette dualité initiale (pensée / praxis), le livre se divise en conséquence en deux parties, respectivement *épistémologique* et *phénoménologique*. La première examine la logique de la science économique, la seconde la structure des pratiques économiques. La première tourne autour des *antinomies* qu'engendre une pensée économique formalisée quand elle plaque ses catégories sur le réel, la seconde veut retrouver les intentions et les normes réifiées dans des faits économiques, dès lors contraignants. La conclusion cherche les voies d'une désaliénation (référence à la seconde partie) qui serait aussi un chemin vers la validité scientifique (référence à la première) et elle trouve la possibilité du double progrès qu'elle cherche à entrevoir dans le couple *planification / participation*, couple dont on nous montre qu'il ne pourra jouer ce rôle que dûment articulé à la *tradition*. La science aura dépassé les limites propres à ses diverses objectivations quand elle sera la science d'une pratique libre et la pratique sera libre quand nous en aurons une connaissance qui pourra s'imposer à la raison commune, cette raison qui, fondée sur les raisons de la tradition, en préserve la visée d'entente et les conditions de possibilité.

Comme toujours chez Dumont chacune de ces deux approches (épistémologique et phénoménologique) porte au creux d'elle-même le travail en sens inverse de l'approche adverse (et ainsi de suite à l'infini), la distance entre les deux pôles étant par cette méthode fractionnée plutôt que réduite, dispersée plutôt que dépassée : ainsi, dans la première partie, il est entendu que c'est la pratique historique qui est à la source des catégories de la pensée économique, tout comme il est entendu, dans la seconde, que la science véhicule des utopies et inspirent des intentions que la pratique réalise dans le monde. Cela est entendu, mais cela ne nous en ramène pas moins à notre point de départ : loin de réduire la prime opposition, ce double mouvement la répète en petit et, à la fin, les objectivations de la science s'entêtent à être inadéquates pendant que la pratique objectivée s'entête à barrer le savoir. Explorons plus avant cette pensée de la dualité et des antinomies.

La première partie de l'ouvrage part de la *crise de l'objet économique*, une crise que l'auteur fait remonter à une tension constitutive de la science économique (entre la relativité des structures et les généralisations abstraites, à la page 38) pour en montrer aussitôt l'aggravation avec la macro-économique :

> Les réponses à ce défi de la macro-économique ont pris des formes diverses ; toutes sont précaires et relatives. On aura le sentiment que l'axiomatisation néo-marginaliste ne vaut plus que pour un secteur de l'économique, l'autre exigeant une nouvelle définition du choix économique. Et lorsqu'on se placera dans la perspective de la macro-économique, les échelles de préférences individuelles établies par l'analyse micro-économique paraîtront essentiellement disparates. L'axiomatisation se muera alors subtilement en idée directrice, incarnant l'idéal d'une pensée où, malgré tout, ne subsisterait plus de discontinuité – mais à condition d'accorder tour à tour, selon les circonstances, la primauté à la micro ou à la macro-économique. L'axiomatisation initiale n'a pas perdu sa force prospective, mais la remise en question s'effectue à partir d'une base de départ moins génératrice d'un *système* que de *modèles* pluralistes.

> Ainsi, il y a crise. (DUMONT, 1970, p. 40-41.)

Si Dumont se contente ainsi d'exposer le profil général de la crise dont il part, sans jamais entrer dans les détails de l'histoire de la pensée économique et en se tenant toujours à bonne distance des auteurs, c'est qu'il veut dégager la structure générale du mouvement qui emporte la discipline quand elle veut dépasser les limites de ses « généralisations abstraites ». En tant que théorie de la *valeur*, en effet, la science économique identifie un niveau où la *raison calculante*, au-delà de la psychologie et de la sociologie, se présente à elle comme une intention fondatrice de l'agir humain et elle veut en conséquence rassembler dans une axiomatique les propositions qui, tout à la fois, vont délimiter cette intention et fonder l'explication des conduites qu'elle détermine. L'économique, bref, tend à *l'axiomatisation* et c'est cette visée que le contact du réel, pour ainsi dire, va emporter vers des mises en forme toujours plus complexes et toujours plus riches de son objet. Dumont va donc s'appliquer à montrer comment la considération du temps, d'abord contenue dans les notions de *délai*, de *période* ou de *cycle*, va entraîner la science économique vers celles de *croissance* et de *développement*, c'est-à-dire vers la prise en charge des totalités historiques singulières dont s'occupe l'historiographie, et cela à bonne distance de son axiomatique initiale. De la même manière, il va montrer que l'obligation de tenir compte des contraintes de l'espace, elle-même absente de l'axiomatique, va contraindre à en élargir l'objet et à passer, sous l'impulsion de la *localisation des facteurs*, du *transport*, des *avantages comparés* ou des *pôles de décision*, du marché abstrait aux marchés concrets, des agents de l'axiomatique aux collectivités de l'histoire.

Cette première partie, on le voit, est ainsi parfaitement conforme au titre de l'ouvrage quand elle expose la dialectique de *l'objet* de la science économique, du moins si l'on ne retient de la *dialectique* que la première des acceptions que l'on retrouve dans l'ouvrage, celle d'une logique du discours. Selon un programme tout à fait bachelardien, en effet, on montre d'abord que ce que la science prend pour objet d'étude est en fait le produit de ses « axiomes ». On soutiendra en conséquence, mais pour s'en faire une méthode, que la *construction* de ce genre d'objet abstrait est une conquête de la science qui doit être obtenue *contre* l'obstacle que forment le sens commun et l'évidence première, tout comme on s'appliquera à montrer, dans l'autre sens, que cet objet est le lieu de *l'ajustement* cumulatif de la pensée à la réalité qu'entraîne la confrontation des attentes de la science avec les faits réels.

On reconnaît ici, pour le dire abruptement, l'une des multiples formes du positivisme post-hégélien, une voie où Dumont, suivant Bachelard, ne s'engage à répétition que pour essayer aussitôt de s'en dégager. Ramenant la notion de *dialectique* du côté du discours pour désigner la constante transformation des jugements *a priori* (que l'on appelle en général « la théorie » mais que Dumont resserre ici dans l'idée d'axiomatique) sous la férule des falsifications expérimentales, on abandonnera, soit à l'imagination des savants (Bachelard, Popper), soit aux puissances de la société (Kuhn, Bourdieu), la tâche d'orienter la reconstruction des théories contredites. La dialectique de la science désignant alors le procès négatif de la falsification, la connaissance elle-même, posée comme n'étant jamais que le résultat de la projection sur le monde d'un arbitraire théorique quelconque, sera mise en suspens, l'activité scientifique devenant en quelque sorte la *critique* permanente de l'inadéquation de la pensée à la réalité plutôt que la *garantie* de son adéquation. La question de l'écart entre *l'objet* produit par l'arbitraire théorique (par le modèle, le schème, le paradigme, l'axiomatique, etc.) et la chose elle-même, question qui était pourtant à l'origine de cette réflexion « épistémologique », sera ainsi liquidée : soit que l'on passera du pouvoir de la théorie vers une théorie du pouvoir pour affirmer que la chose elle-même est, absolument, le construit d'un pouvoir dominant qui est aussi « le » savoir d'une société ; on obtiendra ainsi, *in extremis*, l'adéquation de la pensée à la réalité par la suppression (dans l'objet) de la chose, elle-même pourtant posée au début comme extérieure à la science ; soit que l'on substituera l'efficacité à la vérité pour soutenir plutôt que la capacité d'opérer sur une chose est la saisie adéquate de la chose même, obtenant cette fois l'adéquation par la liquidation de l'objet, pourtant initialement défini comme projection sur le monde de l'image interne que produisent les « axiomes » de la science. La première attitude, propre aux sciences sociales qui se regroupent aujourd'hui sous la vague bannière du *constructivisme*, radicalise la mise en garde de Hannah Arendt selon laquelle le danger des théories fausses est qu'elles tendent à devenir vraies (c'est-à-dire à se réaliser) ; en faisant disparaître le « danger » d'une telle éventualité et en soutenant que les « idées » du pouvoir sont toujours déjà « réalité », cette attitude finit par être la proliférante dénonciation de l'arbitraire du réel (tel que construit par les pouvoirs), négativité générale qui est incapable de tirer de son fond propre quelqu'idée que ce soit de la manière dont il *devrait* être construit et qui se trouve pour cette raison entièrement dépendante du sens commun de la critique, la rectitude politique. La seconde attitude, *l'opérationnalisme*, est une variation du même système caractérisant plutôt les technosciences ; elle fait du pouvoir d'opérer le critère de la vérité et abolit dans l'atteinte de *l'objectif* que poursuit le savoir tout écart entre l'objet et la chose, quitte alors à laisser sans principe l'orientation du pouvoir d'opérer. Devenue synonyme de *l'atteinte de l'objectif*, la connaissance scientifique devient la somme totale des objectifs atteints et le progrès de la connaissance se présente alors sous la forme du caractère spectaculaire des tours de force de la technoscience, tel ce mouton clôné bêlant sur tous les écrans pour dire aux consommateurs : *je suis le produit de la science, l'abrégé de la vérité.*

Il suffit de présenter ainsi les conséquences contemporaines du dualisme épistémologique qui s'annonce dans l'étude de la *dialectique de l'objet* d'une science pour comprendre que Dumont ne pouvait pas s'en satisfaire (du moins, pas dans cet état) et qu'il ne pouvait pas davantage adhérer à l'élimination pure et simple du dualisme par un système où la puissance opératoire a toujours raison contre une pensée critique qui lui en fait toujours grief. Homme de toutes les fidélités, il est vrai que Dumont n'a jamais démenti l'admiration qu'il vouait en ses premières années à l'œuvre de Bachelard ; cette fidélité à la figure de Bachelard (dont, dédoublement typique, Dumont fit dans son *Récit d'une émigration* le vis-à-vis de son père) n'exclut cependant pas qu'elle se soit accompagnée du sentiment des impasses de sa théorie de la science et des limites de ses appels à *dialectiser la pensée*. On se demande d'ailleurs ce que cette *dialectique du discours* pouvait bien vouloir dire pour un Dumont qui, sociologue de terrain à Saint-Jérome, lisait le soir *La phénoménologie de l'esprit*, ouvrage qui s'ouvre justement sur la récusation de cette épistémologie. Si l'on s'en tient, dit Hegel en introduction, à poser que c'est la connaissance en tant qu'instrument qui forme *l'objet* qui occupe dans la science le lieu de la chose elle-même, alors l'effort de la connaissance visant à prendre la mesure de l'écart entre l'objet et la chose ne peut que répéter le postulat initial de leur extériorité. La théorie de la « ligne de démarcation » dit Hegel (et tout Bachelard est là), fait de la connaissance un contresens dans son concept :

> Car, si la connaissance est l'instrument pour s'emparer de l'essence absolue, il vient de suite à l'esprit que l'application d'un instrument à une chose ne la laisse pas comme elle est pour soi, mais introduit en elle une transformation et une altération. [...] Nous faisons usage d'un moyen qui produit immédiatement le contraire de son but ; ou plutôt, le contresens est de faire usage d'un moyen quelconque. Il semble, il est vrai, qu'on peut remédier à cet inconvénient par la connaissance du mode d'action de l'instrument, car cette connaissance rend possible de déduire du résultat l'apport de l'instrument dans la représentation que nous nous faisons de l'absolu grâce à lui, et rend ainsi possible d'obtenir le vrai dans sa pureté. Mais cette correction ne ferait que nous ramener à notre point de départ. Si nous déduisons d'une chose formée l'apport de l'instrument, alors la chose, c'est-à-dire ici l'absolu, est de nouveau pour nous comme elle était avant cet effort pénible, effort qui est donc superflu. (HEGEL, 1941, p. 65-66.)

La crainte que le savoir soit par nature en *dehors* de ce qu'il faut connaître se contredit elle-même, dit Hegel (comment saurait-on cela ?), et ses ruses pour s'emparer de la chose sont inutiles une fois que l'on a supposé que cette dernière ne veut pas être « depuis le début près de nous » :

> En d'autres termes, elle (la crainte de l'erreur) présuppose que la connaissance, laquelle étant en dehors de l'absolu est certainement aussi en dehors de la vérité, est pourtant encore véridique, admission par laquelle ce qui se nomme crainte de l'erreur se fait plutôt soi-même connaître comme crainte de la vérité. (HEGEL, 1941, p. 67.)

La connaissance étant toujours la connaissance de soi de la société (l'*Esprit*), Hegel refuse en conséquence de s'installer à demeure dans l'une ou l'autre des formes de la dualité *sujet / objet* où se déploie forcément cette connaissance de soi (« la dialectique du discours ») et assigne plutôt à la *philosophie* la tâche de rendre compte de la *dialectique du réel*, c'est-à-dire de la transformation historique de ce *rapport* lui-même :

> Nous avons vu dans l'*Introduction* que la dialectique comme affirmation, négation et dépassement de la négation avait été conçue comme une *forme du discours*, comme mode spécifique de l'accession du discours à la « vérité » de l'« objet ». La dialectique était « méthode », et la méthode était tout entière posée à côté de la réalité objective ou en face d'elle ; elle était, non devenir de l'être et de sa vérité mais cheminement du discours vers la vérité de l'être.
>
> Cette problématique correspond à une opposition substantielle entre le sujet et l'objet, la connaissance et la réalité, la conscience et l'être. Le rapport d'objet est ainsi érigé à l'extérieur de la réalité objective, et soustrait lui-même à toute considération autre que formelle.
>
> On a déjà souligné [...] que c'est deux choses tout à fait distinctes que de procéder, à l'*intérieur* de cette relation fondamentale d'objectivation (et en faisant par conséquent abstraction de la « réalité » propre de celle-ci et de son développement), à l'analyse de ce qui y apparaît comme la réalité objective extérieure et opposée au sujet (c'est la voie de la « dialectique du discours » ou encore celle de l'« entendement »), ou de chercher à saisir au contraire le développement même du rapport d'objectivation considéré non seulement comme faisant partie du réel mais comme représentant lui-même le réel dans sa totalité et dans son unité, c'est-à-dire dans son devenir-objectif (voir le concept de Raison chez Kant, et celui d'Esprit chez Hegel). (FREITAG, 1986, p. 48-49.)

Comprise dans l'idiome de l'épistémologie, la dialectique du réel concerne donc la transformation historique de ce rapport d'objectivation et elle peut difficile-ment être saisie par la considération, comme en parallèle, de la transformation de la pensée, d'un côté (*dialectique de l'objet*), et de la transformation du réel (*phénomé-nologie historique de l'expérience*), de l'autre. C'est pourtant la voie que Dumont emprunte d'abord, très certainement sous l'impulsion initiale du dualisme bachelar-dien mais sans doute aussi, j'y reviendrai, avec la bénédiction d'une ontologie religieuse, forcément dualiste. La fine complexité de sa démarche peut dès lors se comprendre comme le résultat de ses efforts pour affronter les conséquences de cette orientation initiale. En réintroduisant dans chaque moitié, sur le mode du dualisme toujours, des considérations de sens inverses venues de l'autre moitié, Dumont cependant aggrave le problème en l'enrichissant plutôt qu'il ne le dépasse, ce qui n'est pas nécessairement une erreur, je le soutiendrai plus loin, mais ce qui est certainement alors un choix *fondamental*. Au strict point de vue épistémologique toujours, l'analyse du rapport d'objectivation dans les termes de l'opposition binaire de la pensée et du réel, quelle que soit la forme de ce dualisme, est une impasse dont Freitag, reprenant la tradition hégélienne là où le positivisme post-marxiste l'avait laissée, a bien montré les tenants et les aboutissants. Pour autant que l'on veuille prendre au sérieux le problème traditionnel du rapport sujet / objet (que Freitag appelle le rapport d'objectivation), il faut le saisir en acte, dans l'activité où il s'établit, et dégager d'abord, en général, les moments de toute médiation de l'activité dans le monde, que cette médiation soit sensible, dans le comportement animal, ou symbolique, dans l'action humaine. Si c'est un fait que le sujet de tout rapport d'objectivation soit à l'origine de ce que son activité découpe dans le monde (et qu'elle prend pour objet), s'en tenir à ce dualisme statique pour poser la question de l'adéquation au « réel » de ce qui est ainsi découpé revient à se mettre d'entrée de jeu dans un cul-de-sac. Certes, c'est bien la structure des différents schèmes de son activité que le sujet projette sur le monde et, certes, l'adéquation réelle de chacun des « objets » ainsi produit se signale d'abord comme succès de l'activité et comme confirmation des schèmes de l'appréhension. Mais ces multiples confirmations « empiriques », justement, se présentent alors comme « confirmation » de l'être même du sujet, compris comme synthèse (contingente plutôt qu'arbitraire) de l'ensemble de ses « opérations », un être dont on peut dire aussi bien qu'il est la source unifiée des multiples « préjugés » que son activité projette sur le monde, le résultat d'une accumulation de savoir objectif ou encore une modalité particulière de l'existence du monde lui-même. La question épistémologique, bref, ne peut pas être enfermée dans l'aller-retour entre les termes (sujet / objet) de l'expérience singulière qu'institue le rapport d'objectivation ; elle doit partir plutôt, comme le montre Freitag, de l'analyse des « moments » du rapport lui-même (*réversibilité opératoire, détermination empirique* et *synthèse théorique* dit-il pour honorer un tant soit peu le vocabulaire d'une tradition épistémologique qui s'est d'abord limitée au cas de la pratique scientifique) et saisir sur cette base l'enracinement nécessaire de tout rapport d'objet dans des formes antérieures, elles-mêmes consolidées dans des synthèses « réelles ». Cela vaut, *a fortiori*, pour la pratique scientifique moderne : la théorie, ainsi comprise en tant que lieu où se sédimentent les multiples confir-mations expérimentales des objets produits par les « axiomes », est aussi bien un savoir réel, positif, du monde qu'elle est la source des hypothèses nouvelles que des schèmes opératoires jetteront vers l'empirie. Ce sont bien les équations d'une science qui définissent l'objet autour duquel gravite l'expérimentation, mais la mise au point de ces schèmes est d'abord orientée par des préconceptions « théoriques » d'un autre niveau, où une culture a accumulé l'expérience du monde d'une humanité dont l'existence est la « vérité ». Une synthèse théorique, en ce sens, est d'abord la compréhension de la « vérité » d'une synthèse antérieure, la conscience de ses conditions et de ses limites, le développement de ses virtualités. Parlant de la science économique, Dumont a bien raison d'en retrouver les « axiomes » dans l'objet qu'elle se donne, la *valeur* ; cependant, en considérant cette « généralisation abstraite » comme l'œuvre de la pensée plutôt que d'y voir d'emblée l'abstraction réelle des pratiques d'une société de marché, il nous montre une pensée économique dont l'évolution irait forcément (dans une recherche d'adéquation avec la réalité concrète) vers une prise en compte de l'expérience économique de communautés humaines concrètes, situées dans le temps et dans l'espace. Donnant raison à la science économique de vouloir saisir la « logique immanente de la valeur » (DUMONT, 1970, p. 36), Dumont nous la montre, en somme, obligée de tenir compte de l'incarnation particulière des lois universelles qu'elle présuppose, *dialectique* où s'affinerait en retour la formulation des lois de la valeur et où se développerait l'adéquation au réel des axiomes de la science. Dumont s'oblige ainsi à décrire une évolution de la pensée économique qui n'a pas eu lieu, une évolution vers le concret et le vécu, et cela à une époque où nous voyons, tout au contraire, la *pratique* économique aller vers un plus haut niveau d'abstraction en abolissant dans la financiarisation planétaire, et le temps, et le lieu.

Bref, ayant considéré l'abstraction comme étant essentiellement le produit de la pratique scientifique, Dumont nous expose dans la première partie les conséquences de cette distance initiale entre la science et la réalité et il veut nous décrire la « crise » où se trouve plongée la science économique à la suite de son rapprochement obligatoire avec l'histoire et la géographie. (Ce faisant, disons-le en passant même si ce n'est pas ce qui nous occupe ici, il se trouve à mettre l'accent sur des développements très secondaires de la science économique). Dans la seconde partie, posant d'abord les « conduites économiques » elles-mêmes, Dumont va tenter d'aller à la rencontre de l'axiomatique économique d'une manière qui permette d'en renouveler la formulation. Tout comme il a d'abord suivi la marche de la science vers la chose elle-même en décrivant la *dialectique de l'objet*, il va maintenant suivre la transformation historique du vécu économique vers l'abstraction de la science, ce qu'il appelle, à la page 239, la *dialectique de l'avènement*.

B) *Le monde économique*

Si cette seconde partie, intitulée « Le monde économique », prend l'allure de ce que Dumont appelle une « phénoménologie », c'est que l'étude de la réalité économique ne peut pas éviter de faire détour par la *signification* que les hommes donnent à la réalité quand ils découpent en elle le domaine particulier que nous appelons « économique » :

> Nous ne pouvons donc éviter de poser la question première : comment la signification advient-elle au monde naturel ?

> S'il est un visage sous lequel la signification s'offre à l'homme comme donné initial, tellement « objectif » que nous ne saurions le ramener à nos subjectivités singulières sans les chasser du même coup de notre regard, c'est bien celui du symbole. [...] Les hommes

ont tenté de vastes agglomérations de symboles dans les mythes qui sont comme des récits de l'avènement du sens. Il y a donc des *organisations* de symboles ; mais elles laissent toujours à entendre que la signification m'est offerte comme une lecture, qu'elle est conférée. (DUMONT, 1970, p. 239 et 241.)

C'est donc sur le fond d'un rapport symbolique au monde, dans le cadre des systèmes symboliques où il se déploie, à même la réalité substantielle d'une culture première, que la praxis va venir délimiter le domaine particulier de l'instrumentalité et du calcul :

> La praxis est fatalement alors un univers second. Elle représente un recul par rapport à un au-delà indéfini des valeurs. [...] Dans la praxis, la conscience fixe et détermine une aire de l'action où la critique et la manipulation des moyens devient possible. [...] C'est la praxis qui arrête le symbole dans son indéfinie procession, qui le fixe pour qu'il soit accessible aux conduites singulières que je pose au sein des impératifs discontinus de mon existence. » (DUMONT, 1970, p. 241-242.)

Partir de la chose économique elle-même, c'est donc partir de la manière dont l'activité délimite, dans le monde tel que symbolisé, un domaine du calcul et institue ce faisant une intentionnalité économique et une praxis économique. De ce mouvement immanent à l'activité humaine, la phénoménologie tire alors une délimitation du « monde » qui l'intéresse, celui de l'économique :

> Sera économique, dans son incidence sur la signification, toute démarche de la praxis qui vise à augmenter le rendement d'un travail ou d'une ressource, ou à en diminuer le coût ; ce qui suppose que des biens rares ont été valorisés, de même que certains efforts pour se les procurer. (DUMONT, 1970, p. 242.)

C'est donc à l'analyse de « ces démarches de la praxis » que la phénoménologie du monde économique va procéder. Pour ce faire, Dumont va d'abord considérer les éléments fondamentaux de la *structure du monde économique* (la rareté, la technique, la division du travail, et l'étalon de mesure) pour passer ensuite (dédoublement oblige) aux trois grands types de *conduites économiques* qui font face à ces structures (le besoin, le travail et la décision). Dans ce qui constitue alors l'essentiel de la deuxième partie, Dumont va examiner l'articulation de ces phénomènes humains généraux et il va le faire en comparant la dialectique des *conduites* et des *structures* dans deux grands types de sociétés, les sociétés tradi-tionnelles et les sociétés technologiques. Inutile de préciser que de l'un à l'autre type de société le *sens vécu* des conduites, d'une part, et les *intentions réifiées* dans les structures, de l'autre, vont se rapprocher des catégories de la science économique moderne, catégories dont Dumont a montré la fatale abstraction... avant de les réintroduire en douce dans sa propre « phénoménologie » de la rareté, du besoin, du travail et de la décision !

Au total, en effet, la démarche ne laisse pas d'étonner : après avoir montré les difficultés d'une science cherchant à surmonter l'abstraction de ses axiomes pour prendre en compte la richesse de l'activité économique et sociale concrète, on repart ici du « monde économique » lui-même mais en jetant au devant de toute activité humaine possible les mêmes catégories *a priori* du calcul et de la rareté. D'une science économique contemporaine, explicitement vouée à la modélisation des marchés constitués, nous faisons ainsi retour vers une anthropologie économique fondamentale dans le genre de celles qui caractérisaient les premières *intentions* de l'économie politique moderne et nous nous retrouvons du même coup dans le voisinage de ses robinsonades. Évidemment, on ne nous explique pas ici que Robinson et Perle de Rosée obéissent depuis toujours aux lois de l'économie de marché ; mais en voulant montrer que les catégories de la science moderne rendent compte de *l'avènement* d'une dimension constitutive de l'agir humain tout en soutenant que cet avènement de la « réalité » économique est le lieu ultime de la séparation de l'homme d'avec lui-même, on réintroduit à la base de l'analyse *l'essence* de l'homme selon les économistes d'antan, mais simplement pour lui en adjoindre une seconde et pour se désoler de l'écart entre les deux. Ici, l'homme en se réalisant se perd dans *l'homo oeconomicus* mais il reste pourtant, ailleurs, malheureux de ce sort et il révèle dans son malheur qu'il est encore autre chose.

En procédant de cette manière, la phénoménologie du monde économique se condamne elle-même à la plus extrême abstraction. Certes Dumont évite le lourd vocabulaire de l'utilité marginale du capital ou de la courbe d'indifférence quand il parle des sociétés primitives ; mais c'est justement parce qu'il s'empare de notions de sens commun pour leur donner une portée anthropologique fondamentale qu'il produit un charabia pratiquement illisible. « Le besoin », par exemple, devient chez lui une sorte d'entéléchie qui se balade d'un « avatar » à l'autre en prêtant sa majuscule à tout ce qu'il touche :

> Communément, le concept de besoin désigne aussi bien l'impulsion à effectuer une opération physique [...] que la recherche d'un type particulier d'objet. (DUMONT, 1970, p. 283.)

> Le besoin comporte ainsi des modes nombreux d'organisation. [...] Nous en distinguerons deux pôles opposés : les tendances, les produits. (DUMONT, 1970, p. 283.)

> La tendance est une impulsion, mais plus générale et plus plastique que le besoin. (DUMONT, 1970, p. 283.)

> Ce nous paraît être la fonction du besoin d'intégrer les tendances dans un *programme d'aspirations*. (DUMONT, 1970, p. 284.)

> De son côté, le produit est une détermination, inscrite dans un objet, qui s'offre aux tendances. (DUMONT, 1970, p. 284.)

> [...] en tant que dialectique spécifique, la décision émerge des dialectiques de la consommation et du travail et s'y insère, en retour, comme facteur constitutif. (DUMONT, 1970, p. 299.)

> La décision apparaît alors comme la contrepartie des tendances, comme l'autre pôle des dialectiques du besoin et du travail. » (DUMONT, 1970, p. 300.)

> Ainsi, le besoin et le travail ne sont pas la simple expression des tendances, mais celles-ci devenues monde, devenues significations historiques. (DUMONT, 1970, p. 328.)

[...] les tendances cherchent leur cohérence en affrontant deux types de données objectives qui, par leurs structures, sont tout autre chose qu'un reflet des tendances. Tels sont respectivement le produit et la machine. (DUMONT, 1970, p. 325.)

Etc. Le problème avec cette « phénoménologie » n'est pas tant qu'elle vous envoie forcément tourner en rond entre l'Impulsion, la Tendance, le Besoin, la Motivation, l'Aspiration et le Désir de même qu'entre leurs diverses manières de se combiner au Travail, à la Décision, au Procédé, au Produit, à la Machine ou à l'Objet ; le problème, c'est plutôt que la myriade de « dialectiques » binaires qui relient ces « choses » les font tournoyer comme des mouches à feu dans un éther que l'on ne fait qu'amincir à le qualifier à répétition d'« historique ». Car voilà bien où se trouve la question. Il est possible de saisir conceptuellement cette abstraction historique objective qu'est « le » besoin quand tous les aspects de la vie humaine sont assujettis à la médiation monétaire et que l'expérience subjective se représente sa propre réalité comme la satisfaction, par ce moyen unique, d'une pluralité de besoins, besoins qui sont bien alors autant de cas particuliers d'un genre unifié dont l'argent est la commune mesure. Par contre, l'usage rétrospectif de cette abstraction historique dans une anthropologie de la conduite humaine pose plus de problèmes qu'il n'en résout ; à la limite, comme c'est le cas ici, elle fait tomber la phénoménologie qui y prend son départ sous le coup de la critique de Marx :

> Le travail est apparemment une catégorie toute simple. De même, l'idée du travail dans cette généralité – en tant que travail tout court – est vieille comme le monde. Et pourtant, saisi dans cette simplicité du point de vue économique, le « travail » est une catégorie aussi moderne que les rapports qui font naître cette abstraction simple.
>
> [...]
>
> L'indifférence à l'égard d'un genre déterminé de travail suppose une totalité très développée de genres de travaux réels dont aucun n'est plus seul à prédominer. Ainsi les abstractions les plus générales ne surgissent qu'avec les développements concrets les plus riches où un caractère est commun à beaucoup, à tous. [...] D'autre part, cette abstraction du travail en général n'est pas seulement le résultat mental d'une totalité concrète de travaux. L'indifférence à l'égard du travail particulier correspond à une forme de société dans laquelle les individus passent avec facilité d'un travail à un autre, et dans laquelle le genre déterminé du travail leur paraît fortuit et par conséquent indifférent. Le travail est alors devenu, non pas seulement en tant que catégorie, mais dans la réalité même, un moyen de produire la richesse en général, et il a cessé de se confondre avec l'individu en tant que destination particulière de celui-ci.
>
> [...]
>
> Cet exemple du travail montre d'une façon frappante que les catégories les plus abstraites elles-mêmes, malgré leur validité – justement en raison de cette abstraction – pour toutes les époques, n'en sont pas moins, dans cette détermination abstraite même, tout autant le produit de conditions historiques et n'ont leur pleine validité que pour elles et dans leur limite. (MARX, 1965, p. 474-476.)

En mobilisant des abstractions qui seraient endogènes à la pratique sociale sans passer par leur mode historique de constitution (même si c'est pour examiner ensuite comment les « choses » ainsi obtenues s'incarnent ou se manifestent dans différents types de sociétés), on se trouve à faire disparaître dans cette projection rétrospective la possibilité de saisir la spécificité des époques qui ont engendré ces abstractions. Le besoin et la rareté sont des catégories régulatrices des sociétés modernes où elles valent pour toutes les formes de l'activité qui ont été absorbées par l'échange marchand et, de là, comme cela tend à arriver aujourd'hui, à tout autre type d'activité humaine dont les conditions d'existence viennent à reposer sur la mobilisation de biens dont la forme sociale est celle de la marchandise. La « nouvelle théorie économique du consommateur », par exemple, qui enseigne qu'il y a « rareté » et « besoin » d'amis (puisqu'il faut, pour s'en procurer, leur consacrer du temps qui pourrait être affecté à d'autres « usages ») rend compte de l'abstraction objective du temps, de sa liquidité, de sa convertibilité générale et de sa libération comme facteur abstrait de toute activité individuelle ; et, partant, de sa rareté. Cependant, quand elle projette cette économie du temps dans l'universel en en faisant la manifestation d'une liberté qu'elle se fait fort de retrouver partout, elle rend impensable le phénomène contemporain qu'elle désigne en faisant disparaître les conditions historiques de son développement.

Mieux : en retournant, armé de ces catégories, à l'aube des « sociétés traditionnelles » pour y retracer la « genèse du monde économique », on se condamne à saisir négativement le faible degré d'objectivation de ces catégories et à tenter d'identifier les facteurs qui bloquent la manifestation directe de la *rareté*, de la *technique*, de la *division du travail* ou de la *mesure* :

> Dans la société traditionnelle, la pensée technique reste limitée à l'exploration des possibilités élémentaires de l'instrument, parce qu'elle ne réussit pas à mordre sur un langage qui est par ailleurs trop significatif. Les symboles de la culture prennent trop vite le relais de l'intention technique. C'est que la structure de l'outil est trop simple pour qu'un langage technique puisse déployer sa portée propre. (DUMONT, 1970, p. 250.)

Dumont ajoute alors ceci, pour faire saisir le fait que la réalité technique reste enchâssée dans des rapports sociaux qui la contraignent :

> Et les outils sont insérés par ailleurs dans des systèmes *agraires* dont les éléments ne sont pas analytiquement dissociables. Un système agraire est, en quelque sorte, la mise en faisceau, au cours d'une longue expérience, de longs tâtonnements dont la mémoire s'est perdue, de données biologiques, géologiques, techniques, etc. Il repose donc sur tout autre chose qu'une « théorie ». L'expérience qui le justifie n'a pas dégagé ses composantes : c'est pourquoi, sans doute, elle emprunte souvent des éléments symboliques, comme on le vérifie dans certains rites qui viennent se juxtaposer aux procédés proprement techniques. (DUMONT, 1970, p. 250-251.)

Il est certes judicieux d'utiliser « les catégories les plus évoluées » pour désigner, dans des sociétés où elles ne sont pas constituées en tant que telles, des « moments » de la pratique qui nous semblent alors comme enfouis dans des totalités d'une autre nature. « L'anatomie de l'homme est la clé de l'anatomie du singe », a-t-on dit, et on doit saluer le courage de quiconque s'engage sur cette voie.

Mais on risque alors de saisir ces totalités sociétales négativement, par le côté où elles bloquent l'autonomisation du moment abstrait dont on part, et de faire de celui-ci le maigre sens d'une histoire unilatérale dont nous serions le produit attendu. Bref, montrer comment des structures sociales particulières ont pu bloquer l'autonomisation du moment technique de la pratique est un pari difficile à tenir, et cela même si l'objectivation moderne de « la » technique nous donne raison de regarder les choses depuis ce « fait ». Une telle sociologie historique ne peut pas vraiment se contenter alors des prudences qui lui font dire, comme ici, que la technique (par exemple) reste dans les sociétés anciennes sous la contrainte d'a priori culturels plus généraux ; elle doit plutôt, à la manière de Marshall Sahlins, aller jusqu'au bout de son approche « compréhensive » et soutenir que si dans une société archaïque la « rareté » ne se manifeste pas en tant que telle, *c'est qu'il n'y a pas de rareté en général*. En procédant ainsi, la sociologie se donne l'occasion de fonctionner à double sens et de comprendre en retour, autrement que comme un avènement fatal de l'essence, le caractère *particulier* de la rareté généralisée qui nous afflige. On peut faire de l'anatomie de l'homme une clé pour comprendre l'anatomie du singe à condition que l'on ne fasse pas dans le processus de cette clé un mystère. L'unification abstraite de la rareté est une histoire réelle qui doit être présente à l'esprit quand on revient derrière vers des états de société marqués plutôt par une dispersion ontologique des choses « précieuses » ; faire de la lutte à « la » rareté le déterminant secret de toute organisation sociale, c'est faire retour à la thèse de la détermination en dernière instance par l'économique. Parlant toujours des sociétés traditionnelles (notion où il saisit toutes les formes de la culture antérieures à celle de la société technologique), le même Dumont que je disais tout à l'heure trop peu marxiste le devient à mon avis beaucoup trop :

> À partir de l'activité technique et de sa faible contestation des symboles, tout contribue ainsi à l'inconscience et à la stabilité des valeurs qui président à la lutte contre la rareté. Celle-ci engendre pourtant une division du travail et des phénomènes de stratification. (DUMONT, 1970, p. 251-252.)

Contentons-nous de poser la question : une fois que l'on aurait saisi cette universelle lutte contre la rareté qui, de la plus haute antiquité, s'est frayée sa voie quand elle a engendré les premiers phénomènes de différenciation sociale, quelle contribution aurait-on apportée à la tâche de comprendre que « les catégories les plus abstraites elles-mêmes, malgré leur validité – justement en raison de cette abstraction – pour toutes les époques, n'en sont pas moins, dans cette détermination abstraite même, tout autant le produit de conditions historiques et n'ont leur pleine validité que pour elles et dans leur limite » ?

La même question peut être posée à nouveau, et avec plus d'insistance, quand on considère des catégories de la phénoménologie économique de Dumont dont l'abstraction n'est pas même encore achevée dans notre propre histoire. Ainsi en va-t-il avec cette notion de la « décision », dont il fait, avec la consommation et le travail, le troisième grand type de conduite économique. En saisissant dans sa formulation « marginaliste » la décision comme libre comparaison du rendement des ressources selon leur usage (même si c'est pour observer aussitôt que la décision n'est que très partiellement libre des contraintes de la culture dans les sociétés archaïques), l'anthropologie économique de Dumont reste bien en retrait de la situation contemporaine, où la *décision* tranche plutôt entre des manières alternatives d'opérer sur des environnements sociaux en devenant par le fait même une modalité d'orientation de la vie sociale au-delà de « l'économique ».

Il ne s'agit pas, redisons-le, de reprocher à Dumont de vouloir faire une anthropologie de « l'entendement » et de la manipulation instrumentale du monde. Mais en désignant comme économique, en tout temps et en tout lieu, « toute démarche de la praxis qui vise à augmenter le rendement d'un travail ou d'une ressource, ou à en diminuer le coût », il a déjà tout concédé à l'économie et à l'idéologie économique, opération qui réduit à peu de chose la critique « épistémologique » qu'il a d'abord dirigée contre la science de son temps. En reprochant à la science l'abstraction de ses concepts de valeur et de rareté (tels que mis en axiomes dans la théorie de l'équilibre économique), au lieu d'en montrer la validité dans la seule société où l'économie a justement un caractère d'universalité, il ne pouvait ensuite reprendre la question de la rationalité instrumentale que pour projeter sur les sociétés en général l'intégration moderne des différents domaines de l'entendement, telle que réalisée dans la médiation et la « mesure » monétaire. Dans le but d'encadrer la théorie de la valeur économique par une sociologie plus générale des « valeurs », Dumont, en utilisant « les catégories les plus développées » de l'économie, a projeté en arrière une « réalité » économique primordiale pour montrer le « dégagement » progressif de la réalité économique actuelle, opération qui abolit les médiations historiques réelles et où le présent et l'origine se retrouvent, l'un dans l'autre. La généralisation contemporaine de l'économicité n'est pas d'abord pour nous l'avènement, la réalisation ou le déploiement d'une « intention » fondatrice de l'homme ; c'est d'abord un problème historique que nous devons affronter comme tel, un danger pour ce que nous voulons devenir. À trop en voir l'inscription fatale dans les sociétés antérieures, nous pourrions nous rendre incapables de reconnaître dans ces sociétés, positivement, ce qu'il nous faut préserver afin de pouvoir changer dans le bon sens. Le rapport réflexif à d'autres cultures (« autres » dans le temps ou dans l'espace) doit être au moins aussi utile pour provoquer la réminiscence de ce que nous avons liquidé (ou l'invitation de ce que nous n'avons pas encore rencontré) que pour nous permettre de reconnaître ailleurs le germe de ce qui nous domine.

Dumont était évidemment à des lieux de chercher le résultat dont je prétends ici qu'il peut être celui de son anthropologie économique et je ne refuse ni ses résultats, quel qu'ils soient, ni son intention. Je signale simplement le problème qui se présente ici comme dualisme exacerbé de sa pensée et comme difficulté à aller au-delà du mot en matière de « dialectique ».

C) *Le dédoublement*

À la page 15, Dumont présente comme suit ce qu'il appelle une de ses « principales hypothèses de travail » :

> Les sciences de l'homme sont donc, en définitive, décomposition de la cohérence existentielle de l'histoire commune. Pour *expliquer*, elles désintègrent la culture qui est l'incarnation concrète de cette cohérence. Dès lors, comment peuvent-elles offrir des systématiques, se donner une histoire propre si ce n'est en se constituant elles-mêmes comme une sorte de culture seconde ? (p. 15)

En présentant dans ce cadre (culture première / culture seconde) l'opposition entre la science économique et le monde économique, en montrant par la critique épistémologique comment la science s'empare d'une économicité qui serait propre à la culture première (la rareté) pour y découper son objet en se constituant comme culture seconde (et en décomposant du même coup la culture première), Dumont se trouve à donner à son entreprise une forme dont il ne pourra plus lui épargner les conséquences. Outre le fait que l'on voit mal comment l'économie serait passée des livres à la réalité – si l'abstraction des concepts n'était pas congruente à l'abstraction des pratiques, si l'*explication* n'était pas aussi *expression*, – on se trouve à faire ici de la culture seconde l'excroissance historique autonome d'une culture originelle qui n'a pas d'autre réalité que celle que l'on y projette de l'extérieur. Jean-Philippe Warren a montré, dans *Un supplément d'âme* (1998), que l'opposition de la culture première et de la culture seconde apparaissait très tôt dans l'œuvre de Dumont, dès les écrits de collège en fait, où elle désigne alors (ce qui se complexifiera par la suite) l'opposition entre la culture du peuple, vraie mais muette, et la culture bourgeoise, si prolixe de mots creux. Dumont a mainte fois expliqué par la suite comment il a voulu faire «problème d'école» du trauma du fils d'ouvrier *exilé* dans la culture seconde et comment il a fait de cet exil le projet d'une loyauté envers son origine qui l'engageait à trouver des « médiations » qui donneraient une voix à la culture première et une authenticité à la culture seconde. Le postulat ainsi formulé d'une sorte de séparation d'essence entre des entités que l'on refuse dès lors de penser depuis les « médiations » concrètes, actives, existantes, *qui les constituent l'une et l'autre* dans leur nature propre mène évidemment à chercher plutôt, comme après coup, des « intermédiaires » entre des choses données.

Tel un atavisme de la pensée constamment pourchassé dans le détail du texte mais toujours renaissant, la «séparation» est le schème qui fournit néanmoins au discours dumontien, me semble-t-il, ses articulations maîtresses, précisément parce qu'il fonde aussi la *posture éthique* du chrétien *social* dans le monde. La religion, pour le dire ainsi, bloque chez Dumont un passage à la dialectique qui autrement lui serait naturel. Si bien que, même lorsqu'il aborde explicitement la dialectique en parlant de l'histoire, c'est pour en faire bientôt, somme toute, une attitude de la pensée historiographique : de la même manière qu'il présente dans son ouvrage l'opposition de l'axiomatique économique à la phénoménologie du monde économique comme la science s'oppose au vécu et comme la culture seconde s'oppose à la culture première, Dumont oppose d'autre part à cette même science économique le discours historique, mais pour en faire cette fois une opposition de méthode. L'historiographie, dit-il, contrairement à la science économique, se doit de partir de réalités singulières et elle incline pour cette raison vers la dialectique :

> Pour ne pas entrer dans des discussions infinies, et qui tiennent sûrement à la nature même de ce mode pensée, arrêtons-nous d'abord à une définition très simple de la dialectique. Celle-ci repère des entités particulières, mais sans les isoler des totalités où elles sont perçues, sans non plus accorder de priorité aux unes et aux autres. Elle donne ainsi aux concepts leur pleine valeur de points de vue : d'où un mouvement incessant de la pensée où les concepts sont relativisés et où leur complémentarité, en même temps qu'elle est affirmée, est aussitôt remise en question.
>
> (...) Si l'on considère celles-ci dans leur opposition extrême, l'axiomatique vise à dégager ce qui est pure *relation*, tandis que la dialectique explore en tout sens la *signification*. On pourrait dire, à condition de ne pas forcer la formule, que l'axiomatique fixe la dialectique... (pp. 59 et 62)

La dialectique de Dumont, bref, suit l'injonction de Bachelard (placée en exergue de l'ouvrage) quand elle met de la vie dans les concepts mais elle entretient en retour un rapport négatif avec les concepts qu'il y a dans la vie quand elle voit dans la culture seconde une pratique de l'esprit qui « désintègre » la cohérence existentielle de la culture première.

La confession par Dumont de sa « mauvaise conscience » témoigne d'une autre manière du schème de la séparation : en faisant du fait banal de sa propre mobilité sociale l'occasion, mainte fois saisie, de présenter son passage d'une culture à l'autre comme la source d'un inconfort, il se trouvait à radicaliser l'opposition des deux cultures. Désormais insatisfait de l'authenticité silencieuse du peuple autant que des sublimations abstraites de la république des lettres mais, tout à la fois, fier de ses origines dans le peuple autant que de l'audience par lui conquise dans les classes instruites, Dumont a cultivé toute sa vie la posture de l'exilé (plutôt que celle de l'immigrant), la posture de celui qui est parti sans aller vers un ailleurs et qui est pourtant rendu quelque part sans avoir jamais rien quitté. En consolidant cette position d'exil entre les deux cultures et en creusant l'écart de leur altérité, Dumont se trouvait à séculariser *la conscience religieuse*, à la faire descendre dans le monde pour l'appeler à vivre désormais le malheur de la séparation sur la scène de la vie sociale des hommes plutôt que sur celle de la vie divine de l'individu.

La description la plus rigoureuse de la figure historique de la conscience religieuse judéo-chrétienne se trouve dans la *Phénoménologie de l'esprit*, à la partie B du chapitre IV. Hegel y décrit les « mouvements » contradictoires de l'âme religieuse, c'est-à-dire de l'âme dédoublée et partagée entre la conscience immuable de l'essentiel (et de la cité céleste) et la conscience changeante de l'inessentiel (et de la cité terrestre). Dans la religion, dit Hegel, l'âme impute à l'Autre divin l'essence d'où elle nie et transcende la conscience singulière inessentielle, même si elle impute aussi, dans le même acte, à cette conscience singulière inessentielle la capacité (divine) de reconnaître l'Autre. L'unité de ces deux consciences (comme conscience unique du sujet) étant encore, dans le premier moment de la religion, une unité immédiate, non réfléchie, elle se présente en conséquence comme tourment du sujet : l'homme se projette en Dieu comme dans son essence sans cesser pourtant d'être autre chose que cette essence, n'étant donc ce qu'il est ni d'un côté ni de l'autre. Cette conscience religieuse, « scindée à l'intérieur de soi » et contradictoire avec elle-même de chaque côté, Hegel l'appelle la « conscience malheureuse », le malheur ici tenant à ce que la conscience ne peut renoncer ni à l'un ni à l'autre côté de ce qui lui semble malgré tout un rapport de l'essentiel à l'inessentiel ; n'ayant pas assumé que l'unité des deux est sa propre essence, qu'elle est elle-même l'acte de ce « ni...ni... » qui institue l'écart de l'idéal à l'empirie, la conscience malheureuse « n'est que le mouvement contradictoire au cours duquel le contraire n'arrive pas au repos dans son contraire, mais s'engendre à nouveau en lui seulement comme contraire » (HEGEL, 1941, p. 177.)

Quoi qu'il en soit de la description de ce malheur (que l'on pourrait appeler le déchirant dualisme ontologique de la pensée judéo-chrétienne), il reste que le christianisme, comme radicalisation de la question éthique du salut individuel, professe le dédoublement et fait de l'« aspiration » de l'âme, c'est-à-dire de son malheur, l'ultime condition subjective de la religion. Il se peut cependant que la pensée chrétienne se soit engagée, avec le catholicisme tardif, dans une transformation (ou dans une « déviation ») décisive de ce motif, une transformation dont Dumont a été chez nous un acteur éminent. Le catholicisme, en effet, rejoignant tardivement l'orientation « utopique » de la modernité, va se convertir, entre *Rerum Novarum* et *Quadragesimo Anno*, disent les historiens (bien que la chose ait été préparée par la contre-réforme et par les déboires post-révolutionnaires de l'Église), à la pensée « sociale ». Reprenant à son compte la « question ouvrière », l'Église va alors promouvoir une doctrine « corporative » de l'organisation de la société et elle va opposer à la cité humaine existante l'« idéal » d'une reconnaissance du travail et d'une humanisation de la condition ouvrière, tout comme elle va exposer sa propre conception des institutions politiques susceptibles de favoriser cette solidarité nouvelle. En opposant ainsi un nouvel idéal social à la cité terrestre réelle, et en renvoyant dos à dos le libéralisme individualiste et le marxisme collectiviste, l'Église assigne à ses fidèles, dans ce bas monde, un au-delà du bas monde qui traduit sur le plan politique le dédoublement ontologique de la pensée chrétienne. Pour le catholicisme social, la lutte individuelle pour le salut de l'âme passe dorénavant par la lutte collective pour une cité idéale, médiation mondaine supplémentaire du salut dont l'économie doctrinale ne laisse pas d'étonner. Car enfin, pourquoi ce dédoublement militant, « solidariste » et « communautariste », de la vallée de larmes ?

C'est parce que la cité humaine empirique s'est d'ores et déjà fracturée en deux coquilles vides qui menacent de s'abîmer conjointement et irrémédiablement dans l'inessentiel qu'il faut maintenant lui opposer son double idéal. D'un côté, en effet, se trouvent le travail et la peine de l'« ouvrier » englué dans la vie immédiate, ouvrier à qui tout risque de manquer, y compris le sentiment salvateur de manquer l'essentiel, ouvrier toujours en danger de se perdre dans l'immanence et d'être enseveli dans un linceul de silence. De l'autre côté, se trouve l'inauthenticité du « bourgeois », inconscient d'être séparé du monde ; bourgeois instruit, éduqué, cultivé, raffiné, domestiqué et enfermé dans des « mots », déjà complètement privé du sentiment de son manque et, donc, de toute aspiration à la transcendance qui le ferait homme. C'est à ce dédoublement réel de la cité humaine, cette double érosion de la conscience, que le catholicisme social va opposer l'idéal de la réconciliation communautaire (surmonter dans une réconciliation utopique le dédoublement de la cité), dédoublement projectif et utopique de la cité humaine qui, en réintroduisant dans la vie immédiate l'aspiration à un au-delà humain, élèvera l'homme à l'aspiration divine, c'est-à-dire à la conscience religieuse et à son malheur, à la conscience qui ne se maintient elle-même qu'en reproduisant « l'opposition entre le moi négateur, libre, transcendant et le moi empirique » (KOJÈVE, 1947, p. 67).

À quoi réfère, dans ce foisonnement de dédoublements, la « mauvaise conscience » que confesse Dumont ? Au fait que le fils d'« ouvrier » est devenu « bourgeois » et qu'il s'est lui-même séparé des dangers de la vie immédiate (mais pleine) du travail au profit d'une réflexivité de la parole qui risque d'être creuse dès qu'elle est profonde ? Au fait que le chrétien se perd désormais à opposer, sur le mode critique, l'idéal d'une cité humaine fraternelle à la cité humaine de l'aliénation réelle, et cela dans l'oubli de l'opposition supérieure de l'homme et du divin ? Au fait qu'il a d'abord converti la pensée chrétienne à l'action dans le monde pour ensuite s'accommoder du dédoublement mondain de la conscience, première dans la vie immédiate et seconde dans la distance réflexive ? Au fait qu'il voulait libérer, au nom de l'essentiel, la conscience de l'ouvrier d'un médiateur clérical ossifié et qu'il redoute maintenant d'avoir simplement contribué à la livrer, sans défenses « instituées », aux sollicitations de l'inessentiel ? On pourrait ainsi multiplier à loisir les combinaisons entre les dédoublements et saturer l'espace de la conscience malheureuse ; mais sans doute ne la saisirait-on jamais là où elle se trouve vraiment puisque ce sont précisément ces mouvements qui la définissent et qu'elle ne s'investit jamais ici que pour regretter aussitôt de ne plus être là-bas.

Voilà, à mon avis, dans quel type de détour « théorique » devrait s'engager l'effort de comprendre le thème de la « mauvaise conscience » de Dumont. La chose peut se dire simplement : ce n'est pas la mobilité sociale qui nous occupe ici mais la manière dont la pensée chrétienne s'est mise à l'écoute du siècle pour le ramener à la religion. On verrait peut-être alors que la mauvaise conscience que confesse si spontanément l'humanisme chrétien du XXe siècle est moins un aveu qu'un enseignement, un code pour traduire dans l'idiome de la cité humaine (et dans l'idiome des dédoublements que l'on y projette) le dédoublement fondamental où se fonde la conscience religieuse et d'où elle se penche sur la condition sociale de la condition humaine. On pourrait peut-être aussi aborder ensuite la théorie de la culture par le bon bout, celui dont il me semble qu'elle provient, et la lire comme traduction mondaine du dualisme chrétien.

Telle me semble être, en simple, la critique sociale d'inspiration chrétienne développée par Dumont : c'est dans la conscience et les aspirations du peuple, pourtant muet, que doit se fonder le projet utopique de leur dépassement alors même que c'est seulement depuis une telle utopie que le peuple peut être appelé à devenir ce qu'il peut être. Dumont, refusant la posture de *l'intellectuel chrétien* (KOJÈVE, 1947), ne veut pas avoir raison contre le monde empirique en lui opposant le monde qui devrait être mais il doit pourtant nier ce monde empirique depuis un idéal extérieur pour y maintenir la tension à devenir autre. Contre la tentation de la *belle âme* réconciliée avec elle-même qui échappe à son malheur en s'engageant dans le monde (mais qui, connaissant la vérité, ne peut alors que blâmer le monde de ne pas la reconnaître), il maintient, dans le monde, la conscience religieuse dans son malheur et dans sa division. Tout comme Kojève le souligne à propos de la vie « sans satisfaction » qui est celle de l'âme religieuse, la position tragique qui est ainsi celle de Dumont n'implique nul dépassement *nécessaire* ; elle est un choix fondamental, une sorte d'ultime protection contre une domination qui ferait accepter le monde tel quel ou qui, dans l'autre sens, voudrait l'abolir sur l'autel d'une utopie arbitraire.

Mais, en pensant négativement (comme dissolution, décomposition, renversement, etc.) le rapport (extérieur) de la culture seconde à la culture première plutôt que comme réalité en acte d'une opposition constitutive aussi bien de l'idéal que de l'empirie, il dissipe la valeur historique des pratiques sociales qui instituent cet écart expressif et réflexif pour ne plus voir, comme dans le cas de l'économie, que la décomposition de la cohérence existentielle de la culture première par une science inadéquate. Plutôt que de penser l'unité de la société moderne depuis les pratiques qui reproduisent cette différence, il en sépare d'abord les termes pour chercher ensuite entre une pensée et une empirie aussi irréelles l'une que l'autre des médiations qui tirent leur motif de celles que la transcendance réifiée de la religion offre à la condition humaine.

Si Dumont a raison de dire que, pour une anthropologie générale, la science économique appartient à la culture seconde, cela doit engager, me semble-t-il, à considérer cette science d'abord comme projet et comme idéal, à comprendre la référence transcendantale (la liberté individuelle) de cet idéal, à faire la sociologie de ce discours en le référant aux pratiques sociales qui le portent pour baser finalement sur cet examen la critique épistémologique de ce qui est alors aussi bien savoir effectif que choix fondamental.

*
* *

En terminant sur cette note critique mon commentaire, je n'ai l'impression de réduire en rien la richesse de la réflexion qui se déploie dans *La dialectique de l'objet économique*, loin de là. En montrant que l'écart posé entre la science et la réalité économique reprend dans cet ouvrage le rapport négatif de la culture seconde à la culture première et que les « médiations » dumontiennes postulent toujours en face d'elles quelque dualité ontologique qui les précèdent, je me suis trouvé à tirer sa pensée du côté d'où elle me semble s'engendrer et à négliger, ce faisant, le travail en sens inverse qui lui donne sa richesse et qui lui confère les multiples possibilités d'interprétation qui la caractérisent. Je me suis ainsi exposé à de multiples objections, qui pourront toutes être dûment étayées sur les écrits de Dumont. C'est là la loi du genre. Dans le cas qui nous occupe, il ne sera pas nécessaire de chercher plus loin qu'à la première phrase de l'ouvrage (à la page 3) pour me contredire et pour montrer, contre mon interprétation, que Dumont tient les deux bouts du problème. « Les sciences de l'homme, nous dit-il, suscitent deux grands ordres de problèmes » : comment, d'un côté, peuvent-elles se déprendre de l'expérience commune et se donner une objectivité propre et, de l'autre, contribuer à réorienter l'évolution sociale quand, techniques indispensables au fonctionnement de nos sociétés, elles en expriment les présupposés ?

Je n'en continuerai pas moins à demander à cette œuvre si ce « double problème » ne tiendrait pas beaucoup au fait d'être posé en double ; si l'on ne risque pas de « fixer » les termes de la réflexivité propre à la société en les posant en parallèle ; si toute expérience commune n'est pas toujours déjà « déprise » d'elle-même ; si toute pratique qui contribue à réorienter la société n'en exprime pas certains présupposés ; et si les sciences de l'homme ont été autre chose que la manière moderne d'occuper pour l'accroître l'espace de réflexivité hiérarchisé propre à la société ?

Gilles GAGNÉ

Département de sociologie,
Université Laval.

BIBLIOGRAPHIE

DUMONT, Fernand

1970   *La dialectique de l'objet économique*, Paris, Anthropos.

FREITAG, Michel

1986   *Dialectique et société, tome 2. Culture, pouvoir, contrôle. Les modes de reproduction formels de la société*, Montréal, Les éditions coopératives Saint-Martin.

HEGEL, G.W.F.

1941   *La phénoménologie de l'esprit*, Paris, Éditions Montaigne.

KOJÈVE, Alexandre

1947   *Introduction à la lecture de Hegel*, Paris, Éditions Gallimard.

MARX, Karl

1965   « Introduction générale à la critique de l'économie politique », dans *Philosophie*, Édition établie et annoté par Maximilien Rubel, Paris, Éditions Gallimard.

WARREN, Jean-Philippe

1998   *Un supplément d'âme. Les intentions premières de Fernand Dumont (1947-1970)*, Sainte-Foy, Presses de l'Université Laval.

PROJET DE JEUNESSE : LES DÉBUTS
DE *RECHERCHES SOCIOGRAPHIQUES*

TÉMOIGNAGE

Yves MARTIN

On ne s'en étonnera guère chez ceux qui nous auront connus tous les deux : c'est sous le signe de l'écrit, ou plus précisément de l'imprimé, qu'a eu lieu la première rencontre entre Fernand Dumont et moi. Nous participions, au début d'août 1948, à la réunion annuelle de la Corporation des Escholiers griffonneurs à titre de délégués de nos journaux étudiants respectifs, *La Nouvelle Abeille* du Séminaire de Québec et *Le Copain* du Séminaire de Sherbrooke. D'emblée, l'avenir, le nôtre et celui de notre génération, a été le centre des conversations amorcées durant ces quelques jours. Celles-ci, presque constamment axées sur des projets à entreprendre ou à compléter, allaient durer un demi-siècle, au fil d'une amitié d'exception.

Nous nous sommes retrouvés deux ans plus tard, à l'automne 1950, comme étudiants à la Faculté des sciences sociales de l'Université Laval. Tout en collaborant l'un et l'autre activement à la feuille étudiante *Le Carabin*, nous n'avons pas tardé à reparler projets, pour réalisation dans l'immédiat ou à plus long terme. Nous avons ainsi convaincu le conseil étudiant de créer, en 1952, le Cercle Léon-Gérin. Un cercle d'études avait existé à la faculté en 1945-1946, sous la responsabilité de professeurs. Cette fois, l'initiative est celle des seuls étudiants, à telle enseigne que les professeurs n'étaient pas invités aux activités du cercle... Pour nous, disions-nous, « l'obligation existe de nous préoccuper des problèmes du milieu dans lequel nous vivons et, plus spécialement, du milieu canadien-français, qui est notre futur champ d'action ». Le cercle n'a sans doute pas connu la pérennité que nous lui souhaitions, mais il a permis, par exemple, de fructueuses rencontres avec des leaders tels Jean Marchand sur le syndicalisme ou Arthur Tremblay sur l'éducation et de stimulants échanges sur l'urbanisme avec Jean Cimon ou sur « le nationalisme canadien-français » avec Léon Dion.

Recherches sociographiques, XLII, 2, 2001 : 347-350

Dès la première année passée ensemble à la faculté, nous avions, sans doute témérairement, envisagé le projet d'une revue étudiante resté sans suite. Jusqu'à la fin de nos études, à Québec puis à Paris, des projets de revue ont constamment refait surface, revue de type *Esprit* ou revue de sciences sociales, ou même de sociologie économique. En même temps que d'autres projets, dont celui d'un Institut des sciences de l'homme qui deviendra réalité en 1967 à l'instigation de Fernand sous le nom d'Institut supérieur des sciences humaines de l'Université Laval, comme douze ans plus tard l'Institut québécois de recherche sur la culture (aujourd'hui l'INRS-Culture et Société).

Devenus collègues en septembre 1956, Fernand et moi avons presque aussitôt proposé au doyen de la Faculté des sciences sociales la création d'une revue publiée par la faculté (dans *Récit d'une émigration*, page 102, l'épisode est situé à la fin de 1959 : je regrette de n'avoir pas fait la vérification au moment opportun, lors de la révision du manuscrit). Le doyen accueille la suggestion et, le 23 janvier 1957, le secrétaire de la faculté, monsieur René Tremblay, m'adresse ainsi qu'aux collègues concernés une lettre dont je reproduis le texte :

> Le Conseil de la Faculté, à sa dernière réunion, a décidé de créer un comité d'organisation d'une revue éditée par la Faculté.
>
> Ce comité aura pour tâche, entre autres, de prévoir l'organisation matérielle de la Revue, d'en spécifier la structure et les exigences académiques.
>
> Ce comité est constitué des personnes suivantes : M. Maurice Tremblay, président, M. Albert Faucher, M. Roch Valin, M. Yves Martin, Mlle Simone Paré, M. Fernand Dumont et M. Léon Dion.

De ce comité, dont je n'ai pas gardé trace des travaux, la discussion sur le projet de revue s'est déplacée à l'assemblée des professeurs. Après un débat étalé avec plus ou moins d'intensité sur plus de deux ans, ponctué de mémoires et de prévisions budgétaires retrouvés dans mes dossiers, « la proposition, note Fernand Dumont dans *Récit d'une émigration*, fut littéralement écartée sous divers prétextes. Tenaces comme on l'est à cet âge, nous avons suggéré à Falardeau de ramener le projet au département (de sociologie). Quelques heures après un coup de téléphone, le recteur Parent nous donnait le feu vert. [...] C'est ainsi que commença à paraître *Recherches sociographiques* en 1960 » (pages 102-103). Nous avions fait valoir au recteur, parmi d'autres motifs plus nobles, que la revue « ne coûterait pas cher » – elle serait miméographiée (hypothèse évoquée dès avril 1955 par Fernand dans le cahier où il consignait déjà des notes sur le *Projet d'un centre de recherches sociologiques* – peut-être imaginaire). La revue serait même « rentable » en raison des nombreux échanges que nous allions instituer avec d'autres revues de sciences humaines (objectif assez tôt atteint dans les faits).

Notre ténacité serait demeurée vaine, je tiens à le souligner, sans l'intervention convaincante de notre directeur, Jean-Charles Falardeau. Devenus ses collègues, nous continuions à bénéficier de l'appui qu'il avait manifesté à notre endroit pour nous faciliter l'accès à des études à l'étranger et, dans mon cas tout particulièrement, l'intégration au corps professoral de la faculté, le destin de Fernand à cet égard étant arrêté à toutes fins utiles dès son arrivée à la faculté comme étudiant. Falardeau s'était fait, je crois opportun d'en témoigner aujourd'hui, le discret complice de nos ambitions communes, peut-être même de celles que rappelle Fernand dans ses mémoires : « Le plus sérieusement du monde, nous nous partagions les tâches futures : à lui, la démographie et la morphologie sociale ; à moi, les représentations collectives, la culture, la critique des sciences » (*Récit d'une émigration*, p. 81). Falardeau savait par ailleurs que nous n'étions pas toujours aussi sérieux...

Auprès de nos collègues qui, à juste titre, avaient manifesté des réserves sur la création éventuelle d'une nouvelle revue à caractère théorique, compte tenu du nombre de publications de cette nature alors déjà existantes (*Cahiers internationaux de sociologie, American Sociological Review*, etc.), nous avons invoqué le parti pris de consacrer la revue exclusivement à l'étude empirique de la société québécoise (alors « canadienne-française »), son titre même – d'inspiration durkheimienne, comme il se devait – étant garant de l'orientation retenue. Nicole Gagnon a parfaitement synthétisé ces intentions de départ :

> Consacrée aux travaux de recherche sur le Canada français, la revue sera néanmoins multidisciplinaire dans son contenu, car la sociologie n'a-t-elle pas, « de par son destin et de par sa nature, une inéluctable fonction de polarisation et d'intégration » (Falardeau, allocution de lancement, 17 mai 1960). Dans l'esprit des fondateurs, cette formule n'est toutefois qu'une étape : « Nous pensons qu'il sera possible, dans quelques années, de publier une revue intégralement sociologique. Mais notre présent projet nous paraît correspondre à une phase nécessaire dans l'avancement de la sociologie au Canada français. » [...] Dans l'idée de Fernand Dumont, il s'agit [...] de construire un milieu scientifique autour d'une institution, d'où il soit possible d'accéder à une authentique universalité. « L'intention de rejoindre la pensée la plus universelle devrait être accompagnée, comme d'une condition d'authenticité, de la connaissance progressive du milieu social d'où le théoricien émerge » (projet soumis au comité de rédaction, 28 octobre 1959). (GAGNON, 1988, p. 104.)

Ainsi l'objectif était bien circonscrit et clairement formulé : la connaissance du Canada français – bientôt du Québec – comme société globale, sous tous ses angles. Il s'agissait de stimuler cette connaissance par la publication d'articles originaux, mais aussi par le compte rendu aussi exhaustif que possible des ouvrages de toutes origines disciplinaires sur la même réalité. L'importance donnée à la section « comptes rendus» était un choix délibéré, d'inspiration durkheimienne sans doute lui aussi, étant le fait de lecteurs passionnés de *L'Année sociologique* de la fin du XIXe siècle aussi bien que des séries plus contemporaines. *L'Année* avait l'ambition, qu'on a dite impériale, de faire la revue critique de la production universelle en sciences humaines; notre impérialisme se limitait au Québec...

Après deux années seulement, la revue prit du galon, passant du stencil à la composition typographique dans une tenue de qualité portant la marque de la maison Charrier et Dugal, alors l'imprimerie la plus réputée à Québec. Si son statut s'est assez tôt affirmé dans l'univers des sciences humaines tout au moins au Québec, on le doit pour une bonne part à la décision, prise sous son égide, de tenir des colloques réunissant des chercheurs de diverses disciplines et de plusieurs universités. Le premier, *Situation de la recherche sur le Canada français*, a marqué un moment important de l'évolution des sciences sociales au Québec. D'autres ont suivi sur la littérature, le pouvoir, l'urbanisation.

Quand j'ai quitté l'université pour me joindre à la fonction publique en 1964, la revue était lancée et sans doute bien lancée puisqu'elle poursuit sa carrière depuis maintenant 40 ans. Pour ma part, je tire beaucoup de fierté d'avoir été associé de très près, avec Jean-Charles Falardeau et Fernand Dumont, à la fondation d'une revue devenue aujourd'hui, il n'est pas exagéré de l'écrire, une institution. L'expérience des débuts a été exigeante, mais elle a surtout été emballante. C'était au temps, peut-être exceptionnel, où il était ici possible comme jamais auparavant que deviennent réalités des projets de jeunesse.

Yves MARTIN

BIBLIOGRAPHIE

GAGNON, Nicole

1988   « Le Département de sociologie 1943-1970 », dans : Albert FAUCHER (dir.), *Cinquante ans de sciences sociales à l'Université Laval. L'histoire de la Faculté des sciences sociales, 1938-1988*, Sainte-Foy, Faculté des sciences sociales de l'Université Laval, 75-130.

FERNAND DUMONT ET L'INSTITUT QUÉBÉCOIS DE RECHERCHE SUR LA CULTURE

TÉMOIGNAGE

Fernand HARVEY

Fernand Dumont a été le fondateur et premier président-directeur scientifique de l'Institut québécois de recherche sur la culture, de 1979 à 1990. Il a profondément marqué les orientations premières et la philosophie de ce centre de recherche, au cours des dix années qu'il a passées à sa direction.

J'ai déjà eu l'occasion d'évoquer les circonstances liées à la naissance de cette institution originale dans le milieu de la recherche en sciences humaines au Québec et de dégager les grandes lignes de son évolution jusqu'à son rattachement à l'Institut national de la recherche scientifique, en janvier 1994, sous le nom d'INRS-Culture et Société (HARVEY, 1991 et 2001)[1]. Je ne rappellerai donc que quelques jalons importants à l'origine de la création de cette institution. L'Institut québécois de recherche sur la culture a été créé par le gouvernement du Québec en 1979, en vertu d'une loi adoptée par l'Assemblée nationale. L'idée de créer un tel centre de recherche avait été mise de l'avant pour la première fois dans le Livre blanc sur la culture (non publié) du ministre Pierre Laporte en 1965, puis dans le Livre vert sur la culture du ministre Jean-Paul L'Allier en 1976. Ce dernier avait mis sur pied un Comité présidé par Guy Frégault dans le but d'explorer l'hypothèse d'un Institut d'histoire et de civilisation du Québec. Ce Comité fit rapport au nouveau ministre des Affaires culturelles, Louis O'Neil, en 1977. Peu de temps après, le Livre blanc sur le Développement culturel du ministre Camille Laurin retenait la recommandation du Comité Frégault, mais le nouvel institut proposé sera plutôt connu sous le nom d'Institut québécois de recherche sur la culture. On retrouve dans les orientations premières de l'IQRC les idées contenues dans le Rapport Frégault à

---

1. En novembre 2000, l'INRS-Culture et Société était à son tour intégré à l'INRS-Urbanisation pour devenir l'INRS-Urbanisation, Culture et Société.

savoir qu'il devait 1) poursuivre des recherches à long terme sur la nature et l'évolution de la culture québécoise, 2) conduire des investigations sur le développement culturel au Québec, 3) aménager la concertation des études québécoises et contribuer à une meilleure diffusion des travaux qui en résulteraient (RAPPORT, 1977, p. 205-206).

Fernand Dumont, qui avait été membre du Comité Frégault, était bien préparé pour assumer la présidence et la direction scientifique de l'Institut québécois de recherche sur la culture. Intellectuel de renommée ayant participé à maints débats publics sur l'avenir de la société québécoise, il avait accepté l'offre du ministre Camille Laurin de coordonner la préparation du Livre blanc sur le développement culturel en 1978. Dans *Récit d'une émigration*, Fernand Dumont rappelle les difficultés de ce vaste projet dont l'objectif était de faire converger les politiques du ministère de l'Éducation et celles du ministère des Affaires culturelles. Pour lui, la culture ne devait pas se limiter aux préoccupations d'une élite qui accède aisément à la littérature, aux arts et à la science, mais inclure également « l'existence quotidienne de ceux qui vivent en marge du sanctuaire ». On retrouve là une large définition de la culture, à caractère anthropologique, qui orientera une bonne partie des recherches du futur IQRC.

Le bref passage de Fernand Dumont au sein de l'appareil gouvernemental lui a laissé un sentiment d'insatisfaction. « La question du développement culturel, écrit-il, demeure à mes yeux la plus décisive pour un intellectuel qui se veut responsable ; les enceintes gouvernementales ne sont pas l'endroit propice à son élucidation. » C'est donc avec soulagement qu'il quitte « l'enceinte du pouvoir pour regagner l'université et les verts pâturages de la théorie » (DUMONT, 1997, p. 200). Tout en poursuivant ses recherches personnelles et son enseignement à l'Université Laval, Fernand Dumont accepte de relever le défi de créer de toutes pièces l'IQRC. Cet institut était en mesure d'innover grâce à des ressources financières assez confortables et à un statut qui assurait son indépendance par rapport à l'appareil gouvernemental et à l'institution universitaire. Mais cette indépendance, toute relative au niveau du financement par l'État, allait aussi marquer sa fragilité. L'IQRC faillit être emporté dans la vague des restrictions budgétaires préconisées en 1986 par le Rapport Gobeil, de triste mémoire (FOURNIER, 1987 ; DUMONT, 1997).

Au moment où Fernand Dumont sollicita ma participation à titre de premier chercheur engagé au nouvel Institut, en avril 1980, j'étais professeur de sociologie à l'Université du Québec à Rimouski. J'acceptai avec enthousiasme sa proposition de participer à ce qui apparaissait à l'époque comme une véritable aventure intellectuelle et scientifique. Je me permettrai donc d'évoquer quelques souvenirs plus personnels quant au rôle joué par Fernand Dumont à l'IQRC.

Il n'y a pas de doute que les premières années de l'IQRC ont été fortement marquées par les préoccupations théoriques et sociales de Fernand Dumont en rapport avec le développement culturel. Dans son ouvrage *Le sort de la culture* (1987) qui regroupe des articles publiés entre 1976 et 1986, on retrouve divers thèmes de réflexion qui font référence à la programmation originelle de l'IQRC. Dumont y aborde, à travers l'idée de développement culturel, un certain nombre de questions qui feront l'objet de recherches, de colloques et de publications à l'IQRC : les âges et les générations, la religion en mutation de cultures, les rapports entre la culture dispersée et la culture institutionnalisée, la notion de culture populaire et celle de culture savante. Ces thématiques dumontiennes feront l'objet des trois axes de recherche de l'IQRC en 1980 : 1) les changements culturels et les problèmes d'identité, 2) la culture populaire, 3) la culture savante.

En 1983, la recherche est réorganisée en fonction de cinq « chantiers de recherche ». La thématique de départ s'élargit en tenant compte de l'apport des chercheurs engagés au cours des premières années, et aussi des orientations discutées au conseil d'administration de l'IQRC. Trois de ces chantiers se situent dans le prolongement direct des axes de départ : le chantier sur la condition féminine, la famille et les générations, le chantier sur la culture populaire et le chantier sur l'institutionnalisation de la culture. Se sont ajoutés deux nouveaux chantiers : celui sur les histoires régionales et celui sur les communautés ethnoculturelles.

Fernand Dumont a toujours été sensible à la question régionale depuis l'enquête qu'il avait réalisée avec Yves Martin et une équipe d'étudiants au cours des étés de 1956 et 1957 sur l'analyse des structures régionales du diocèse de Saint-Jérôme (DUMONT et MARTIN, 1963). Mais il n'avait pas poursuivi dans cette voie par la suite. En 1980, lorsque l'historien Jean Hamelin lui proposa de mener à terme un projet entrepris depuis plusieurs années par feu Marc Laterreur sur l'*Histoire de la Gaspésie*, il me soumit la question et je lui proposai alors d'entreprendre un vaste projet-cadre sur l'histoire de chacune des régions du Québec (HARVEY, 1980). Il accepta d'emblée. Il a toujours appuyé par la suite ce chantier de recherche, considérant les synthèses d'histoire déjà parues « comme étant parmi les beaux fleurons de l'Institut » (DUMONT, 1997, p. 218)[2].

Une question d'actualité allait donner lieu à un autre chantier de recherche : la place des communautés culturelles au sein de la société québécoise, dans la foulée de la loi 101 et de la nouvelle politique québécoise d'immigration. À la suggestion de l'anthropologue Richard Salisbury de l'Université McGill, membre du conseil d'administration de l'IQRC, cette thématique fut ajoutée à la programmation de recherche. La responsabilité de ce chantier fut alors confiée à Gary Caldwell. À une époque où les universités québécoises francophones s'intéressaient peu aux études ethniques, Fernand Dumont encouragea l'exploration de pistes nouvelles dans ce

---

2. Depuis 1990, le chantier sur les histoires régionales est sous la direction de Normand Perron. Au fil des années, une formule de financement originale, impliquant les milieux régionaux, fut développée par Georges Lamy, ancien directeur administratif de l'IQRC.

champ, notamment du côté de la communauté anglo-québécoise et de la communauté juive. Par la suite, sous la direction de Denise Helly, l'étude des communautés fut délaissée au profit d'une approche thématique liée à l'intégration et à la citoyenneté.

D'une façon générale, tout en menant ses propres recherches sur la théorie générale de la culture, Fernand Dumont a eu le souci de s'entourer d'une équipe de collaborateurs et de collaboratrices poursuivant diverses études sur le terrain. De plus, tout en évitant de dédoubler les secteurs de recherche déjà bien développés dans certaines universités, il était particulièrement soucieux de faire de l'IQRC un lieu de concertation interuniversitaire pour la recherche culturelle sur des objets nouveaux ou peu étudiés. En font foi les nombreux colloques qu'il organisa sous l'égide de l'IQRC et la revue *Questions de culture* qu'il fonda et anima au cours des années 1980. Les quelque 220 titres parus aux Éditions de l'IQRC sous la direction de Léo Jacques, entre 1982 et 2001, témoignent également du dynamisme intellectuel de l'institution (BAILLARGEON, 2000). Dumont encouragea également la conclusion d'ententes avec d'autres institutions dont l'Université Laval, l'Université de Montréal et la fonction publique, afin d'enrichir le noyau de base des chercheurs de l'IQRC[3], par le biais de prêts de services. Parmi ces collaborateurs venus de l'extérieur, il faut citer les noms de Jean-Paul Baillargeon, Jacques Dufresne, Marcel Fournier, Gabriel Gagnon, Benoît Lacroix, Yvan Lamonde, Maurice Lemire, Yves Martin, Marcel Rioux, David Rome, Ronald Rudin, Florian Sauvageau, Alain Vinet et plusieurs autres.

Dès le départ, Fernand Dumont a voulu donner une orientation déterminée aux recherches de l'IQRC, à partir de ses propres réflexions et travaux sur la culture, préférant cette voie à celle d'une longue consultation qui aurait retardé d'autant le démarrage du nouvel Institut. Des ajustements à la programmation ont été effectués au fil des années, en tenant compte à la fois de la dynamique interne des équipes de recherche et de l'identification par le comité scientifique de nouveaux besoins. À cet égard, Fernand Dumont a toujours laissé une grande marge de manœuvre à ses collaborateurs et directeurs de chantiers. Les réunions régulières du Comité scientifique qu'il présidait étaient l'occasion d'échanges intellectuels relevés, d'autant plus que ce comité n'avait pas la responsabilité de la gestion financière de l'Institut.

3. Parmi les chercheurs et chercheures salariés des années 1980, mentionnons Pierre Anctil, Paul Aubin, Léon Bernier, Jean Bourassa, Gary Caldwell, Jean-Pierre Charland, Louis-Marie Côté, Renée Dandurand, Jean-Pierre Dupuis, Andrée Fortin, Madeleine Gauthier, Thérèse Hamel, Fernand Harvey, Denise Helly, Vivian Labrie, Gabrielle Lachance, Sophie-Laurence Lamontagne, Robert Laplante, Denise Lemieux, Med Mellouki, Lucie Mercier, Françoise-Romaine Ouellette, Isabelle Perrault, Diane Saint-Pierre, Nicole Thivierge et plusieurs autres. (Voir les *Rapports annuels de l'IQRC*, 1981-2000).

Si Fernand Dumont concevait la recherche comme une forme d'engagement dans la Cité, il a résolument refusé d'impliquer l'IQRC dans des débats politiques ou d'orienter la recherche à des fins partisanes. Sa conception de la recherche le rattachait au courant universitaire de type humaniste, plutôt qu'à celui de l'ingénierie sociale. En ce sens, il appartient à la génération des grands intellectuels issue de la Révolution tranquille qui a dominé les débats de société au Québec, jusqu'à la fin des années 1980.

Au fil des années, l'Institut québécois de recherche sur la culture a pu ainsi poser un certain nombre de diagnostics sur l'état de la société québécoise et définir lui-même ses priorités de recherche ; cette autorité et cette indépendance, l'Institut les devait non seulement à ses équipes de chercheurs, mais aussi au prestige de Fernand Dumont et à son audience auprès des médias, des instances politiques et des mouvements sociaux. Un changement radical est survenu au Québec depuis les années 1990 qui a eu pour conséquence d'inverser la position centrale de l'intellectuel et du chercheur universitaire par rapport aux instances politiques et économiques de financement. Désormais, les priorités de recherche et autres contrats de performance allaient être définis de l'extérieur, par l'État, les organismes subventionnaires ou le marché. Les conditions qui avaient permis la création et le développement de l'IQRC, dix ans plus tôt, n'existaient plus.

Une analyse plus approfondie démontrera sans doute le rôle important qu'a joué l'IQRC dans le développement de la recherche sur la culture au Québec, plus particulièrement au cours des années 1980. Parmi les recherches originales publiées à cette époque, outre les études sur les communautés culturelles et les régions, il faut mentionner celles sur la vie privée, la famille monoparentale, les pratiques artistiques, les jeunes, la religion populaire, la culture urbaine, la culture savante, les statistiques culturelles, les tendances socioculturelles et les communautés autochtones.

Avec le recul du temps, il faut reconnaître à Fernand Dumont des qualités de visionnaire et d'animateur scientifique qui ont largement contribué à l'émergence rapide et à la renommée de l'Institut québécois de recherche sur la culture, dans le milieu des sciences humaines au Québec, au cours des années 1980.

Fernand HARVEY

INRS-Urbanisation, culture et société,
Chaire Fernand-Dumont sur la culture.

BIBLIOGRAPHIE

BAILLARGEON, Jean-Paul

2000   « De l'IQRC à l'INRS-Culture et Société. Vingt ans de publications en sciences sociales », *Livre d'ici*, 13.

DUMONT, Fernand

1987   *Le sort de la culture*, Montréal, L'Hexagone.

1997   *Récit d'une émigration*, Montréal, Boréal.

DUMONT, Fernand et Yves MARTIN

1963   *L'analyse des structures sociales régionales*, Québec, Presses de l'Université Laval.

FOURNIER, Marcel

1987   « Culture et recherche : l'IQRC », *Possibles*, 11, 3 : 37-50.

FRÉGAULT, Guy (prés.)

1977   *Rapport du groupe de travail sur l'Institut d'histoire et de civilisation du Québec*, Québec, Ministère des Affaires culturelles, 21 février.

HARVEY, Fernand

1980   *L'histoire régionale : une « troisième voie » historiographique ?*, Communication à la section « Histoire » de l'ACFAS, Université Laval, 15 mai.

1991   *L'Institut québécois de recherche sur la culture et les sciences humaines au Québec. Un bilan*, Québec, IQRC.

1992   « De l'IQRC à l'INRS : une institution de recherche au cœur de l'évolution des sciences sociales au Québec », dans : Frédéric LESEMANN, Yves BOISVERT et Diane SAINT-PIERRE (dirs), *Participer à l'évolution des sciences sociales au Québec*, Sainte-Foy, Éditions de l'IQRC, 115-125.

LESEMANN, Frédéric (dir.)

1999   *INRS-Culture et Société. Rapport quinquennal, janvier 1994-mai 1999*, Sainte-Foy, INRS.

RELECTURES DE L'ŒUVRE DE FERNAND DUMONT

COMPTES RENDUS

Fernand DUMONT et Yves MARTIN, *L'analyse des structures sociales régionales. Étude sociologique de la région de Saint-Jérôme*, Québec, Presses de l'Université Laval, 1963, 267 p.

Dans *Récit d'une émigration* (1997), Fernand Dumont commente en quelques pages l'expérience de recherche qui l'a conduit avec son confrère et ami Yves Martin à la rédaction de *L'analyse des structures sociales régionales*. En 1956, Monseigneur Émilien Frenette, évêque du diocèse de Saint-Jérôme, influencé par l'expérience française des Grandes Missions et les études du chanoine Fernand Boulard, confiait l'étude sociologique de son diocèse au Centre de recherches de la Faculté des sciences sociales de l'Université Laval. Cette étude, qui touchait l'ensemble du territoire diocésain, devait servir de base à la Grande Mission qui avait pour objectif l'élaboration d'une pastorale d'ensemble. On constatait alors que la paroisse ne pouvait plus être la seule responsable de l'encadrement des chrétiens étant donné les mutations sociales considérables de l'après-guerre. La pastorale d'ensemble devait permettre de regrouper les gens d'une même région autour de préoccupations communes, de se donner les institutions sociales pertinentes et de coordonner l'action pastorale. L'objectif de l'enquête sociologique était d'identifier, dans le diocèse, certaines zones ou sous-régions offrant une certaine homogénéité, de déterminer les facteurs principaux favorisant les regroupements, d'analyser les caractéristiques de chacune de ces zones, d'étudier l'évolution des structures et des mentalités et leur influence sur l'Église et la société.

Fernand Dumont et Yves Martin, chargés de cette première étude régionale, sans expérience et sans modèle d'analyse à leur disposition, plongèrent dans l'aventure avec quelques collaborateurs et étudiants. Ils ont passé les étés 1956 et 1957 sur le terrain multipliant les entrevues et les démarches d'enquête. Dans le premier chapitre de l'*Analyse des structures sociales régionales* publié quelques années après la remise de leurs travaux au diocèse, ils font un certain retour sur cette expérience. Ils situent leur approche en rapport avec la littérature sociologique existante. Ils prennent en considération les études sur la Morphologie sociale de l'École française de sociologie et celles sur l'Écologie humaine d'origine américaine. Comme sociologues, ils indiquent leur choix d'étudier la région à partir de la structure sociale. Ils s'arrêtent à trois paliers d'analyse structurale : les processus de peuplement et la structure démographique ; l'économie et les occupations ; l'organisation sociale et la culture. Les lecteurs de l'œuvre de Fernand Dumont ne seront pas surpris de l'insistance particulière des auteurs sur l'organisation sociale et la culture qui, selon eux, permettent d'obtenir une vue d'ensemble de la structure sociale. C'est cependant le palier le plus difficile à cerner. Il n'est pas aisé, reconnaissent-ils, de discerner les traits de mentalité de façon opératoire. À titre d'hypothèse, ils favorisent l'étude des attitudes des élites et des supports de leur action. Dumont poursuivra brièvement cette réflexion méthodologique dans les pages citées du *Récit d'une émigration* en faisant un retour sur son expérience de terrain et sa signification dans son itinéraire de chercheur et de théoricien.

Dumont et Martin font aussi état de la pauvreté et de la faiblesse des sources qui leur auraient permis de recueillir les indices nécessaires à leur lecture de la situation. Les données ecclésiales produites par les curés étaient peu sûres, les *Statistiques canadiennes* offraient un matériel brut qui exigeait analyse et bien souvent ne recoupait pas les limites territoriales retenues, les *Inventaires des ressources naturelles et industrielles* des Comtés, commencés sous le Gouvernement Godbout, n'étaient pas à jour. À cette époque, les études régionales étaient à peine esquissées. La documentation disponible était rare et de piètre qualité. Les chercheurs compensent ces lacunes par des entrevues d'individus ou de groupes, facilitées par l'appui et la collaboration des responsables ecclésiaux.

C'est aussi au cours d'entrevues préliminaires qu'ils demanderont à des citoyens et citoyennes de s'exprimer sur une éventuelle subdivision du diocèse en petites unités ou zones et sur les scénarios les plus significatifs. Cette façon de faire facilitera beaucoup leur travail. Elle leur permettra de suppléer à des sources inexistantes et de ne pas s'enfermer dans des visions purement administratives ou quantitatives dans la désignation et la délimitation des dix zones de la région étudiée. Cette attention aux perceptions des gens fera en sorte qu'ils n'utiliseront pas de façon uniforme les critères de délimitation des ensembles. Dans certains cas, ils se baseront sur une homogénéité, qualifiée de diverses manières ; dans d'autres cas, sur des facteurs d'attraction d'un pôle. Les auteurs ont cherché ainsi à rester proches des visions et des pratiques du milieu et ils ont refusé de s'appuyer sur des critères liés à des objectifs de rationalisation de type bureaucratique. Cette réflexion sur la délimitation de régions nodales ou homogènes ainsi que sur l'analyse du dynamisme des métropoles a été enrichie au cours des ans, mais elle demeure fort pertinente.

En acceptant cette étude sociologique de la région de Saint-Jérôme qui semblait les détourner de leur recherche théorique à un moment important de leur carrière, Dumont et Martin ne pensaient pas seulement rendre service à l'Église. Ils désiraient mettre au point un modèle d'analyse qui servirait à d'autres études régionales sur l'ensemble du territoire du Québec. Ces études leur semblaient indispensables pour avoir une vue plus juste et moins monolithique du Québec et pour se lancer dans un grand récit de son histoire. Tout en référant à l'étude spécifique de Saint-Jérôme dans les chapitres deux, trois et quatre, leur livre élargit les perspectives à l'ensemble du Québec en conclusion. Il se présente comme un bon instrument pédagogique pour les chercheurs et les étudiants qui veulent œuvrer sur le terrain.

La recherche de Dumont et Martin a été à l'origine de nombreuses études régionales, réalisées dans un premier temps à l'aide des commandites de diocèses. Elle précède les grandes études menées par le Bureau d'aménagement de l'est du Québec. Le Centre de recherche de sociologie religieuse de l'Université Laval, fondé en 1958, utilisera ce modèle d'analyse pour l'étude sociologique des diocèses de Saint-Anne-de-la-Pocatière, de Chicoutimi et des diverses régions du grand diocèse de Québec entre 1960 et 1970. Les étudiants du Département de sociologie de l'Université Laval participeront à diverses recherches sur le terrain à partir du même modèle en l'appliquant particulièrement à la régionalisation de l'enseignement secondaire et à l'établissement des polyvalentes.

Dumont et Martin étaient conscients que leur modèle théorique était à affiner. Basé sur une seule monographie, il ne pouvait être que provisoire. Ils soulignaient en conclusion quelques défis pour les années à venir. Un effort particulier des services gouvernementaux provinciaux serait nécessaire afin de permettre l'accessibilité à une documentation plus adéquate pour les études régionales. L'élaboration d'une histoire globale de l'aménagement du territoire québécois faciliterait l'intégration de l'approche historique et de l'approche structurale dans l'analyse régionale. Le développement d'une véritable sociologie économique attentive à l'espace permettrait une meilleure compréhension des variables *économie* et *occupations*. Quant à l'application aux études régionales des variables traitant de l'organisation sociale et de la culture, les auteurs faisaient remarquer que la faiblesse même de l'organisation sociale régionale, l'absence de mouvements et de leaders régionaux et la référence quasi exclusive à la paroisse comme structure sociale malgré la reconnaissance de ses limites ajoutaient aux difficultés habituelles de leur analyse.

Il serait intéressant que des spécialiste en études régionales fassent le point sur les questions soulevées par Dumont et Martin à la fin des années cinquante, mais aussi sur la généralisation qu'ils ont faite à l'ensemble du Québec de certaines observations effectuées à Saint-Jérôme.

Pour le lecteur intéressé à la sociologie de la religion, je rappelle en terminant que Fernand Dumont a publié les conclusions de ses recherches empiriques sur les groupements religieux qui constituaient la seconde partie de son étude sur Saint-Jérôme dans la revue *Social Compass* (DUMONT, 1963). Dans cet article, avant de consigner les résultats de son travail, il précise la problématique qui a inspiré sa recherche, la détermination de ses variables et ses façons de mener l'enquête. D'autre part, Dumont (1959) explique dans la revue *Prêtre aujourd'hui*, la démarche qui a été utilisée pour traduire l'étude sociologique de la région en termes d'actions pastorales.

Il n'existe pas de bilans des suites données aux diverses études sociologiques commanditées par les diocèses, pas plus qu'on n'en possède des Grandes Missions et de la pastorale d'ensemble qui ont pourtant marqué l'Église québécoise pendant une quinzaine d'années. Cependant, dans les premières pages de présentation de son étude sur le défi des générations, Jacques Grand'Maison – qui était aumônier de la J.O.C. à Saint-Jérôme en 1956 – établit des liens entre l'expérience de Dumont et Martin et la recherche-action qu'il a poursuivie pendant les années quatre-vingt-dix (GRAND'MAISON, BARONI et GAUTHIER, 1995). Un retour plus systématique sur la signification et les conséquences des études sociologiques en Église dans les années cinquante et soixante pourrait certes apporter un nouvel éclairage sur le rôle de l'Église au moment de la Révolution tranquille.

Jacques RACINE

Faculté de théologie et de sciences religieuses,
Université Laval.

DUMONT, Fernand

1997   *Récit d'une émigration,* Montréal, Boréal.

1963   « Recherches sur les groupes religieux », *Social Compass,* /X/, 2 : 171-191.

1959   « Contexte sociologique de cette étude », *Prêtre aujourd'hui,* 9, 5 : 198-204.

GRAND'MAISON, Jacques, Lise BARONI, Jean-Marc GAUTHIER

1995   *Le défi des générations,* Montréal, Saint-Laurent, Fides.

Fernand DUMONT, *Pour la conversion de la pensée chrétienne,* Montréal, Éditions HMH, 1964, 236 p. (Constantes, 6.)

De toutes les vertus que présente le compte rendu, celle d'obtenir un avis critique d'un de ses pairs m'apparaît la plus pertinente. Or, Fernand Dumont n'étant plus de ce monde, à qui s'adresse désormais ce texte ? Et puisqu'il serait présomptueux de ma part de prétendre juger cet ouvrage en tant que « pair », à quel titre rédiger cet inusité compte rendu ? Voilà pour mon inconfort. Ce texte sera lu d'abord par les exégètes de Dumont, qui regarderont attentivement si je n'ai pas gauchi l'interprétation dominante de l'orthodoxie qui se dessine à l'horizon. Pourtant, il ne leur est pas destiné. Ni véritable compte rendu, ni hommage prenant prétexte d'un livre à résumer, ne voici donc qu'une invitation à lire ou à relire l'essai *Pour la conversion de la pensée chrétienne.*

Outre les avis ministériels, aucun ouvrage ne vieillit plus vite qu'un essai. Parce qu'il interpelle les signes des temps, l'essai se réalise dans l'action. Chez plusieurs, il est entendu comme un appel à la mobilisation : il peut tenir lieu d'assise, voire de véritable programme d'action. S'il se fane si rapidement, ce n'est pas d'avoir proposé des pistes de solutions loufoques ou idéalistes, mais d'avoir manqué de discernement et de flair, manquant, par là, la cible : celle de définir adéquatement la situation. En cela et par cela, l'essai de Dumont conserve, sinon une actualité, une jeunesse inespérée. En effet, pour qui s'intéresse au sort du christianisme et, plus largement, à celui de la religion en modernité, *Pour la conversion de la pensée chrétienne* ne manque pas de proposer de solides diagnostics et, pour le croyant, de fort pertinentes interpellations. Cela est d'autant plus remarquable que cet essai a été rédigé, morceau par morceau, au cœur de l'époque conciliaire.

Au début des années 1960, des centaines, voire des milliers d'ouvrages issus de la filière catholique de la francophonie sont publiés. La plupart portent le vœu de traduire l'esprit du second concile de Vatican. Si certains en critiquent le contenu et expriment quelque déception, la grande majorité des écrits est traversée par un optimisme débordant. Chez les plus enthousiastes, l'*aggiornamento* propulse désormais l'Église à l'avant-garde de la modernité et les réformes pastorales et liturgiques ne peuvent que raviver la participation des fidèles.

À l'optimisme, Dumont répond par l'inquiétude. À cet espoir de retrouver les foules sur le parvis de l'église, Dumont répond par une interrogation sur la profondeur de la foi. Devant ce soi-disant dépassement de la modernité, prudent, Dumont se demande si on a même un tant soit peu compris les termes d'une dialectique beaucoup plus complexe qu'on voudrait le faire croire. Et à tous ceux qui croyaient que le concile mettait un terme à la crise du catholicisme devant le monde moderne, Dumont rappelle que « la religion chrétienne est en état de crise permanente » (p. 11). Pour sortir de la crise religieuse actuelle, une voie est à privilégier, celle de la culture : il faut, affirme Dumont, que « nous liquidions cette *culture religieuse*. Il en faudra faire une exploration qui serait en même temps une psychanalyse. C'est là d'abord [...] que je situe la conversion de la pensée » (p. 58).

« Liquider la culture chrétienne » ne signifie en rien liquider le passé pour s'épancher dans l'ici et maintenant. Au contraire, pour Dumont, il s'agit de saisir la genèse de cette culture chrétienne pour en récapituler la dérive. « [...] nous devons réfléchir par récapitulation historique de la crise religieuse de manière à en saisir les sédimentations dans nos consciences d'aujourd'hui. » (P. 96.) Car là se situe tout le problème. Que faire d'un concile, que faire de toutes ces rénovations pastorales, si la conscience demeure assiégée, prisonnière d'attitudes frileuses qui contredisent les valeurs d'autonomie (p. 97), de cohérence et de consistance (p. 99) tant prêchées par les cercles d'Église ?

Comme dans le cas de sa *Genèse du Québec contemporain*, c'est ce type de démarche qui donnera à l'essai de Fernand Dumont son originalité et sa profondeur. Radical, ce regard inspiré de la psychanalyse déplace la question et resitue les enjeux. Rien ne sert de frapper sans cesse sur les structures religieuses, de critiquer l'Église ou de revendiquer haut et fort son adaptation aux besoins contemporains, si on demeure incapable de reconnaître et de qualifier les spécificités de l'expérience religieuse devant le monde moderne. « Toute initiative partielle (réforme de paroisse, modifications de la prédication, etc.) risque d'être sans portée si elle ne se situe dans un environnement plus général défini par la situation de l'homme de ce temps. » (P. 93.) Déchiré, l'homme vivant au temps de la culture ébréchée, pour emprunter l'expression de J.-J. Simard, « sent bien que les règles morales concrètes et précises qu'on lui a enseignées ne valent plus. Et on ne l'a guère habitué à recourir à ses lumières intérieures » (p. 78). Un vaste chantier s'ouvre ainsi aux croyants, celui de « Rendre la foi consciente » (p. 104), c'est-à-dire de « chercher cette intelligibilité par dialogue avec les conditions concrètes de l'existence » (p. 105). Rendre la foi consciente, précise Dumont, « C'est surtout permettre d'avoir une foi réfléchie, d'être des *majores*, sans pour cela être des théologiens » (p. 106). Vaste programme, vaste engagement qui, pour Dumont, s'imposent néanmoins avec force. Car si « nous avons connu, dans sa plénitude et dans son pourrissement, un raccord systématique ou le monde était relié *explicitement et idéologiquement* à l'Église, il ne reste aux chrétiens d'aujourd'hui qu'une autre voie possible : la présence fragmentée, contradictoire aussi, des chrétiens aux constructions aventureuses de la société actuelle » (p. 131).

S'il faut réfléchir l'expérience et rendre la foi plus consciente, tabler d'abord sur une conversion d'attitudes, la pensée chrétienne ne saurait trouver sa nouvelle vocation « si elle se sent en contradiction avec des institutions chrétiennes qui ne paraissent pas faire appel à la libre initiative de la personne » (p. 147). Pour Dumont, le procès des structures de la société chrétienne s'avère nécessaire. De Mgr Briand à Mgr Bourget en passant par les conséquences sociopolitiques de la Conquête, Dumont rappellera amèrement les jalons de ce qu'il nommera plus tard « l'institutionnalisation ». Contestable pour plusieurs historiens, et ce, à plus d'un égard, sa lecture donne néanmoins à voir l'histoire d'une dérive, du poids des jours et de l'habitude, aurait dit Bergson. Ce n'est pas tant l'autoritarisme de l'Église canadienne-française qui est mis en procès que l'incapacité de cette dernière à accueillir et à inscrire l'expérience des croyants. « Depuis des siècles, l'Église se conçoit trop unilatéralement comme la détentrice d'un *trésor* qu'elle *dispenserait* simplement au fidèle et à l'incroyant. Un trésor conservé, explicité par les théologiens [...]. Un trésor gardé par le prêtre et distribué au compte-gouttes, selon d'exactes formules. [...] C'est à ce point sans doute qu'est requise la plus difficile conversion de la pensée chrétienne. » (P. 174-175.)

Qu'on se garde cependant de croire que Fernand Dumont fait dans l'anticléricalisme. Son procès des structures de la société chrétienne est au-delà des dénonciations d'usage visant à faire porter à l'institution cléricale l'entière responsabilité de la crise que traverse le catholicisme. Si, pour Dumont, le cléricalisme doit être vivement combattu, il ne faut pas que cette lutte accapare les chrétiens au point de les aveugler : « Depuis plusieurs siècles, la critique du clergé est un passe-temps considérable dans l'Église. [...] Si elle fut, un temps, une réaction normale de santé ecclésiastique, elle s'est exaspérée au point d'être devenue le symptôme principal d'une maladie des structures de l'Église » (p. 151-152). La conversion de la pensée chrétienne, telle qu'espérée par Fernand Dumont, doit impliquer toutes les parties en cause : attitudes, engagement, structures, organisations ecclésiastique et pastorale, et « suppose [même] une conversion de la pensée tout court » (p. 206). Car, au cœur de la pensée se cachent des présupposés et des préconceptions d'un autre âge qui réifient la pensée pour elle-même et la détachent de son terreau humain. Comment penser l'incarnation si la pensée elle-même est conçue comme extérieure à l'homme et à son existence ? Comment élever l'Église au « *foyer* de la conscience historique » (p. 211), si, inconsciemment, les structures de la pensée chrétienne l'exilent loin du monde ?

« On n'a jamais fini de convertir tous les recoins de son être » (p. 132), d'affirmer Dumont. Ainsi, la démarche qui doit être entreprise par les chrétiens devant le monde actuel dépasse de loin l'adoption formelle de nouveaux contenus doctrinaux ou l'adaptation du message évangélique aux réalités de notre temps. La marque de l'authenticité, ce mot magique et passe-partout de l'époque conciliaire, ne surgira pas de cet effort entrepris par le renouveau théologique (pensons ici à l'exégèse historico-critique) pour discerner savamment le propre de la Tradition chrétienne. « Pour que s'effectue un véritable « retour aux Pères », il ne suffit pas de les commenter : il faut réapprendre à penser comme eux. » (P. 218.) Et penser comme eux, c'est penser l'Église en voie d'édification, c'est rompre avec l'ancienne façon de comprendre les liens entre l'Église, la foi et le monde. « Il y faut une autre manière de penser, une autre intention. » (P. 217.)

Pour plusieurs chrétiens « progressistes », il aura fallu près de quinze à vingt ans après la fin du concile pour remettre en question l'idéologie de la modernisation dans l'Église, pour nuancer notamment leurs lectures de la situation qui, bien souvent, tournaient autour des rapports de pouvoir. Si cet enjeu demeure toujours présent dans de nombreux cercles d'Église, il s'élargit aujourd'hui à la dimension d'une réflexion plus profonde ouvrant sur le contexte historique et social de la crise du catholicisme. Amorcée dès 1964 par Fernand Dumont, ce type de réflexion, espérant fonder « une nouvelle conscience » interpelle aujourd'hui maints chrétiens « à redescendre en deçà des prémisses pour retrouver l'inquiétude » (p. 220).

É.-Martin MEUNIER

Département de sciences religieuses,
Université Laurentienne.

Fernand DUMONT, *Le lieu de l'homme. La culture comme distance et mémoire*, Saint-Laurent, Fides, 1994 [1968, Hurtubise HMH], 264 p.

À la suggestion des responsables de la revue, le compte rendu que je propose de ce livre majeur d'un auteur « immense », selon l'expression encore récemment utilisée par un commentateur, est naïf et modeste : il est le fait d'une anthropologue, immigrante, qui n'a jamais connu l'auteur et qui, à deux ans près, est contemporaine du livre. Cette perspective m'a conduite à essayer d'évaluer le plus honnêtement possible ce que la lecture d'un tel essai, écrit il y a un peu plus de trente ans, pouvait apporter aujourd'hui tant à la formation intellectuelle des étudiants qu'à ceux qui tentent de comprendre ce qui se passe dans notre monde, dans notre présent. Je n'ai donc pas cherché à définir la place de cet ouvrage dans l'œuvre ou la pensée de Fernand Dumont, ou encore dans l'histoire de la sociologie québécoise ou de langue française, questions auxquelles bien d'autres tentent de répondre avec une grande érudition. J'ai plutôt voulu comprendre ce que ce livre pouvait nous apprendre aujourd'hui. Dans l'ensemble, mon diagnostic est « positif ».

La lecture, au sens propre, du livre a cependant été difficile au début. Après réflexion, j'ai réalisé que cette difficulté était principalement due au « genre » de cet ouvrage. En effet, c'est un texte qui a clairement et sans complexes l'ambition d'être lu comme un « grand récit », celui de l'histoire et / ou de l'« essence » de la culture humaine, ponctué par des analyses de ce qui en a fait la spécificité dans ses deux principaux « moments », la tradition et la modernité. Or, ce type de grand récit unitaire ne va plus de soi à l'époque de la « condition postmoderne » et de ses discours fragmentés, bricolés, porteurs de multiples perspectives coprésentes : les références à « l'homme », si fréquentes dans ce livre, ne font plus sens de la même façon, n'ont peut-être même plus de sens pour les lecteurs contemporains. Les récits unitaires de l'histoire de « l'homme », de ce qu'« il » est devenu, semblent témoigner d'un résidu du rêve archimédien et positiviste « de voir sans point de vue » (COLLIN, 1992) qui, bien que toujours à l'œuvre dans certaines façons de pratiquer les sciences sociales, ne peut manquer de susciter un malaise chez ceux et celles qui ont pris le virage « critique » du savoir. Même si, à l'époque où ce livre a été écrit, ce type de grand récit constituait peut-être encore l'idéal de la maturité intellectuelle, ce n'est plus le cas aujourd'hui, ne serait-ce que parce qu'il n'y a plus d'idéal unique de la maturité intellectuelle.

L'autre difficulté de lecture découle selon moi de la combinaison de l'ambition à la fois littéraire, philosophique et sociologique de ce grand récit avec un « style » spécifique qui peut être déroutant, bien que pas nécessairement désagréable. Ainsi, on sent très bien le désir de l'auteur de construire son texte sur le modèle d'une écriture très « française classique », qui évite à la perfection les répétitions, les incorrections et les redondances, qui prend le temps de s'expliquer et de se faire comprendre, qui n'hésite pas à essayer de transmettre des idées abstraites par le biais de certains effets littéraires (entre autres, le couple événement-avènement). Cet idéal classique, qui est parfois mêlé à un lyrisme touchant, me semble bien loin de l'écriture « experte », rapide, souvent technique, qui est, entre autres, le lot des chercheurs condamnés à « publier ou périr » et à laquelle nous nous habituons de plus en plus, du moins en Amérique du Nord. La dimension philosophique de ce livre me paraît également très « stylisée », pour reprendre une des principales notions de l'ouvrage, et non conventionnelle. En effet, les citations philosophiques utilisées par Dumont ne lui servent pas, en général, à entrer dans tel ou tel débat philosophique classique afin d'y prendre position, mais l'aident à illustrer ou à appuyer son propos, dans un esprit pédagogique et non technique qui me semble plus rare aujourd'hui dans les textes philosophiques (à l'exception de RICŒUR, 2000). Cette démarche me semble être davantage un signe de liberté d'esprit qu'une manière élégante de manifester son érudition. Finalement, si la dimension socio-logique de cet essai me paraît plus proche des normes actuelles d'écriture, j'ai été agréablement surprise par les appels fréquents de l'auteur à la littérature ethno-graphique de son époque, qui témoignent ainsi d'une réelle culture anthropolo-gique peu fréquente dans les textes sociologiques contemporains (selon mon expérience de lectrice). Toutefois, une telle utilisation de l'ethnographie à notre époque poserait de nombreux problèmes ; on peut même dire qu'elle ne serait plus acceptable sans être accompagnée d'une multitude de nuances et de réserves. En effet, la critique dite postmoderne du savoir anthropologique (CLIFFORD et MARCUS, 1986, entre autres) nous a appris à nous méfier des récits ethnographiques décrivant des « cultures » traditionnelles sans temps et sans histoire, harmonieuses et consensuelles, illustration parfaite de la « tradition » que l'on veut opposer à la « modernité » occidentale et urbaine.

Or, à l'exception de plusieurs passages, notamment dans le dernier chapitre, ce thème du « grand partage » (LATOUR 1983) entre tradition et modernité apparaît comme une des principales lignes de fond de cet ouvrage. Il y aurait ainsi d'un côté les sociétés traditionnelles, qu'elles soient anciennes et disparues ou contemporaines et exotiques et dans lesquelles aurait régné ou règnerait « l'unanimité des valeurs, *jadis* traduites en un discours culturel cohérent » (p. 44 ; je souligne) ; ces sociétés symboliseraient ainsi l'unanimité traditionnelle, garante de l'ordre symbolique, qui est « nécessaire aux collectivités » (p. 166), à leur existence même. Et il y aurait le monde moderne, déstructuré, « disloqué », « historique » (p. 239), habité non plus par des collectivités unies dans un système de croyances partagées, mais par des « individus, chacun recommençant de tisser à neuf le fil du destin » (p. 40) au prix de la « rupture » de la parole sacrée et de l'unanimité des jugements, au risque de l'impossibilité du lien social : on retrouve ici le thème désormais bien connu de la modernité déconstructrice des traditions qui cherche à les remplacer par l'Organisation et la Science. Plusieurs diront que l'exacerbation de ce mouvement aura ensuite engendré notre postmodernité.

Il me semble que cette grande opposition, peut-être séduisante dans un univers intellectuel alors dominé en grande partie par le structuralisme, ne va plus de soi, notamment la référence à des sociétés traditionnelles « unanimes ». De nombreuses analyses, notamment féministes, ont bien montré que dans ces sociétés décrites par l'ethnographie classique comme consensuelles sur le plan des valeurs, des rapports de forces étaient à l'œuvre autant dans l'univers symbolique que dans celui des pratiques politiques, si bien que ce fameux « ordre » ancien n'apparaît plus aussi ordonné et cohérent aux chercheurs désormais plus attentifs à la diversité des points de vue. Par ailleurs, l'emploi récurrent que fait Dumont du terme « *jadis* » pour faire référence à cet ordre supposé, ou encore à « l'homme » en général, me semble dépourvu de la rigueur caractéristique du reste de ce livre : s'agit-il d'une référence à une époque ou à des sociétés précises ou d'une évocation de l'« essence » de l'humanité, associée à un symptôme de nostalgie ? Ce mélange des perspectives historique et philosophique ne court-il pas le risque de la confusion ?

Embarrassée par ce thème, j'ai en revanche été tout à fait intéressée par la seconde ligne de fond de ce livre, selon moi bien plus féconde et pertinente pour des lecteurs contemporains, à savoir le thème de la réflexivité, que Dumont explore et analyse avec une grande clarté à travers ses réflexions sur le langage, l'art, la science, la consommation culturelle, la vie quotidienne, le rapport à soi, etc., dans les différents chapitres du livre. À noter qu'il n'utilise pas exclusivement le terme très contemporain de « réflexivité », mais qu'il le mentionne régulièrement, par exemple à la page 114. Selon lui, la réflexivité comme activité ou mouvement de la conscience, qu'il s'agisse de la conscience individuelle ou d'une conscience plus collective, est au fondement de notre humanité. Cette notion recouvre à la fois l'idée d'une prise de distance toujours à recommencer face à notre culture « première », c'est-à-dire face aux significations spontanées qui accompagnent notre socialisation individuelle ou collective, et l'idée de la constitution d'une « culture seconde », « réfléchie » (p. 173), incarnée dans des objets ou dans des pratiques, qui permet de donner un sens à l'immédiateté de nos expériences empiriques : « ce dédoublement qui est le mouvement constant de la culture [...] [est la] stratégie par laquelle la conscience se fissure et pour se transcender se délègue en de nouveaux objets » (p. 87). Autrement dit, la réflexivité est marquée par une tension constante entre la « vie spontanée », brute et immédiate, et la nécessité d'une distance permettant de re-présenter et de comprendre cette dernière, de lui donner un sens. Dans le cas des collectivités, ce dédoublement conduit les sociétés à se donner des valeurs ou des « raisons communes », ainsi qu'une histoire partagée, dotée d'un sens : « la culture est ce dans quoi l'homme est un être historique et ce par quoi son histoire tâche d'avoir un sens » (p. 227). Ce dédoublement est aussi à l'origine de l'idée de subjec-tivité : c'est la « dislocation des premières totalités de l'existence et de la réflexion qui a rendu possible l'avènement de la personne. C'est en prenant distance vis-à-vis de la nature et du social, en s'opposant à l'un et à l'autre, que l'homme a reconnu l'abîme de sa subjectivité » (p. 132) ; on retrouve ici le thème de la construction narrative du sujet réflexif repris entre autres dans RICŒUR (1990).

Ce qui est remarquable dans ces analyses (et qui « rachète » la référence au grand partage), c'est que, selon Dumont, cette réflexivité est commune à toutes les sociétés puisqu'elle est la marque de la culture, du « lieu de l'homme » sans laquelle les sociétés ne seraient pas humanisées : les Nuer africains comme les nobles du théâtre cornélien sont aux prises avec la nécessité de ce dédoublement de perspec-tive sur leur univers sans lequel il n'y aurait plus « sens », « signification », « culture partagée », collectivité, lien social. Mais bien sûr, à l'intérieur de ce dédoublement, toutes sortes de « cultures », d'univers de sens, sont possibles, plus ou moins cohérentes, plus ou moins fragmentaires, plus ou moins fracturées. Tradition et modernité se rejoignent ainsi, formant au moins « deux » réponses possibles à cette condition de notre humanité.

La plupart des descriptions du monde moderne qui accompagnent ces réflexions sont tout à fait réjouissantes de perspicacité et parfois d'ironie et valent la peine d'être lues ou relues. Je pense par exemple à cette définition de la science comme « progrès de la conscience critique [...], progrès réflexif » (p. 129) : une définition que les dirigeants actuels des universités, les organismes subvention-naires et les auteurs de contrats de performance semblent avoir oubliée... Les pages qui portent sur la science rappellent aussi très clairement le prix à payer pour une connaissance dominée par la technique et la rationalisation qui impose, par exem-ple, que l'« on dépouille [le travailleur] de l'information pour la remettre aux spécialistes du bureau d'étude » (p. 125). Cette emprise de l'expert et de ses compétences sur le monde qu'identifiait ainsi Dumont est de plus en plus marquée à notre époque de « réflexivité institutionnelle » (GIDDENS, 1987), idée que Dumont décrivait déjà de la manière suivante : « en revenant à la société, par la voie de l'application, la science la bouleverse fatalement. Mais elle se trouve ainsi mise en procès ». En effet, « mise au service de nouveaux pouvoirs, la science a bien réussi à changer la vie, mais à la condition que la plupart des hommes en soient dépossédés » (p. 260). Malheureusement, les importants débats éthiques et politiques impliqués par le techno-scientisme irréductible de notre époque restent encore bien souvent esquivés par les praticiens de la science eux-mêmes.

Très juste aussi apparaît son diagnostic selon lequel, en 1968, nous entrions dans l'« âge cybernétique » basé sur la notion d'information et impliquant un « renversement radical de la conception de la connaissance technique par rapport aux idées traditionnelles » (p. 122) ; cela semble particulièrement pertinent à l'aune des slogans contemporains sur la nouvelle « économie du savoir ». J'ai aussi aimé lire son analyse de l'« Organisation » productrice d'une culture inauthentique, potentiellement destructrice du « moi » et de sa liberté : est-ce qu'on ne retrouve pas là un des thèmes désormais classiques de la critique politique de la postmodernité et de ses acteurs-consommateurs épuisés par leur quête de bonheur à faible coût ? À se demander si la postmodernité n'a pas commencé en 1968... Sans forcément endosser la nostalgie sous-jacente à ces analyses critiques, ni même le recours à la notion passe-partout de « crise » pour décrire le désenchantement de l'auteur devant la place grandissante de la culture de masse organisée et fonctionnelle dans la conscience moderne, on ne peut qu'apprécier ce regard critique, y compris sur les intellectuels frustrés de ne pas être au pouvoir ou sur les efforts du pouvoir pour devenir « une sorte de monopole de la connaissance » (p. 173).

Le dernier chapitre est très intéressant, ne serait-ce que parce qu'il constate que « la culture moderne ne peut donc pas être définie purement et simplement à l'opposé de la culture traditionnelle » (p. 247) : Dumont estime plutôt que les traditions devraient toujours faire partie du présent et de l'avenir des sociétés modernes, car c'est en elles que se sont constituées les valeurs ou les raisons communes qui cimentent le désir des membres d'une collectivité de vivre ensemble. Mais dans cet effort pour introduire la dimension historique dans sa réflexion sur l'« essence » de l'humanité, j'entends aussi Fernand Dumont, citoyen québécois des années 1960, conscient que sa société est en train de vivre une « révolution tranquille » incontournable vers « la » modernité, et soucieux que la mémoire collective ne soit pas détruite pour autant, que les traditions au fondement du lien social ne soient pas complètement rejetées ou déconstruites dans ce qui devait apparaître comme un formidable changement. C'est là une autre des richesses de ce livre.

Florence PIRON

CLIFFORD, James et George MARCUS (dirs)

1986   *Writing Culture. The Poetics and Politics of Ethnography*, Berkeley, University of California Press.

LATOUR, Bruno

1983   « Comment redistribuer le grand partage ? », *Revue de synthèse des sciences humaines*, 110 : 203-236.

COLLIN, Françoise

1992   « Praxis de la différence. Notes sur le tragique du sujet », *Les Cahiers du Grif*, 46 :
         125-141.

GIDDENS, Anthony

1987   *La constitution de la société*, Paris, Presses Universitaires de France.

RICOEUR, Paul

1990   *Soi-même comme un autre*, Paris, Le Seuil.

2000   *La mémoire, l'histoire, l'oubli*, Paris, Le Seuil.

Fernand DUMONT, *La vigile du Québec. Octobre 1970 : l'impasse*, Montréal, Hurtubise
    HMH, 1971, 234 p.

Ce recueil se compose de treize textes, rédigés entre 1958 et 1970, dont un seul
inédit qui porte sur la crise d'octobre. Les autres textes proviennent de conférences,
de communications et d'articles publiés dans des journaux ou des revues. L'auteur
s'adresse à un vaste public au-delà du cercle des universitaires : les membres des
sociétés nationales, du mouvement coopératif et de divers organismes sociaux, les
lecteurs du journal *Le Devoir*, du *Monde diplomatique*, des revues *Maintenant* et *Esprit*.
Comme il l'indique dans une brève introduction, c'est l'engagement qui donne une
cohésion à ces textes où il essaie de réconcilier la théorie et la poésie, la raison et les
sentiments. L'ouvrage montre bien, en effet, l'interdépendance de la pensée
sociologique et de la conviction morale et politique dans l'œuvre de Fernand
Dumont.

Les propos de *La vigile du Québec* se situent dans le contexte d'une décennie
profondément marquée par la Révolution tranquille dont l'auteur s'efforce de
dégager la signification en regard du passé, du présent et de l'avenir de la société
québécoise, « notre » société comme il se plaît à l'écrire. Selon lui, la Révolution
tranquille trouve ses origines les plus lointaines dans les grands bouleversements
économiques et sociaux que provoquent l'industrialisation et l'urbanisation à partir
du début du XXᵉ siècle : l'ébranlement des modes de vie traditionnels, la montée de
la classe ouvrière et du syndicalisme, l'évidement progressif des systèmes idéologiques qui ont défini la collectivité. Ainsi la Révolution tranquille se présente-t-elle
d'abord comme « la fin d'un monde », un refus, une rupture. Elle s'enracine
toutefois dans « une histoire de la liberté » (p. 43) dont elle assure la continuité.
Cette liberté fut portée par le discours de la critique sociale émanant du syndicalisme mais également, à chaque génération, de la pensée de certains intellectuels,
politiciens ou ecclésiastiques nationalistes, une pensée « attentive au sort des
pauvres et des petits » jusqu'à « concevoir le rêve d'une société égalitaire » (p. 133).

L'avenir de la Révolution tranquille, selon Fernand Dumont, passe par la
reprise et la reformulation dans un nouveau projet collectif des valeurs et des

idéaux de cette double tradition libertaire ; tel est le fil conducteur de sa démarche. Pour lui, le moment présent, celui d'où il écrit, représente le « point médian » entre le passé et l'avenir, l'instant crucial où s'impose la nécessité d'un choix de société. La Révolution tranquille a renouvelé l'État québécois et la fonction publique, elle a amorcé des réformes qui sont autant de moyens d'agir en vue de fins collectives mais elle n'est pas parvenue à définir ces fins. Pourtant, l'effervescence sociale suscitée par la révolution a fait surgir du sein des classes populaires de nouveaux leaders qui expriment des besoins et des aspirations longtemps refoulés. La révolution a levé la censure de la parole, elle a permis à tout un peuple de s'exprimer enfin dans la poésie ou le discours politique. En ce sens, la révolution est culturelle mais elle n'est que cela ; les grandes transformations économiques et politiques restent encore à faire. De cette analyse de la Révolution tranquille, l'auteur conclut en effet que la parole n'a pas trouvé à s'incarner, à se réaliser dans une société originale dont l'idéal pourrait rallier tous les groupes porteurs de projets nouveaux. « L'idéal de la prospérité et de la croissance est insuffisant » (p. 129), il faut un projet de société, un rêve collectif, une nouvelle culture pour assurer au Québec, au peuple canadien-français ce que l'auteur définit comme une « nouvelle survivance », une nouvelle « manière de durer », un « destin ».

L'indépendance au Québec et le socialisme formeraient l'assise de ce projet auquel le peuple devrait donner un contenu. Pour enclencher ce processus, Fernand Dumont mise sur une alliance entre les « nouveaux technocrates » de l'État québécois, porteurs de la technique et de la rationalité, et les « nouvelles élites sociales », ces leaders des mouvements populaires – syndicats, coopératives, comités de citoyens, associations étudiantes – qui expriment la parole, le rêve, les valeurs d'une forme communautaire de la vie en société. Sans cette communauté sociale, « il n'est pas de cité politique » (p. 202), elle est « le terreau [...] des projets politiques » (p. 201). Au cours de son histoire, la société canadienne-française a trouvé cette communauté dans l'ancien nationalisme dont le catholicisme était l'ossature. Le néo-nationalisme a besoin de retrouver cette communauté et de la redéfinir. Son projet collectif doit s'ancrer dans ce que la tradition catholique et nationaliste a laissé de meilleur : « le perpétuel appel à un sens de la vie en commun » (p. 153), l'utopie, l'idéal égalitaire. Pour créer le consensus, unifier les forces vives de la nation, ce projet doit comporter un modèle de développement économique aussi bien qu'un modèle de développement culturel et moral. C'est ce dernier surtout qui nous a manqué, selon l'auteur, depuis que la Révolution tranquille a balayé, avec la religion et le nationalisme traditionnel, « nos raisons de vivre ensemble ». Cependant, le nationalisme a trop souvent masqué les problèmes d'inégalité sociale. Aussi, dans ce « combat en vue d'une communauté plus profonde » (p. 56), « ce n'est plus à l'Anglais mais à notre système de classes sociales que nous devrons nous attaquer. [...] Il faut que la nation devienne celle de tous » (p. 55). Dès lors, indépendance et socialisme se révèlent indissociables, ils véhiculent et permettent de définir les mêmes valeurs, qui « dépassent le champ strict de la politique » (p. 87). Cependant, l'auteur souligne avec insistance que le socialisme doit être adapté aux conditions qui sont propres aux Canadiens français, « une nation prolétarienne » qui n'a jamais connu « les tentations de la grande richesse ni une grande bourgeoisie capitaliste » (p. 134). En effet, selon Fernand Dumont, c'est « de l'extérieur » que le capitalisme a défini la nation. On se gardera par conséquent d'appliquer au Québec ces langages et ces modèles « importés » que sont le libéralisme, celui des libertés individuelles formelles et abstraites, et le marxisme d'extrême gauche. Le discours culturel doit venir de « nous », la crise d'octobre 1970 l'a bien montré qui a tenu en otage toute une société au nom de ces deux idéologies également dépassées.

Aux yeux de Fernand Dumont, cette crise d'octobre est essentiellement un symbole de l'inachèvement de la Révolution tranquille dont les conséquences ont pris une forme dramatique. Ces rêves longtemps refoulés qui ont circulé librement au cours des années 1960 « se sont tous engouffrés dans une impasse » (p. 177). En effet, au cours de cette décennie, l'évolution de la société a été trop rapide, chaotique et surtout elle n'a pas été assumée, on n'a pris la mesure ni des espoirs suscités par cette évolution, ni des rancœurs accumulées, des conflits demeurés obscurs. De ce point de vue, les événements qui ont donné naissance à la crise n'auront été que le prétexte à un bilan collectif. L'auteur conclut de ce bilan, encore une fois, que « c'est notre culture qui nous a fait défaut à l'heure de la tragédie » (p. 183), la parole collective qui a révélé sa précarité, laissant apparaître au grand jour l'incapacité à maîtriser la situation collective. En d'autres termes, la crise a révélé l'absence, au Québec et au Canada, d'une véritable communauté politique au sein de laquelle le conflit et la contestation pourraient s'exprimer. En effet, depuis 1960, on n'a pas fait place à l'indépendance comme parole légitime. M. Trudeau et ses émules n'ont pas su sauvegarder le climat de pluralisme et de démocratie dans la vie publique. « Le pouvoir légitime a donné l'impression d'être une faction comme une autre » (p. 196) ; « on a choisi à notre place » (p. 13). Après octobre 1970, les rêves sont retournés dans la clandestinité, ceux des indépendantistes, ceux des différents groupes de marginaux qui ont créé de « nouvelles formes de pouvoir » en milieu populaire, les rêves des étudiants contestataires, ceux de la jeunesse hippie. Tous ceux-là finissent cependant par former une « société en marge » sans cesse grandissante. L'impasse pourrait bien alors se transformer en son contraire et ouvrir la voie d'un avenir meilleur. En 1970, Fernand Dumont croit que des conditions révolutionnaires existent en Occident. Dans ce contexte, le Québec jouit selon lui d'un statut privilégié. Il représente un « microcosme », un « laboratoire », une « société expérimentale » où pourraient être créés un nouveau genre de vie, de nouvelles relations sociales et un nouveau rapport à l'environnement, bref, un modèle inédit de développement fondé sur « les valeurs de l'avenir ». Mais les valeurs, pour l'auteur, ne sont jamais vraiment nouvelles, elles sourdent toujours de la tradition. L'indépendance sera donc « une conjugaison, pour ici, de la créativité et du souvenir » (p. 233) et elle prendra le visage d'un « socialisme de fabrication domestique » que l'auteur définit comme l'invention d'une « démocratie originale à partir de [notre] petitesse » (p. 233).

Les textes de *La vigile du Québec* ont vieilli parce qu'ils sont étroitement liés à une conjoncture dont les données ont profondément changé. La relecture de cet ouvrage n'en est pas moins intéressante pour autant. Il fait revivre l'époque de la Révolution tranquille en privilégiant les forces de contestation les plus radicales, celles qui se sont organisées au sein du mouvement populaire et dont l'historiographie de cette période a peut-être minimisé l'importance. Force est de constater que ce que Fernand Dumont appelle le rêve se trouve pratiquement banni désormais du discours sur la société. L'ouvrage est également représentatif d'une étape de la longue et laborieuse démarche de réflexion sur la question nationale au Québec. L'étape de l'innocence, oserait-on dire, dont témoignent ces pronoms et ces adverbes possessifs qui émaillent le texte : nous, notre pays, notre société, notre peuple, notre culture, nos classes, nos institutions, notre conscience collective, notre projet... Au cours des années 1960, la nation s'impose par son caractère d'évidence. Pour Fernand Dumont, elle est canadienne-française mais elle s'épanouit d'une manière privilégiée dans la société québécoise, pourvue d'un État national. Cette nation canadienne-française se distingue clairement de la nation canadienne-anglaise. Les communautés et les groupes identitaires ne se manifesteront que bien plus tard, ce qui aura d'ailleurs pour effet de rendre la question nationale inextricable. À l'époque de *La vigile du Québec*, les classes sociales occupent le devant de la scène ; plusieurs textes du recueil portent la marque des vives controverses théoriques et politiques sur le rapport entre les classes et la nation, la primauté de l'indépendance ou celle du socialisme, des questions qui ont peu à peu sombré dans l'oubli. En revanche, le thème du recueil qui conserve toute son actualité est celui que l'auteur a repris, vingt-cinq ans plus tard, dans *Raisons communes* : la recherche du sens de la vie en société dans le partage de valeurs communautaires qui orienteraient les choix politiques. Dans cet ouvrage, un de ses derniers, Fernand Dumont s'interroge de nouveau sur la Révolution tranquille et sur les années de « grisaille » et « d'impuissance » qui ont suivi. Il réaffirme la nécessité de reformuler des idéaux qui donneraient corps à une société québécoise souveraine et égalitaire. Dans *Raisons communes*, ce projet comporte « la construction d'une cité politique, l'édification d'une culture et le renouveau d'une démocratie sociale » (DUMONT, 1997, p. 31). Cette problématique rejoint les préoccupations actuelles de plusieurs intellectuels, au Québec et ailleurs. En général, ceux-ci s'inspirent cependant d'une conception libérale de la société et du politique, contrairement à Fernand Dumont, il faut le souligner. Celui-ci s'est toujours situé dans le prolongement de la pensée sociale catholique de l'après-guerre, à une certaine distance du libéralisme et à l'opposé du marxisme. L'accent évangélique de certains de ses propos politiques en témoigne. Le salut est annoncé aux pauvres et aux petits dont « nous » faisions partie, du moins dans son esprit.

Nicole LAURIN

Département de sociologie,
Université de Montréal.

DUMONT, Fernand

1997   *Raisons communes*, Montréal, Boréal.

Fernand DUMONT, *Chantiers. Essais sur la pratique des sciences de l'homme*, Montréal, Hurtubise HMH, 1973, 253 p.

On s'entend généralement assez bien sur les qualités de l'œuvre de Fernand Dumont pour ne pas avoir à y revenir ici outre mesure ; de la poésie ou de la littérature à la sociologie, de l'épistémologie à la réflexion théologique, en passant par l'historiographie, chacun de ces domaines d'expressions et d'études de la société québécoise s'est vu marqué de son empreinte, ce qui est suffisant pour en montrer également l'ampleur. C'est en revanche précisément dans cet entrelacs que logent à mon sens toutes les ambiguïtés de cette œuvre, relevant essentiellement de l'ambivalence dont elle n'est jamais parvenue à se départir. On pourrait voir là une sensibilité toute attentive à préserver des nuances analytiques si précieuses pour saisir la vitalité des processus sociaux complexes ; je préfère pour ma part y déceler des hésitations d'une démarche dialectique jamais menée complètement à terme – quitte à rompre ainsi le *charme* et l'*autorité* que continue d'exercer l'expression dumontienne, elle-même en apparence soucieuse avant tout de préserver une idéologie qu'elle croyait nécessaire à la tâche pratiquement métaphysique à laquelle elle s'est finalement vouée.

Les essais regroupés dans l'ouvrage *Chantiers*, écrits entre 1958 et 1970, sont exemplaires à cet égard, puisqu'ils balisent l'itinéraire passé et à venir d'une œuvre alors en pleine élaboration ; l'avantage que l'on tire de cette relecture aujourd'hui est ainsi de pouvoir constater les « défauts de construction » que cette œuvre contenait dès son origine, et qui se sont confirmés pour ainsi dire dans les monographies réalisées par Dumont – je pense plus particulièrement ici à sa *Genèse de la société québécoise*, en tant qu'*opus magnum*. L'ensemble de *Chantiers* se lit ainsi autant comme le programme de l'œuvre à venir que comme l'armature essentielle de cette œuvre, puisque tous les domaines de préoccupation de Dumont y sont présents. Et si les quatre parties de l'ouvrage contiennent des essais qui pourraient paraître relativement hétérogènes (allant de la sociologie de la littérature à la critique de l'historiographie, et de l'épistémologie à l'« engagement » de la sociologie), elles se tiennent pourtant au contraire rigoureusement dans le projet d'ensemble qui a guidé cette préoccupation pendant près d'un demi-siècle.

Le regard porté sur la littérature par la sociologie, dans le premier essai (*La sociologie comme critique de la littérature* – apparaissant en cette première partie de l'ouvrage titrée très éloquemment *Le commencement et la fin* ...), est emblématique des restrictions qui viendront marquer son utilisation ultérieure dans l'analyse concrète de la situation canadienne-française du XIXᵉ siècle. Si Dumont s'est intéressé au fait littéraire, au demeurant dans une perspective très stimulante d'inspiration phénoménologique, en appréhendant son développement en tant que forme symbolique (p. 36-38), ce sera pour constater que dans le contexte de la littérature moderne, et plus spécifiquement dans celui du romantisme qui apparaît à partir du premier quart du XIXᵉ siècle, « la subjectivité n'a plus de répondant objectif, [et qu']elle est condamnée à s'en former des substituts disparates » (p. 40). Or curieusement, lorsque le regard se portera dans un essai ultérieur sur la littérature canadienne-française des années 1840, dans l'examen des œuvres romanesques et poétiques des Gérin-Lajoie, Chauveau ou Crémazie (p. 101-107), ce principe sera en quelque sorte inversé pour tomber dans l'interprétation de la participation de telles expressions à la formulation idéologique comprise simplement comme relais objectif de la trajectoire du nationalisme réfléchissant de manière tout à fait positive l'« être canadien-français » ; dans l'intervalle, on aura compris que le statut fictionnel de la production poétique a été avalisé dans le sens qu'elle donnait elle-même apparemment à son expression, sans que l'on ne puisse interroger davantage son fondement épistémique, puisque ce dernier trouve d'ailleurs un écho... dans l'historiographie également naissante du Canada français (chez F.-X. Garneau en particulier). Dès lors cette dernière n'aura pas, elle non plus, à être comprise sous l'angle de « production historique d'un récit » – ce qu'elle est pourtant – et son statut idéologique se perdra dans la confusion avec la « réalité » du cas canadien-français qu'elle relate. Cette distorsion dans les visées analytiques de Dumont est d'autant plus surprenante, peut-on penser, qu'elle loge au sein d'une entreprise qui tient à envisager de façon très rigoureuse le développement des concepts dans le travail sociologique. Mais c'est qu'elle dessine en fait une orientation sociologique qui fera de l'historiographie une ressource au service de la préservation de l'idéologie – au détriment d'une démarche sachant faire jouer, à l'inverse, l'historiographie *contre* l'idéologie.

Trois essais principalement servent à camper cette position (*La fonction sociale de la science historique, Idéologie et savoir historique, De l'idéologie à l'historiographie : le cas canadien-français*), qui devient ainsi la source de la préservation idéologique à laquelle aboutit l'analyse sociologique appliquée de Dumont. Après avoir rappelé que l'histoire se conçoit essentiellement dans sa capacité à « sauver le singulier, l'événement », et que tout en donnant un sens à la distance historique elle la reconstitue et la réduit tout à la fois (p. 51, 59), Dumont insiste pour situer le rapport entre l'idéologie et l'historiographie dans « le jeu de la réciprocité et de la distance entre les situations présentes et les situations passées » (p. 82). S'il y a un écart dans ce rapport, il se tient tout entier dans la capacité de l'historiographie à se définir, au travers même de l'idéologie, par un « mécanisme de contestation » surgi de l'exigence de rationalisation des « faits du passé », ces derniers apparaissant au demeurant « irréductibles » comme faits, et fondant dès lors l'objectivité de la démarche historiographique (p. 82-83). L'historiographie « se distingue ainsi timidement des autres idéologies » (p. 83), et cette distance réduite permet avant tout, du moins peut-on le croire, de situer un horizon de recherche à l'écart des généralisations historiques qui paraissent niveler la spécificité des cas à l'étude. Ce serait surtout cela qui importe, en fin de compte, puisque tout l'intérêt à l'égard du « cas canadien-français » apparaît dans sa spécificité irréductible (née du fait de la Conquête et de ses suites...), telle qu'elle sera même érigée en « destin » de la société canadienne-française (p. 86) au travers d'une historiographie capable d'apparaître comme idéologie pleinement légitime (sinon comme « exception historique »...) ; la définition de la nation étant du ressort de l'idéologie, qui devient « théorie vécue » (p. 87, le souligné est de Dumont), elle appartient autant aux groupes particuliers à l'intérieur d'une structure de pouvoir qu'à l'historien. Au Canada français, c'est à l'historiographie de François-Xavier Garneau qu'il revient d'avoir particulièrement œuvré dans ce sens, et d'avoir participé à l'édification du nationalisme canadien-français qui « provient de l'échec de la rébellion de 1837 et, par-delà, de l'échec de l'idéologie bourgeoise » (p. 101). Garneau aura donc, aux yeux de Dumont, mené à terme un processus général « qui mène d'une structure sociale à l'émergence d'une historiographie qui lui offre une *conscience nationale* (p. 114, italiques originales). Dans cette voie, Garneau « opère une transmutation décisive : ce qui jusqu'alors, dans les idéologies bourgeoises, était liberté constitutionnelle ou liberté politique, il le traduit en termes de liberté du peuple », alors que ce dernier terme trouve aux yeux de Dumont cette interprétation : « Pour [Garneau], le peuple, c'est la race, la liberté dont il parle c'est celle de la nation. C'est par cette voie que Garneau a transmué, sans apparente césure, la conscience bourgeoise de son temps en conscience nationale » (p. 113). C'est ici que loge, on le sait, toute la signification que Dumont donnera par la suite à la constitution de l'identité canadienne-française dans la société québécoise. Le relais qu'il établit à l'égard de cette idéologie canadienne-française décelée chez Garneau aura ainsi pour conséquence deux aveuglements majeurs à l'égard de l'historiographie et de l'idéologie – que l'on peut situer respectivement comme l'en-deçà et l'au-delà de la période sociohistorique dont il tire son modèle d'interprétation sociologique. Je reviendrai plus loin sur l'« en-deçà » en question, pour m'attarder ici brièvement plutôt à l'« au-delà », que Dumont ne parviendra pas réellement à situer, et cela même en dépit du fait qu'il le perçoive très clairement.

Cet « au-delà » sociohistorique de l'idéologie canadienne-française, saisi analytiquement au travers de l'historiographie, est abordé dans l'essai portant sur *L'étude systématique d'une société globale*. Ici, après avoir convenu des difficultés, posées tant à l'idéologie qu'à l'historiographie ou à la sociologie, de la qualification du passage de société *canadienne* à société *canadienne-française* et à société *québécoise* (p. 118), Dumont revient sur les questions de l'historiographie du Canada français, en soulignant notamment la carence d'études historiques régionales permettant de jeter un éclairage plus complet sur les nuances qu'elles seraient susceptibles d'apporter à l'interprétation de l'évolution sociohistorique. Il note également que deux phénomènes majeurs du XXe siècle, conjoints de surcroît, soit l'industrialisation et l'urbanisation, demeurent largement méconnus dans leurs apports aux transformations sociales (et idéologiques) du Québec contemporain ; sur ce point, Dumont choisit alors une orientation tout à fait stupéfiante, en jugeant que : « Ce n'est d'ailleurs pas dans cette direction qu'il faut chercher d'abord, à mon sens, la voie d'une sociologie de notre milieu » (p. 133). Une fois ces deux phénomènes retenus dans l'ombre de la réflexion (ce qui lui permet aussi au passage de congédier l'idéologie de l'« ouvriérisme »), il sera en effet plus facile de préserver la constitution idéologique de l'identité canadienne-française dans sa définition originale – et cela même si la constitution, tout aussi idéologique par ailleurs, et non moins sociohistorique, de l'identité québécoise s'appuie à l'évidence sur d'autres bases, plus inclusives notamment des développements du XXe siècle.

Conformément à cet aveuglement, les deux essais suivants (*Idéologie et sociologie de l'école, Le christianisme et la problématique d'une science de la religion*) repèrent des thématiques plus facilement identifiables au contexte idéologique « traditionnel » envisagé, sans risquer de voir comment ces domaines auraient pu apparaître comme étant par exemple situés relativement en porte-à-faux par rapport au développement d'ensemble de la société. Le dernier essai de cette partie, *Du sociologisme à la crise des fondements en sociologie*, apporte enfin quelques arguments qui préviennent la démarche de sortir des ornières où elle a choisi de s'enfermer ; après avoir souligné le manque de recherches empiriques, en relevant toutefois qu'à ce stade, aussi, se trouve l'urgence pour la sociologie de se rapprocher des questionnements de l'épistémologie (p. 199-200), Dumont marque une ferme résistance à l'endroit de la phénoménologie, présentant celle-ci comme étant « d'abord une exploration de l'univers d'avant la science, [qui] se situe en deçà (ou au-delà, comme on voudra) de nos problèmes » (p. 203). Cette résistance est d'autant plus néfaste, à mon sens, qu'elle joue chez Dumont à la faveur de véritables partis pris pour un questionnement dans l'horizon de la théologie, d'un côté, et d'un « enracinement » dans la « pensée commune », de l'autre, là où on aurait justement pu bénéficier d'une réflexion visant à prendre une distance réflexive critique définitive vis-à-vis de ces déterminations somme toute elles aussi... « traditionnelles ». Mais on aura compris que nous touchons ici les limites de la pensée de Fernand Dumont.

Les trois essais qui clôturent l'ouvrage, *La référence aux valeurs dans les sciences de l'homme*, *Droit et utopie : la Déclaration des droits de l'homme*, et *Remarques sur l'enseignement de la philosophie*, scellent définitivement la réflexion dans ce qu'elle s'est donné comme plan de développement. Après avoir envisagé comment les difficultés de la sociologie rappelleraient l'idée que, pour elle, « le positivisme représente un idéal valable » (p. 213), et comment une épistémologie « intempérante » et « hâtive » voulant remédier à cela menacerait d'aller unilatéralement du côté de la phénoménologie (p. 215, 224), Dumont s'arrête à l'idée de la complémentarité de ces approches, en proposant en quelque sorte cet entre-deux comme « solution de l'irrésolution », dirais-je à la manière d'un oxymoron. On voit donc ici comment l'effort d'une réflexion à caractère dialectique bute de nouveau sur la question de ses fondements, et comment, pour l'entreprise scientifique en général, c'est bien « l'insertion de la conscience morale dans l'histoire » qui pose véritablement problème (p. 239). La question, constamment reprise, se formule comme une espèce de destin qui fait que « nous sommes condamnés à chercher plus au fond la continuité d'un héritage moral qui se trouvait naguère en surface, dans des coutumes et des traditions concrètes », et que, « [e]n deçà des règles, nous devons retrouver sans cesse les intentions pérennes qui les ont provoquées et qui les soutiennent » (p. 241), et cette question rejoint donc autant les orientations d'ensemble de la société (son idéologie donc) que le projet de la connaissance (sociologique ou autre). Au moment de conseiller l'enseignement de la philosophie à cet égard, Dumont reprendra l'idée, devenue alors pour lui fondamentale, de cet engagement de la réflexion dans le sens de la préservation d'une « tradition culturelle » ; dans ses propres mots : « Si la culture ne constitue plus une totalité concrète, si elle est désarticulée, c'est aussi la conscience du devenir historique et du devenir personnel qui est menacée. Cette conscience ne peut trouver cohésion que dans un en-deçà, dans une prise de distance vis-à-vis les *produits* culturels. [...] Ce qui ne va pas sans une certaine conception de la *tradition* [...] » (p. 251-252, italiques originales).

Comme l'« en-deçà » a été exposé à la faveur de la constitution de l'identité canadienne-française, dans ses déterminations idéologiques spécifiques et son horizon particulier, on voit donc s'affirmer une fois de plus ici son contenu devenu le socle indéfectible de la réflexion. Mais on voit également ce qui est masqué de cette manière : c'est tout le contenu d'une possible ré-interprétation de la tradition culturelle de la société québécoise qui irait justement « en deçà » de la période privilégiée par Dumont, pour envisager par exemple comment l'aventure coloniale française et sa rencontre avec les cultures autochtones avaient déjà déterminé, au XVIIᵉ et au XVIIIᵉ siècles, une problématique culturelle que les développements sociohistoriques ultérieurs n'ont fait que complexifier, en refoulant son hybridité initiale (ou ne serait-ce que son « *mélange* »), qui fondait son originalité propre, paradoxalement pour mieux la réaffirmer au travers de la formation des institutions politiques et des développements socioéconomiques des XIXᵉ et XXᵉ siècles (eux aussi passablement « *mélangés* »). De ce trajet, on le sait, personne au Québec ne sortira ni entièrement Français, Autochtone, Britannique, Canadien, ou autres ; au mieux, c'est plutôt précisément au travers de cette diversité et de l'hybridité qu'elle a forcément générée que l'identité québécoise est devenue synthétiquement ce qu'elle est aujourd'hui. À chacun de ces moments de son histoire, en effet, la spécificité de ce qui est devenu l'identité québécoise d'aujourd'hui s'est affirmée – sans que cela passe nécessairement jusqu'ici au travers de la sanction d'un État indépendant sur la scène de l'« H »istoire, mais pourtant avec toute la conviction qu'une existence sociale et historique franche et résolue apporte à l'œil des sociologues et du monde d'aujourd'hui.

Dumont semblait craindre par-dessus tout les ruptures et les tensions contradictoires qui animent la vie d'une société, comme elles animent la vie de l'esprit. Son attachement sociologique envers l'histoire et l'historiographie situent constamment ces dernières dans un procès de *continuité*, davantage que de *rupture*. Cela est révélateur de l'itinéraire intellectuel de Dumont, incapable d'abord de rompre avec cette « culture commune canadienne-française » devenue en fin de compte l'alibi d'une « culture première », et incapable ensuite de rompre avec l'horizon théologique dans l'approfondissement des questions fondamentales – cela alors au détriment même de l'analyse sociologique –, l'expression dumontienne s'est pour ainsi dire achevée selon son initial chantier, au risque de se faire défenderesse en chaire d'une culture « traditionnelle » canadienne-française devenue borgne il me semble à l'égard de sa propre évolution sociohistorique.

C'est ainsi que Dumont a contribué à ancrer ce curieux *réflexe* de l'idéologie de la « survivance », devenu autant une habitude irréfléchie (sur le plan idéologique en particulier) qu'un complexe continuellement réaffirmé au sujet du « destin canadien-français ». Or ce que ce réflexe ou ce complexe expriment et masquent tout à la fois, en plus de tout le destin commun que le Québec partage avec le reste des Amériques, c'est bien la faillite du projet canadien-français et son rôle dans la constitution de l'identité québécoise ; faillite car ce projet était celui d'une idéologie politique d'inspiration fortement religieuse (je ne crois pas nécessaire d'insister ici sur la signification profondément symbolique de Saint Jean-Baptiste qui l'a représentée...), qui peut verser à l'occasion dans l'idéal métaphysique d'une France monarchique et ecclésiastique (porté par l'ambiguïté du fleurdelisé...), et faillite aussi dans sa capacité de reconnaître franchement la constitution hybride de l'identité québécoise, puisque celle-ci ne pourrait interpréter depuis lors ses propres réalisations qu'à l'aune de cet échec. Curieux destin, scellé d'avance, que celui de cette idéologie figée dans le cours d'un développement sociohistorique qui lui aurait finalement toujours échappé ; « solution de l'irrésolution », disais-je plus haut à propos de Dumont. Oui, il me semble bien que c'est de cela qu'il s'agisse dans l'idéologie canadienne-française et de son destin au sein de la société québécoise, telle que l'a représentée Fernand Dumont.

Jean-François CÔTÉ

Département de sociologie,
Université du Québec à Montréal.

Fernand DUMONT, *Les idéologies*, Paris, Presses Universitaires de France, 1974, 183 p.

La relecture de cet ouvrage que Fernand Dumont a consacré aux idéologies permet de constater encore une fois, près de trente années plus tard, combien l'auteur a compté parmi les grands théoriciens de la sociologie en pays francophones. Si ce livre comme l'ensemble de l'œuvre n'ont pas eu tout le rayonnement qu'ils méritaient hors Québec, il faut sans doute en attribuer la première cause à l'éloignement de l'auteur des réseaux parisiens qui font les renommées et qui assurent la circulation du capital culturel. Car même si la chose fait de plus en plus entrer en transe les lecteurs de curriculum accrédités par les organismes subventionnaires, il ne suffit pas de publier dans la métropole et même aux Presses Universitaires de France pour être assuré de la diffusion et de l'impact qui parfois s'imposent. On peut penser aussi que cette sorte d'écartèlement auquel le sociologue s'est lui-même astreint entre les visées du travail théorique et l'amour du pays qu'il croyait devoir « tenir dans ses bras comme on porte un enfant » l'a empêché de pousser encore plus loin sa carrière de théoricien de la sociologie, même si elle fut prolixe et demeure encore aujourd'hui en tout point remarquable, comme en témoigne *Les idéologies*. Ou peut-être vaudrait-il mieux dire que les questions qui interpellent le sociologue, en ce coin du monde où l'objet « société » pose problème et plus encore les rapports entre la société et la communauté, le prédisposent à l'exploration d'avenues théoriques qui trouvent moins d'écho dans la France républicaine post-soixante-huitarde où les phénomènes de la culture et de l'idéologie sont presque spontanément envisagés dans la perspective de la division, plutôt que comme vecteur de la production de la société. Le fait, par exemple, que Fernand Dumont propose de comprendre les idéologies comme des pratiques de dédoublement de la culture n'est certainement pas étranger aux interrogations qu'a suscitées chez lui l'émergence du nationalisme québécois et des mouvements nationaux qu'il faut se résoudre, écrira-t-il quelques années plus tard, à analyser « comme des mouvements de construction de la réalité » (DUMONT, 1979, p. 12) fondés sur « des interprétations du monde » (*Idem*, p. 13).

Même s'il jette l'ancre dans la conjoncture scientifique de la première moitié des années soixante-dix au sein de laquelle il puise l'essentiel de son matériau, l'ouvrage trace des voies qui seront par la suite régulièrement et diversement explorées en même temps que, face à la société sans idéologies en train d'advenir, il propose des thèses essentielles au développement actuel de la sociologie critique. L'époque s'adonnait à la découverte contradictoire des procès sans sujet (Foucault) et des effluves du désir (Deleuze, Guatari). Le néo-marxisme voulait développer les théories du politique et de l'idéologie lacunaires dans le matérialisme historique, pendant que le structuralisme quittait le terroir des sociétés sans État pour s'intéresser aux savoirs de la modernité. Même quand elle ne s'y réfère pas explicitement, l'écriture de Dumont s'inscrit dans un interdiscours qui paraît imposer un lexique commun. On reconnaît au fil des pages plusieurs traces de cette sorte d'économie générale d'ordre conceptuel. L'auteur construit sa théorie des idéologies à partir d'un ensemble de concepts largement partagés dans la conjoncture, tels ceux de pratique, de mode de production, de savoir, de discours, de désirs, voire de distinction. Plus encore, Dumont retient, déplace et reformule l'essentiel de ce qui paraît devoir être pensé dans l'analyse et la compréhension du phénomène : les questions, par exemple, du pouvoir, de la lutte des classes, du sujet, de l'action et de la production de la société. Cela dit, l'intérêt de l'ouvrage tient à la qualité de la théorie construite à partir d'une telle matière première et à l'actualité de l'intention analytique et critique qui guide le sociologue.

Suivons la démarche de Fernand Dumont en partant de ce débat central et sans doute constitutif de la production dans le domaine des sciences sociales francophones durant les années soixante et soixante-dix qui consistait à opposer ou à tout le moins considérer comme problématique, la place relative de la science et de l'idéologie, du sujet et des structures dans la production de la société. Le néomarxisme et le structuralisme, empreints de positivisme et de fonctionnalisme, proposent de trouver dans le dévoilement des structures sociales la démarche essentielle à l'élaboration d'une science naturelle de l'homme qui fait « de l'idéologie comme du sujet historique un résidu de leur propre entreprise. » (p. 155). Alors que le marxisme élabore une technologie qui conduit à considérer que « la praxis [...] s'assimile le langage », la logologie structuraliste considère que « le langage [...] fait de toute praxis un système prédéterminé » (p. 35). Or, dans les deux perspectives, le sujet est évacué et la science prétend se constituer en un savoir parallèle qui peut, de l'extérieur, prendre l'idéologie comme un objet dès lors considéré soit comme un résidu, une fausse conscience, un imaginaire séparé du réel, soit comme « un langage sans parole [...] qui produit [...] les figures disparates de la praxis » (p. 35) d'un sujet dispersé. Fernand Dumont s'oppose donc aussi bien à la thèse de la coupure radicale entre la science et l'idéologie (Althusser) qu'à celle, amendée (FOUCAULT), selon laquelle la réflexion scientifique se développerait sur fond de savoir. Tout au contraire, comme les idéologies, « la science exprime les cultures où elle naît » (p. 21). En conséquence, « on ne peut opposer au discours scientifique un discours parallèle qui le prenne carrément pour objet ou qui juge de sa validité. Le concept scientifique doit être un instrument de reprise de la visée d'intellectualisation déjà inscrite dans l'idéologie » (p. 178).

Il s'agira donc de développer une approche positive de l'idéologie qui ni l'oppose au réel ni ne l'impose au sujet, de proposer en somme « une science de l'idéologie qui serait aussi une science du sujet historique » (p. 40). Plutôt que de les envisager de l'extérieur, Dumont préfère partir de la cohérence des idéologies (p. 156) et considérer ces dernières comme des pratiques spécifiques (p. 74) dont il faut étudier les modes de production (p. 52) dans le but de comprendre leur contribution à la constitution du sujet, des groupes et de la société (p. 105).

Dans une perspective relativement novatrice à l'époque, l'auteur lie d'abord le développement des idéologies à l'émergence de la société moderne au sein de laquelle « le sens paraît être exilé du monde » (p. 56) et la « conscience » caractérisée par « une historicité plus radicalement ressentie ; un rejet des significations à priori qui incite l'esprit à refaire sa genèse et celle de son espace social » (p. 59), lors même que « le sujet sait qu'il construit une unité de sa culture plutôt que d'en recevoir cohérence » (p. 65). Voilà pourquoi « l'idéologie c'est la société comme polémique » (p. 6), puisque le sujet doit conférer un sens à sa situation qui sera toujours un sens parmi d'autres en l'absence de tout garant transcendantal.

Plutôt que de poser comme Michel Foucault la dispersion du sujet sous l'effet de la multiplicité des modalités d'énonciation et des formations discursives qui s'impose à lui, Fernand Dumont pense, au contraire, les idéologies comme des pratiques discursives grâce auxquelles « les hommes, les groupes, les sociétés s'ancrent dans le monde » (p. 43), comme « des pratiques sociales de la convergence » (p. 73) qui répondent à la nécessité « de produire l'unité » (p. 72) au sein d'une société caractérisée par la dispersion du sens.

Le dédoublement de la culture constitue le mode de production des idéologies (p. 111) qui « ont ainsi une exceptionnelle valeur opératoire ; la société s'y définit elle-même comme dédoublement, comme pratique de sa propre totalisation » (p. 109). L'idéologie permet ainsi de recoudre « ce que la diversité des situations a autrement dispersé » en proclamant « une vision globale de la collectivité » (p. 143). Elle met en forme « l'expérience confuse et éparse que les hommes font de leur appartenance collective » (p. 171). Cette pratique de dédoublement produit des systèmes de rôles et de statuts, délimite des espaces historiques et produit des sociétés spécifiques. Mais en même temps qu'elle fixe ces « données », elle formule un projet, puisque, pour Dumont, toute idéologie comporte une dimension utopique (p. 117).

Il ne faudrait pas croire cependant que l'auteur proposait une conception à la fois naïve et unanimiste des idéologies. Ces pratiques de la convergence qui opèrent par transposition de sens (p. 175) s'avèrent en même temps luttes de classes puisque avec le désir et le langage elles trouvent l'une de leurs ressources principales dans le pouvoir (p. 175).

À ce titre, les idéologies peuvent être pensées comme une lutte pour le « pouvoir de constituer la société » (p. 152). Les classes qui, selon l'auteur, constituent « une communauté de situation quant à la société globale » (p. 143) ne sauraient se constituer sans les idéologies « car il n'existe pas de sujets collectifs antérieurs aux débats de signes » (p. 147). La lutte des classes est donc en temps, constitutivement faudrait-il écrire pour demeurer fidèle à Dumont, bataille des langages (p. 145) et le discours idéologique se nourrit de la destruction (p. 125) de l'oubli et du refoulement (p. 127) des contre-discours.

Ce résumé de la problématique dumontienne, malgré son schématisme, aura permis, je l'espère, de suggérer à défaut de pouvoir le démontrer que cet ouvrage se classe d'emblée parmi les meilleurs livres publiés dans la francophonie sur la question des idéologies depuis le début des années soixante-dix. Même si les débats menés par l'auteur sont partie prenante d'une conjoncture déjà lointaine, les questions théoriques qu'il soulève demeurent pertinentes puisqu'elles visent les fondements mêmes de la sociologie, voire de toutes les sciences sociales. D'un point de vue critique, puisque ce n'est là ni l'objet, ni l'intention de ce compte rendu, il me suffira de noter l'ambiguïté du projet fondateur de la démarche de l'auteur qui avance « l'idée curieuse à première vue, d'une science de l'idéologie qui serait aussi une science du sujet historique » (p. 8). Plus loin, il précise : « est-il un tant soit peu légitime d'entrevoir, non pas à l'encontre mais en contrepartie des sciences naturelles de l'homme, une science de l'idéologie qui serait aussi une science du sujet historique » (p. 41). À moins que ce ne soit là figure de style, ce que dément par ailleurs aussi bien l'ouvrage que l'ensemble de l'œuvre, il semble que Fernand Dumont ait cru possible de concevoir une science du sujet et du symbolique qui viendrait compléter, amender ou s'ajouter à l'examen des structures sociales qu'il saisit ici comme l'objet de ce qu'il appelle les sciences naturelles de l'homme. Dans une telle perspective, ne risque-t-on pas d'oublier de penser le rapport du sujet et du symbolique aux structures sociales, laissant ainsi lesdites sciences naturelles de l'homme se conforter dans l'idée qu'il s'agit là de phénomènes, peut-être « réels », mais au demeurant secondaires ? Il ne fait aucun doute, comme le souligne Dumont, que la bourgeoisie n'existe que dans la production des signes de sa distinction, et ajouterais-je, dans la construction de son rapport au politique, mais encore faut-il penser la relation de ces pratiques à l'accumulation du capital.

Il n'en reste pas moins que Les idéologies compte parmi ces ouvrages significatifs, annonciateurs de la fin de l'hégémonie du marxisme et du structuralisme, et inspirateurs de nouvelles avenues plus attentives au sujet et au symbolique. On peut penser, en vrac, aux théories des mouvements sociaux, de la régulation et des conventions à l'analyse du discours, et, jusque dans ses excès, au constructivisme.

Je terminerai en soulignant l'actualité de cet ouvrage publié il y a plus de trente ans. D'entrée de jeu Dumont critique la thèse de la fin des idéologies formulée pour la première fois durant les années cinquante. Il consacrera, au contraire, tout son livre à la défense et à l'illustration de la nécessité des idéologies dans la formation du sujet et la production de la société. En fin de course, il se demande ce que serait une société sans idéologie. Il faut relire extensivement sa réponse tant elle paraît prémonitoire aussi bien de l'état de nos sociétés que des thèmes actuels de la pensée critique :

> D'un côté on assisterait à un pluralisme encore plus dispersé des valeurs. Sans la référence aux idéologies, les individus pourraient proférer plus librement les désirs ou les intentions qui leur adviendraient. Par ailleurs, les mécanismes politiques, chargés de l'arbitrage, ne se fonderaient que sur des arguments techniques. D'un côté, une vie privée effervescente ; de l'autre, une efficacité plus déterminée...Mais comment donc, dans quel empyrée, pourraient se rencontrer cette spontanéité individuelle et cette cohérence anonyme de la technique ? Par quels compromis cachés entre les valeurs et les

faits ? La prétention actuelle de la technocratie à liquider les idéologies repose, en réalité, sur la volonté d'imposer une seule idéologie. Le point zéro de l'idéologie, mais une idéologie triomphante. L'univers apparaîtrait dénudé parce que la pratique de la convergence serait parvenue à déguiser parfaitement ses sources et son dessein (p. 172).

Particularisme, privatisme, régulation technicienne, technocratie, pensée unique, à ces thèmes actuels de la sociologie critique, syntagme qui d'ailleurs me paraît de plus en plus pléonastique, il ne faudrait guère ajouter que ceux de la postmodernité et du capitalisme financiarisé. Mais, en même temps, ne faudrait-il pas s'interroger sur le relatif oubli du concept d'idéologie depuis les années quatre-vingt et sur son apparent remplacement par celui d'éthique ? Fernand Dumont aurait-il perdu son combat contre les tenants de la fin des idéologies ou serait-ce là l'indice d'une société au sein de laquelle les acteurs sociaux, désormais dépourvus de références projectives, tentent de reconstruire empiriquement le lien social, de développer des pratiques de convergence disait Fernand Dumont sur la base de rencontres individuelles de nature particulariste et dominées par l'efficience.

Gilles BOURQUE

Département de sociologie,
Université du Québec à Montréal.

DUMONT, Fernand

1979   « Mouvements nationaux et régionaux aujourd'hui », *Cahiers internationaux de sociologie*, LXVI : 5-17.

Fernand DUMONT, *L'Anthropologie en l'absence de l'homme*, Paris, Presses Universitaires de France, 1981, 369 p.

L'Anthropologie en l'absence de l'homme, davantage sociologie de la connaissance qu'ouvrage épistémologique, tente moins d'explorer les fondements épistémiques de la science que de comprendre son rapport complexe à la culture. Car non seulement l'anthropologie plonge-t-elle ses racines dans la culture, mais elle porte comme fruit la culture : elle est curieusement un produit de la culture qui produit de la culture.

Partant d'une constatation banale, Dumont note que si les hommes de science et les philosophes parlent de la culture, ils le font à partir d'un emplacement qui ne recoupe pas celui de la vie quotidienne. Au cœur de la culture occidentale, en effet, par une défection des coutumes et des savoirs hérités, s'est faite jour une absence que l'anthropologie (et par anthropologie Dumont désigne à la fois l'idéologie, la philosophie et les sciences de l'homme) entend combler. L'anthropologie ambitionne de recoudre le tissu désormais déchiré de l'existence humaine. La distance entre l'une et l'autre cultures (lire à ce sujet *Le lieu de l'homme*) rejoint donc bien l'absence investie par les anthropologies. Car le savoir n'est pas retranché de la culture commune, pas plus qu'il ne fait que s'y juxtaposer pour ainsi dire du dehors, mais il reprend en charge le sens quotidien en profitant de ses failles. S'il y a culture, c'est que l'existence n'est pas étale ni réconciliée avec elle-même, c'est que tout n'est pas dit et que le monde attend ma parole pour prendre consistance et s'offrir dans la plénitude.

Seulement, les sciences de l'homme, en cherchant à combler cette absence, loin de la refermer, la creusent. C'est que, pour Dumont, l'homme est un être naturellement libre, un *foyer de libertés* ; à l'inverse les institutions et la société sont soumises à des lois structurelles, anonymes et impersonnelles. Les sciences de l'homme, « réduisant l'homme à la condition d'objet », permettent donc de cerner la part d'inauthenticité et de réification chez des individus livrés aux déterminismes psychologiques et sociaux. Aussi l'homme ne constitue pas l'intention fondamentale et l'objet premier des sciences sociales mais la « subjectivité authentique » est dégagée comme un reste de l'entreprise de connaissance scientifique. En d'autres termes, l'anthropologie conteste l'homme de manière radicale, elle en brise les images d'Épinal, en dénonce sans cesse le simulacre. Elle en fait un objet, mais, justement, cet objet, ce n'est pas l'homme. « L'homme n'apparaît que pour être aussitôt surmonté ou dissout. Le savoir s'élabore non pas comme une connaissance de l'homme mais en prenant la place que l'homme a laissée libre à l'objet. » (P. 98.) Il faut dès lors reconnaître, si l'on s'accorde avec le raisonnement de Dumont, que les sciences de l'homme s'édifient bel et bien *en l'absence de l'homme*. « La production de l'anthropologie ne relève, en principe, que de la nécessité, où seul l'entendement repose. La Production s'épanchant hors des barrières posés d'avance autour d'une "maison de l'homme", ce n'est pas fatalement le néant qui s'annonce, mais tout au moins une absence habitée par la nécessité. Cette absence suppose et supporte la production du savoir, sans qu'elle soit, dans la condition de l'homme, supposée et supportée par rien. » (P. 197-198.) L'absence, c'est le règne de la « nécessité aveugle » ; la nécessité, c'est l'absence qui n'a pas été encore surmontée. « La science provoque méthodiquement l'absence. Intervenir dans les phénomènes, que ce soit par l'expérimentation, la comparaison ou autrement, consiste à suspendre le cours homogène du sens. » (P. 209.) C'est pourquoi, au sens strict, « il n'y a pas d'anthropologie de l'existence » (p. 271).

Les sciences de l'homme sont, pour Dumont, « l'étude positive des phénomènes sociaux », ce qui ne les sépare pas, initialement, des autres sciences. J'écris « initialement », car elles eurent tôt fait de déborder cette tâche trop humble. Historiquement, les sciences de l'homme ont non seulement dissout, critiqué, contesté, discrédité la culture commune, elles ont souhaité la recouper et s'y substituer entièrement. Le positivisme consacre une foi en la science dont la lumière ferait reculer les ténèbres enveloppant la culture. Après l'avoir relativisée et compromise, les sciences de l'homme cultivaient secrètement le désir d'édifier à neuf la culture commune. N'est-ce pas ce que déclarait par exemple Lévy-Bruhl lorsque, après avoir vivement écarté la possibilité de construire quelque morale controuvée, étant donné que préexistent déjà, dans la société, des manières de penser et de juger dont le philosophe doit tenir compte, il se prenait à rêver d'une éthique nouvelle, construite aux dépens de l'ancienne et pour laquelle l'ancienne servirait de matériaux ? N'est-ce pas l'utopie plus classique de Descartes dont la *tabula rasa* était la première étape vers de plus inébranlables certitudes, ou celle de Leibnitz tentant de découvrir la clef de l'unité des savoirs ? N'est-ce pas retrouver les pages de Freud, dans *L'Avenir d'une illusion*, sur certain Dieu Logos, principe d'harmonie et d'unité ? Animé d'une foi positiviste, Comte reconnaissait à la sociologie la capacité d'établir les lois de la société, de mesurer l'utilité des faits et des êtres et, dans le même souffle, de fonder une éthique inédite sur l'étoile de laquelle se réglerait la marche de l'humanité. Les sciences de l'homme montrent le visage de Janus. Si l'une de leurs faces conteste la culture, l'autre voudrait s'égaler à la culture.

Entendues ainsi, les sciences de l'homme se tiennent toujours entre la critique objective et l'idéologie, entre la chosification et le projet, entre la nécessité et le poème, entre le jugement de faits et le jugement de valeurs. En fragile équilibre entre l'objectivation et l'idéologie, entre le constat des déterminismes et l'appel de l'inaliénable liberté humaine, entre la positivité et la norme, elles délimitent une pratique du sens originale.

Dumont craint néanmoins que cet équilibre ne soit menacé de rupture à l'époque contemporaine, que l'histoire de la « Raison en quête de l'imaginaire » s'épuise dans une opérativité qui laisserait la science en quelque sorte en dehors de la culture commune. Les sciences de l'homme risquent présentement, écrit Dumont, de se perdre dans l'absence de l'homme.

Et d'abord parce que la Raison, cette Raison sur laquelle reposait le projet de connaissance rationnelle des Lumières, de quelque côté qu'on la prenne, est en crise. Plus personne ne croit plus désormais à la Raison qui servait de sanction et de garant transcendantal à l'être de l'homme et au devenir de l'histoire. Sans Tradition, sans Révélation, sans Raison, sans grands récits, la science n'est plus tenue à rien – *a contrario*, pour retrouver l'image d'une science qui n'est pas orpheline de l'imaginaire et de la société, il faut relire les pages admirables que Dumont consacre à la Cité grecque (p. 163-172).

Le résultat est une science d'où l'objectivité s'est coupée de plus en plus du sens et dont les vérités ne disent en définitive plus rien à personne. L'homme y disparaît comme l'ombre s'évanouit dans la lumière. L'homme ne se retrouve pas davantage dans les rationalisations et les objectivations de la sociologie que dans les affabulations des mythes d'autrefois. Il y a là un « drame de la raison à la recherche de son sens ».

Non seulement la vérité scientifique conteste, au nom de la rationalité moderne, certains aspects de la morale, des institutions et de la transcendance, mais elle remet en question et compromet (par le désenchantement du monde et le rabattement des anciennes valeurs, des rites et des traditions sur des impératifs techniques, froidement utilitaires) la vie des symboles partagés. Elle ouvre la porte à une technocratie qui a évacué le rêve et les aspirations populaires de ses livres de compte et de ses laboratoires pour ne leur substituer que la pure efficience. « [...] sans le recours à la stricte immanence, sans le répondant d'une "maison de l'homme", sans médiation autre que l'Objectivation, ce n'est plus l'homme que l'on rencontre au bout du compte mais la Production d'un objet hypothétique dont l'homme n'est que le prétexte. » (P. 186.) De là un danger réel pour Dumont. À force de disloquer les significations communes, les sciences de l'homme risquent de se confiner, j'insiste sur l'expression, à un *pur discours de vérité*.

La science est en passe de devenir le plus froid des monstres froids. L'objectivité a chassé la signification. Dumont ne croit plus, dans les années qui suivent l'enthousiasme de la Révolution tranquille, que l'intégration du savoir scientifique à un certain humanisme résoudra l'antagonisme des jugements de faits et des jugements de valeurs. L'humanisme est irrémédiablement en crise, pour des raisons qui ne relèvent pas de causes transitoires. L'homme lui-même, dans son essence et ses valeurs, est remis en question par une civilisation technicienne qui entreprend peu à peu d'organiser la vie commune rationnellement, à l'écart des débats de la place publique et très souvent à l'encontre des volontés populaires. Le regard du sociologue de Laval se tourne vers la bureaucratie, la taylorisation du travail, la manipulation de l'opinion, pour constater chaque fois la technicisation des sphères de l'existence humaine où l'homme croyait jadis pouvoir inscrire l'humanisme. Les organisations capitalistes, les technocraties étatiques semblent de nouveaux empires dans lesquels l'homme occupe une place de plus en plus anonyme et solitaire. Dumont s'inquiète de la délégation, dans le monde moderne, du fonctionnement interne de la société et de sa finalité transcendante à des techniques sociales. Le sens révélé des choses étant aboli, l'homme étant de plus en plus confronté à des sciences sociales dont il ne maîtrise plus le sens global, celles-ci risquent de ne plus devenir qu'une pièce supplémentaire de l'organisation rationnelle, pragmatique et technique de la société moderne. Elles n'ont pas su se constituer en un projet collectif où pourrait s'édifier à nouveaux frais une cité fraternelle. En se déployant à l'extérieur des conceptions collectives de l'existence, la Raison est devenue une rationalité au service de l'organisation et de la technocratie. Elle ne s'adresse plus à l'homme. Elle est une technique, une opération, une manipulation dont l'homme est l'objet passif. « Sauf dans les théorie où elle se contemple comme dans un miroir, la raison exerce une autorité qu'elle est incapable de justifier en raison. Pour avoir élargi son empire, elle est impuissante à en dire la pertinence. Pour être omniprésente, elle s'est muée en techniques disparates ; elle y a dispersé et maquillé la vérité. Dans la technique, si la raison paraît s'imposer comme le sens de la vie, c'est que la vie s'y donne le masque, la caution de la raison. » (DUMONT, 1982, p. 59.) Les totalités vécues de sens sont brisées par la production du sens comme une forêt recule sous les assauts des tronçonneuses : « [...] la science est productrice de vérités et destructrice de pertinence » (p. 213).

Vérité et pertinence : l'opposition supporte l'ensemble des préoccupations qui se retrouvent dans *L'Anthropologie...* Car si l'anthropologie n'a d'objet qu'un reste, si vraiment elle s'édifie en l'absence de l'homme, le rapport à la vérité devient problématique. Dumont s'interroge de plus en plus sur la valeur d'une vérité qui, étant de l'ordre de la méthode et de la vérification, demeure impuissante à dire par elle-même les fins dernières de la connaissance. Il s'inquiète d'un jugement de faits qui n'est plus accompagné, ressaisi ou récapitulé par un jugement de valeurs. Les vérités s'accumulent et s'empilent. Que sont ces vérités, que valent-elles, interroge Dumont, quand elles ne parlent plus à personne, sinon à un complexe technoscientifique où l'homme occupe un emploi et remplit une fonction ? La vérité est-elle une valeur ou une opération ? La vérité est-elle faite pour l'homme ou l'homme en est-il l'adjuvant ? La vérité est-elle un service de l'homme ou une mesure d'efficience des industries et des bureaucraties de tout acabit ?

La sociologie n'avoue plus un lieu unanime de ses fins, une orientation à sa démarche qui en ferait autre chose qu'un rouage et un instrument du pouvoir. Que faire ? Faut-il accepter passivement la déréliction du sens de la science ? Ou faut-il regretter le positivisme triomphant du XIXe siècle qui s'imaginait égaler la Raison avec les valeurs ? La quête du sens de la Raison peut-elle être achevée ou doit-elle être abandonnée ? Faut-il revenir sur le refus de la sociologie passée de confondre la vérité et la vérification ou, au contraire, faut-il garder ouverte la référence au sens de la science « en concevant la vérité comme une valeur, comme une visée qui relève en définitive de la morale » ? Dumont convoque les sciences de l'homme à une quête de pertinence sans laquelle elles se condamnent à accoucher de vérités stériles et vides. Ces sciences ne doivent pas se contenter de former un ensemble fini de faits positifs et de théories rationnelles, toujours elles doivent chercher à se constituer comme un pari sur l'homme qui reprenne à nouveaux frais le procès de l'homme en déréliction d'une parole pertinente. « L'interrogation sait qu'elle peut être sauvée puisqu'elle va du Vide à l'absence et qu'elle se fait alors, au plus creux de son cheminement, mémoire. Si elle refuse d'alterner la nostalgie du mythe à la culture comme conquête, si elle se tient dans l'entre-deux, l'interrogation devient souci, écoute de l'absence. » (P. 245.) En d'autres termes, les sciences de l'hommes doivent savoir se situer entre l'objectivation de l'homme (l'absence) et son invention dans le projet (le vide), elles doivent aller de la plénitude de jadis (la nostalgie du mythe) à la production explicite du sens (la culture comme conquête) sans jamais négliger la quête de la pertinence (imaginaire).

C'est pourquoi, des trois anthropologies brillamment esquissées dans la deuxième partie de l'ouvrage, c'est à l'anthropologie de l'interprétation que va la préférence de Dumont. Elle est d'ailleurs fondatrice des deux autres. Pour Dumont, en effet, les sciences de l'homme sont déchirées par la tension de la genèse et de la mémoire. Descente vers la genèse, remontée vers la mémoire, tels sont les deux pôles de la recherche des sciences de l'homme.

L'anthropologie de l'opération, dont le paradigme par excellence est le positivisme, prend assises sur un sujet épistémique dont l'universalité apparaît pour le moins douteuse. Il s'agit de produire la culture rationnellement en faisant place nette de l'ancienne culture héritée et du sens conféré. La Révolution française a vécu de cette conviction que les traditions devaient désormais céder devant des pouvoirs rationnels, que la culture devait être produite plutôt que recueillie et accueillie, qu'il existait telle chose qu'un sujet humain naturel, en deçà des mythologies et des vérités théologiques et au-delà des préjugés de la culture. Le *Cogito* cartésien, le Contrat social de Rousseau sont de cet ordre. Ils participent de l'utopie de la Raison universelle, dans laquelle le sujet humain serait devenu un simple opérateur d'un système de productions de choses et de sens. Quand Hegel, par exemple, dit que le réel est rationnel, il suppose que la raison de l'anthropologue rencontre dans l'objet ou dans la société une rationalité dont elle est l'écho. Mais ce faisant, il évacue de la connaissance le sujet connaissant, en tant qu'il est, et la culture avec lui, autre chose qu'une raison, c'est-à-dire en tant qu'il est autre chose que des « opérations de fonctionnement ». La vérité de l'opération a oblitéré le sens, elle a refoulé le sujet, elle a épuisé la foisonnante richesse de la culture.

L'anthropologie de l'action s'engage à reconnaître les médiations d'une véritable Cité politique dans les conditions d'un authentique consensus démocratique. C'était la visée d'un Marx ou d'un Comte, pour qui l'horizon du connaître rejoignait un idéal de la bonne vie et de la bonne société. Pour Dumont, il y a là la possibilité d'une médiation. Une médiation, c'est-à-dire un lieu où pourrait s'articuler en quelque sorte un questionnement moral. Par exemple, quoique la psychanalyse freudienne ne soit pas une morale, elle ouvre naturellement à un éthique de l'existence. C'est pourquoi et en quoi l'anthropologie de l'action se détache d'une anthropologie de l'opération. « La société est Cité des hommes et non ambition de système où, de la technique à la technocratie, de la technocratie à l'idéologie unitaire, il n'y aurait plus place pour l'irrémédiable médiation des actions, pour l'efflorescence des morales. » (P. 313.) Que ces « morales » (lire ces motifs et ses fins) soient marxistes ou freudiennes importent peu : elles se reconnaissent dans une même recherche d'élargir le dialogue au plus large cercle possible et de jeter ainsi les fondements d'une « Cité de la liberté ».

Quant à l'anthropologie de l'interprétation, elle se fonde sur un sujet interprétatif et s'achève dans l'« utopie d'une communauté possible des interprétants ». L'homme sécrète de la culture, il tisse la toile d'un monde symbolique. Ce monde symbolique peut être dissout ; il peut être le matériau ou le lieu d'une action ; il peut aussi être simplement lu comme un texte qui mérite de l'être. L'herméneutique se donne pour tâche de déchiffrer le sens car « l'existence est un débat du sens » (p. 322). Dans le rêve, le jeu, le loisir, le rite, l'existence se met en scène et se contemple elle-même. Elle se donne depuis longtemps, d'ailleurs, des théâtres de cette représentation : institutions, école, nation, où se concentre le travail de l'interprétation. C'est ce qui explique que l'anthropologue de l'interprétation étudie l'existence humaine en y adhérant de l'intérieur, sans pourtant faire corps avec elle, car ce serait alors abolir son projet de connaissance objective. Pour cela, il est appelé à participer au débat de la croyance en le menant plus loin sans l'abolir. Sa croyance est fidélité et complicité sans être ralliement, comme dans l'entretien clinique, où le dialogue entre patient et analyste ne cesse qu'avec l'arrêt de la cure, ou comme dans la monographie, où l'autrui devient un prochain par la rencontre de l'ethnologue avec les gens qu'il visite. L'anthropologue revêt ainsi les habits du pédagogue. Il comprend enfin que « l'histoire des hommes » « devait s'achever, sinon débuter, par l'écriture, par l'interprétation » (p. 352).

À ces trois anthropologies correspondent trois progrès : celui de la science, de la politique et de l'éducation. Elles sont donc exemplaires de cette ambition de projeter dans l'avenir un monde nouveau dont l'anthropologie, après le moment critique de la philosophie et l'explication des sciences de l'homme, annonce la teneur et la forme par l'idéologie. « L'homme est absent parce que, pour s'implanter et se développer, l'anthropologie délègue l'avènement de l'homme dans l'avenir. L'homme n'est pas, il sera ; en attendant, grâce à ce délai, on peut l'expliquer et le comprendre. » (P. 357.) N'être pas, n'être pas encore, il y a là pour Dumont une dialectique qui fonde l'anthropologie en même temps qu'elle l'incite à se dépasser elle-même. « Il n'y a plus de Monde au sens des Anciens puisqu'est disparu le Sujet qui lui était corrélatif. Ne réconcilient plus un Objet de l'intelligible et un Univers du sens. Subsiste un Monde solitaire, un Monde du savoir, un Monde qui se produit. [...] Pour l'heure, de la perte de l'extérieur, il nous reste le Vide lui-même, irrémédiable, et que jamais, à ce qu'il nous semble parfois, aucune pensée ne comblera. Il nous reste l'Interrogation. » (P. 240-242.)

Cette dernière citation nous permettra de faire, en guise de *post-scriptum*, un dernier commentaire : l'utilisation, à la fois poétique et parfaitement nébuleuse, des majuscules chez Dumont (Unique, Système, Existence, On, Fonction, Production, Être, Ombre, etc.) mériterait de faire, un jour, l'objet d'une longue notice...

Jean-Philippe WARREN

DUMONT, Fernand

1982   « La raison en quête de l'imaginaire », *Recherches sociographiques*, XXIII, 1-2 : 45-64.

Fernand DUMONT, *L'institution de la théologie*, Montréal, Fides, 1987, 454 p.

Dumont offre une réflexion théologique d'inspiration sociologique, à propos des rapports entre individu, communauté, institution, tradition et société qui traversent la situation du théologien et de la théologienne. La question qui anime la recherche est d'une grande amplitude : qu'en est-il de *la situation* du théologien, de la théologienne ? C'est une question d'importance qui mérite d'être présentement débattue au sein du catholicisme. L'ouvrage de Dumont a la qualité de poser plusieurs paramètres essentiels. Comme son dernier chapitre offre une synthèse très claire de l'ouvrage, ceci nous permet d'en rapporter plus librement certains éléments[1]. Au-delà de la distinction entre sciences humaines et sociales, et théologie, qu'il approfondit tout au long de l'ouvrage, pour préciser le questionnement sur la dernière, se trouve le savant qui se présenta aussi comme croyant toute sa vie, non sans susciter ainsi la controverse dans divers milieux, comme croyant et surtout comme chercheur attaché au christianisme, l'une des sources de la culture contemporaine, et vivement confronté de ce fait à l'opposition d'une certaine modernité, entre rationalité et religion. Le propos se tisse dans la continuité avec ses positions fondamentales, sur de l'articulation entre culture première et culture seconde, et « l'anthropologie en l'absence de l'homme ». L'œuvre met en question les postulats positivistes et scientistes qui parcourent plusieurs disciplines auxquelles Dumont s'est exercé, la prétention à l'objectivité qui hante les discours sur l'humanité ; la prétention à une autonomie réflexive en l'absence de l'être humain, pourtant tissé

---

1. En quelques pages, René-Michel ROBERGE (1999) offre aussi un bon aperçu de sa pensée théologique, en plus des développements qui ont suivi la parution de *L'institution de la théologie*.

de décisions, d'héritages et de productions de culture, de choix particuliers, de croyances qui créent cette culture première, ressource et référence de toute réflexion seconde sur la personne et la société. Du coup, Dumont touche un point fondamental de tension dans la réflexion moderne, concernant plus que jamais la théologie, qui s'interroge sans relâche sur sa légitimité scientifique. Cela veut dire qu'en renvoyant toute réflexion distanciée de la culture seconde à son terreau qu'est la phénoménologie de la culture première, Dumont tente de dépasser l'opposition emblématique et constitutive de la modernité, entre hétéronomie (tradition et institution, révélation, argument d'autorité) et autonomie (point de vue instrumental, empirique, positif). S'attachant avec rigueur et originalité à l'examen de questions aussi fondamentales, Dumont s'inscrit dans une lignée de réflexions pérennes, que plusieurs générations de théologiens et de chercheurs appartenant aux diverses disciplines des sciences humaines, gagneront à ressaisir dans leur contexte. La théologie mettrait à jour l'épistémè de tout discours sur l'humanité, sa structure profonde avec ses filiations, ses références multiples, historiques, transmises, interprétées, expérimentées, tout en rompant avec ces discours. Cette hypothèse n'est pas nouvelle mais Dumont la mène très loin, et sur plusieurs niveaux.

La lecture d'un écrit de Dumont est toujours pour moi avant tout une expérience intellectuelle, une sorte de méditation, sans doute du fait qu'il voue son œuvre à la mise en présence d'une transcendance. De cette manière il est en parenté avec ses références privilégiées, pour ne mentionner que le philosophe catholique Maurice Blondel. Une sorte d'axiome libérateur, complément de celui qui est plus familier – il faut comprendre pour croire – reste présent à l'esprit après lecture de cet ouvrage, que Dumont reprend aux Grecs alexandrins : « Il faut croire pour comprendre ». Croire comme position fondamentale qui anticipe un horizon qui déborde le dire, l'appréhension, la construction ; croire comme acte méditatif et contemplatif et source de l'humilité du chercheur, qui doute de ses constructions et s'inquiète de leur respect des références humaines et éthiques. Croire comme attention à l'insoupçonné, décryptage du sens du monde, mouvement de la connaissance, où se creuse l'inadéquation entre l'être et la pensée.

Dans ces réflexions de Dumont, on entend des résonances de son approche, récurrente dans son œuvre, du thème de la transcendance. Celle-ci revêt plusieurs niveaux de sens, si bien que tous y trouvent leur inspiration vitale, même les réfractaires à l'univers religieux. Bien que l'ouvrage commenté ici traite de l'univers spécifique de la théologie, on y retrouve divers niveaux de sens de la théologie, aussi peut-on y apparenter le mouvement structurel de la connaissance. Nul doute que les chercheurs en sciences humaines et sociales peuvent se sentir à l'aise à sa lecture, en même temps que Dumont spécifie très bien la situation de la théologie.

Mais pourquoi l'intitulé « L'institution de la théologie » ? L'ouvrage se déploie en une structure très claire, autour de la *situation* du théologien et de la théologienne catholiques (il n'entend pas faire ici une réflexion œcuménique et interreligieuse), selon un schème de rupture, rupture dans les rapports à cinq grandes références. Quotidiennement, le théologien gère des rapports problématiques avec la communauté croyante, le magistère, la tradition, la culture et la condition pluraliste de son exercice. Ceux-ci revêtent chacun une très grande complexité. Ils instituent la fonction théologique tout en connaissant divers éclatements. Le théologien ou la théologienne est, en regard de ces références, un médiateur, concept cher à Dumont :

> Se tournant vers ce qui lui donne à penser, vers sa situation, le théologien reconnaît son appartenance à la communauté croyante, à ses normes dont le magistère est le gardien le plus visible, à sa Tradition, aux cultures concrètes où il vit et pense. Reprenant en charge cette appartenance, le théologien est conduit à une recherche de ses conditions d'existence et de signification. À un pôle, il appartient tout entier à la communauté ; à l'autre extrême, il est voué à l'épistémologie. La médiation est l'attention entre ces deux obligations (p. 238).

Dumont envisage la situation des théologiens en regard de la communauté pluraliste des croyants d'abord, terreau premier et prioritaire de l'explicitation de la foi. Cette communauté de foi s'avère le point de départ et le terme du travail théologique, elle élabore au premier degré les expressions, les normes, les interprétations de la tradition et de la culture. La rupture vient du fait que ce type de relation avec la communauté singularise le théologien au sein des milieux scientifiques.

C'est donc la communauté croyante qui produit la norme, que le théologien doit médiatiser par rapport au magistère. Mais Dumont se demande si le magistère – dans toute sa complexité – a institutionnalisé la théologie, c'est-à-dire intégré ses recherches, ses questions, ses débats. Surgit ici une seconde tension / rupture féconde entre pouvoir et savoir des experts, alors que la vie ecclésiale alternerait entre moments de redéfinition où ces deux pôles collaborent plus étroitement, et exercice plus courant du pouvoir, où ils se distinguent davantage. J'y reviendrai. La troisième rupture survient avec la tradition, alors que celle-ci entre en tension avec l'approche historique des sources. Elle est de fait particulièrement bien illustrée à travers la quête du Jésus historique, qui en est à sa troisième grande phase au XXe siècle. Les quatrième et cinquième ruptures apparaissent en regard du savoir : le théologien adopte les pratiques discursives et délibératives des discours académiques, tout en étant lié au paradoxe de la foi, et ses travaux participent de l'éclatement des discours contemporains pluralistes.

Quant aux rapports aux savoirs, ils concernent la situation du théologien dans la culture. Ce développement se situe en quelque sorte dans la foulée des théologies du monde ou de la sécularisation. Il indique trois lieux d'analyse critique : une théogie politique qui s'attache à la dialectique entre institutionnalisation et affirmation des communautés, et une théologie de la personne attentive aux rapports entre individualisme et christianisme. Troisièmement, Dumont rappelle la tâche d'une critique de la culture et de la croyance à travers la résistance à toute forme d'idolâtrie et le rappel de la limite. En bref, « conditions d'une affirmation de la transcendance dans la culture de notre époque ; possibilité d'une mythique chrétienne dans cette culture : telle serait la double préoccupation d'une *théologie de la culture* qui prendrait la suite, sans les remplacer, des *théologies politiques* et des *théologies de la personne* » (p. 206). Ce sont sans doute les assises du programme que se donne Dumont pour réfléchir sur une « culture chrétienne », « la communauté croyante se voulant elle-même médiation de l'histoire des hommes » : « Par cette attention au projet indéfiniment repris d'une culture chrétienne, le théologien entérine une double exigence, qui relève d'une double fidélité : préciser la médiation dont il est responsable à la fois envers la culture et envers la communauté » (p. 237). Ce projet animera d'ailleurs les réflexions de Dumont après sa thèse de doctorat en théologie, publiée dans l'ouvrage que je commente ici.

Ce livre décrit et analyse admirablement bien la situation actuelle effectivement problématique de la profession théologique. On peut aisément ajouter à chaque chapitre des sections nouvelles, en regard de l'évolution récente des débats. Dans le chapitre sur la norme et le savoir, par exemple, il faut discuter plus avant la cléricalisation de la fonction de l'expertise théologique au niveau magistériel, qui entre en très forte tension, non seulement avec la fonction théologique, mais aussi avec la démocratisation récente de l'éducation théologique.

Dans le chapitre sur la norme et le savoir, donc, Dumont décrit de manière incisive le mouvement historique d'institutionnalisation à outrance de la norme, jusqu'à reléguer à la marge l'expérience et l'expression de la communauté, de même que la quête spirituelle de la société humaine. Critiquant une certaine sociologie religieuse qui ramène la crise religieuse à une cause structurelle, par exemple l'urba-nisation, il rappelle que la source majeure de cette crise est « l'insurrection » contre l'hypertrophie de la norme et de la définition contre l'expérience. Cette hypothèse, qui me paraît juste, renvoie à la distinction d'établie par un nombre grandissant d'Occidentaux, dans le langage courant, entre spiritualité et religion. Cette démons-tration étant faite, Dumont suggère un meilleur équilibre entre magistère, théologie, communauté croyante et société. Mais pour lui la théologie demeure une fonction universitaire très spécifique et distinguée de la catéchèse, et qu'il faut éviter d'abaisser à l'exercice de vulgarisation d'une certaine théologie pastorale.

Dans le chapitre sur les rapports entre expert et magistère (norme et savoir), Dumont ne dit mot du problème des relations clercs-laïcs, dont on a espéré le dé-passement à un moment récent, mais qui malheureusement demeure d'une actualité désespérante. La fusion que mentionne Dumont entre magistère et fonc-tion théologique, très forte dans la période actuelle du tandem Jean-Paul II et Joseph Ratzinger, semble consacrée. À tel point qu'un mouvement de marginalisation des théologiens universitaires semble engagé, subtil et non irrémédiable, mais très menaçant pour la vitalité de la théologie. Au centre de ce problème historique que ne soulève pas Dumont mais qu'il permet d'indiquer, se trouve à mon avis la crise des rapports aussi bien entre clercs et laïcs, qu'entre hommes et femmes dans le catholicisme. En outre, une donne tout à fait nouvelle est venue modifier l'expertise théologique : la démocratisation de l'accès aux facultés et départements universi-taires de théologie. La circulation entre la culture première et la culture seconde, s'intensifie chez un nombre grandissant de laïcs, dont un grand nombre assument des responsabilités dans la communauté ecclésiale. Selon les termes de Dumont, il y a là transformation du rapport entre théologie de premier degré et théologie de second degré. Et cette quasi-massification du savoir théologique à la base, très forte au Québec, se produit en même temps que se cléricalise le savoir théologique « re-connu » du côté officiel et romain. En témoigne la multiplication des documents définiteurs depuis les années 1980, qui visent à orienter la recherche théologique sur des sujets décisifs. Le dernier exemple en date est le document sur l'œcuménisme, la déclaration *Dominus Jesus*. Le magistère fait bien plus qu'arbitrer lorsque nécessaire les débats ecclésiaux, il définit massivement, il se pose plus que jamais en source de la théologie, comme en témoignent les milliers de pages publiées sous le pontificat de Jean-Paul II. Des stratégies de nominations d'évêques conservateurs un peu partout, en Europe surtout, s'accompagnent, dans des diocèses clés, du rapatriement de la formation théologique dans les aires cléricales et ecclésiastiques. Est-ce là le dernier sursaut d'un système dont la structure est ébranlée depuis le concile Vatican II, vers un nouvel équilibre entre conscience croyante, théologie, communauté et institution ? Il est certain que la concentration du pouvoir définiteur du côté d'un pontificat très théologique rend précaires les avancées théologiques porteuses d'un véritable impact restructurant. Il s'agit certes d'un enjeu structurel, mais aussi d'une tension entre cléricalisme et sécularité, entre patriarcat et recomposition des rapports hommes-femmes. Ici Dumont ne s'attaque pas aux rouages d'un système qui s'exacerbe.

Les quelques allusions à la théologie pastorale, très critiques, touchent certainement des difficultés réelles de la formation théologique et des communautés ecclésiales. Cela dit, se manifestent là des formes plurielles de la théologie. Dumont montre bien le phénomène de cléricalisation de la théologie et du ministère ordonné. Celui-ci en est venu à s'exercer selon le schème enseignant-enseigné, et comme courroie de transmission du magistère. Une certaine théologie pastorale n'indique-t-elle pas un déplacement ? Vers une intervention avec une dimension théologique ? Peut-on parler de théologies plurielles, et surtout de lieux pluralistes de théologie ? La distinction entre théologie de premier degré et théologie de second degré s'avère impuissante à rendre compte de cette diversité des interprétations. En outre, le théologien médiateur au singulier renvoie à une figure parmi d'autres de la théologie contemporaine. Celle-ci, à cause ou à la faveur de l'individualisation moderne, est engagée dans une dynamique herméneutique communautaire, alors que, par exemple, de nouveaux lieux théologiques surgissent de l'échange et du débat, sans compter la condition chrétienne séculière. Bref, c'est en direction d'un questionnement sur le langage et les savoirs que je discuterais certains fondements de l'approche de Dumont.

En outre, je saisis la logique du questionnement de cet éminent et regretté collègue, en direction de la réflexion sur une nouvelle culture chrétienne. Je suis pourtant fort mal à l'aise avec cette question. Elle m'apparaît se construire sur les traces d'une expérience religieuse cohésive qui a fait place au défi de l'identité plurielle. On peut s'inscrire profondément dans le christianisme comme critique et explicitation de la culture, sans pour autant caresser le projet d'une culture chrétienne. Ce projet n'étonne pas de la part du sociologue, préoccupé légitimement de la crise de l'institutionnalisation de la foi chrétienne, qui se trouve à l'horizon de l'ouvrage. Mais j'estime tout aussi important de poser la question du *christianisme dans la culture*, celle-ci étant vue comme un ensemble plus large et que la foi chrétienne spécifique ne saurait tout entière médiatiser. Ceci nous renvoie au défi très complexe de réfléchir sur le rapport entre diversité religieuse et culturelle, et universalité du christianisme.

Solange LEFEBVRE

Faculté de théologie et Centre d'étude des religions,
Université de Montréal.

ROBERGE, René-Michel

1999   « Un théologien à découvrir : Fernand Dumont », *Laval théologique et philosophique*, 55, 1 : 31-47.

Fernand DUMONT, *Le sort de la culture*, Montréal, L'Hexagone, 1987, 332 p.

Comment penser, de façon irréductiblement engagée, la situation de la culture ? Projet sans cesse compromis de l'homme avec son histoire, la culture, affirmait déjà Fernand Dumont dans son maître-ouvrage *Le lieu de l'homme*, n'est pas un lieu stable au sens de l'habitat humain mais le lieu en tant que « distance que la culture a pour fonction de créer » (p. 230). Sa définition courante, comme un ensemble de coutumes, de rites ou de langages sur lequel viendrait se surajouter de plus haut une théorie l'explicitant, ne rend pas compte de la dynamique propre de la culture. La science de la culture, écrit Dumont, « repose sur un présupposé, à première vue évident mais qui ne l'est que pour elle-même : il y a telle chose qu'une culture, une sphère du réel que l'on peut concevoir suffisamment au lointain du sujet et de l'acteur humain pour en traiter comme une réalité originale » (p. 145). Voilà ce que Dumont refuse. La culture n'est pas un objet ; elle est plutôt pour l'homme, répète-t-il dans le premier ouvrage cité, une « distance de soi à soi-même, origine et objet de la parole ». Cette origine, concluait *Le lieu de l'homme*, est intrinsèquement liée à l'homme par la mémoire sur laquelle, tel un fond permettant à une figure d'être visible, les formes présentes de la culture tirent leur existence propre. *Le lieu de l'homme* n'est pas un habitat stable, mais un récit sur le fond de la grande Histoire d'où se fait entendre encore le son des origines.

Presque vingt ans se sont écoulés entre *Le lieu de l'homme* et *Le sort de la culture*. Dans ce nouvel essai, Dumont tente une théorisation de la culture davantage préoccupée de définir la situation actuelle plutôt que d'en montrer la genèse. Avec une architecture théorique plus affinée, en pleine maîtrise de sa pensée, Dumont réaffirme dans les seize essais rassemblés l'urgence à repenser la culture dans sa situation actuelle. Urgence qui se justifie, certes, par le caractère fugace de la culture mais surtout par le constat d'une crise. Une crise cependant qui n'a rien d'exceptionnel, puisqu'elle est propre à la dialectique de la culture. La crise contemporaine de la culture n'a donc rien de nouveau. Si l'histoire de la culture est traversée de crises, c'est que la culture est une « lente dérive » se révélant dans des « crises, des éruptions en surface du défi longtemps contenu » (p. 91). Mais, n'est-ce pas pour cela, pense Dumont, que la crise actuelle nous interpelle sourdement ?

Le sort de la culture est un essai au plein sens du terme. En véritable humaniste, Dumont nous transporte dans tous les champs disciplinaires ; sur le terrain socio-logique, bien sûr, mais sur celui des arts, de la littérature, de l'histoire, de la philosophie. La culture, médiation des médiations, ne doit-elle pas s'affranchir de toutes ces distinctions de la culture savante pour embrasser sa propre totalité ? C'est en ce sens que l'œuvre de Dumont témoigne d'une authentique pensée transdisci-plinaire, indispensable à sa propre théorisation. En abordant le phénomène de la culture, l'auteur, qui n'a jamais caché son ambition d'une science philosophique de l'homme, n'entend rien moins que tracer les contours, très imparfaits certes, d'une philosophie de la culture.

L'ouvrage de Dumont est donc philosophique au sens exact de la tradition où, d'abord, il poursuit une quête de sens : qu'offre la culture comme horizon à l'homme ? Ce sens philosophique n'est pas à entendre comme l'établissement d'un système de la science mais plutôt dans le sens où, pour Dumont, la philosophie est d'abord une « pratique de l'existence ». Dumont tient ses distances à l'égard de ceux qui « voudraient coloniser ce paysage (réflexif) en y érigeant des systèmes » (p. 36). Cette conception philosophique épouse celle que Dumont se fait de la dialectique culturelle.

À cette quête de sens s'adjoint une quête des origines. Il y a l'effort constant dans la pensée dumontienne d'un fil nous rattachant aux origines. Ce fil, tendu jusqu'à la limite de l'effacement, ne peut être préservé que dans le creux de la mémoire : véritable lien au projet de l'homme de jadis. La mémoire, cette faculté floue où l'absent se fait à nouveau présent, est le lieu à partir duquel chaque génération reprend le projet laissé par ses prédécesseurs, l'augmente, le fait sien. La culture est cette médiation privilégiée d'une ressaisie constante de sa propre genèse. D'où l'idée, fort hégélienne, que l'horizon de la culture se pose comme une distance de l'homme à lui-même. Cette distance, indispensable au regard de l'homme sur lui-même, n'est jamais absolument comblée par le savoir, mais requiert plutôt le rôle de l'imagination qui ne colmate jamais entièrement la plaie, la béance du drame humain, mais en suture suffisamment les extrémités pour qu'apparaisse un horizon. L'imagination est donc mémoire, et la culture ne serait pas alors un lieu de l'homme mais un non-lieu au sens où son horizon demeure un espoir. La culture est espoir, et plus précisément un espoir éthique porté depuis sa propre genèse.

Sans s'y limiter, le style de Dumont respecte donc les voies tracées par la phénoménologie et l'herméneutique. On voit vite les affinités de la pensée de Dumont avec celle de Merleau-Ponty, Ricoeur, Arendt. Ces préférences sont explicites dans les termes visant le nœud dialectique de la culture : « la plaie », « la fissure », « la déchirure », « le commencement » que porte en elle la culture historique. Mais ces affinités, plus qu'un emprunt méthodologique, viennent de la position fondamen-tale de Dumont pour qui on n'arrange jamais les choses de la culture d'une position qui se tiendrait en haut d'elle ; la culture possède pour elle-même ses propres ressources qui tiennent tant du sens commun que de son émancipation dans un savoir réfléchi.

La culture manifeste le drame du savoir et de sa concrétisation. Mieux encore, la culture nous parle du tragique humain. Elle est une « lente dérive » où seule la mémoire nous garantit le fil continu de l'aventure humaine. La mémoire n'est pas non plus le lieu (ne serait-ce que psychique) de l'homme, mais la réponse au lieu où je me situe. Elle est la réponse à la question d'où je viens, par laquelle je peux dire où je me situe et où je vais. C'est là son lien dialectique avec la provenance de l'homme (son lieu). La culture est le lien disjonctif de ce savoir historique. Sa lecture explicite le rapport de l'homme au temps, à son histoire et ce qu'il en fait dans la durée de son temps. La culture revendique une mémoire sans laquelle elle perd non seulement sa substantielle moelle mais la portion d'imaginaire par laquelle la culture « se donne des origines » (p. 361). Une culture sans mémoire, mémoire puisée dans l'imaginaire, n'est plus une culture, car elle serait abstraite de l'intention fondamentale portée à elle dans la structure mnémonique. Ainsi, dans chaque projet de culture, doit être réengagé un long procès d'intention où se « crée, en deçà ou au-delà de la nouveauté de l'investigation, une mémoire de la plus vaste culture » d'où l'horizon de la mienne peut seulement apparaître (p. 361). C'est là, me semble-t-il, l'exercice que propose Dumont dans la troisième partie de l'ouvrage sur l'emplacement de la culture en sol québécois.

Parler de la culture dans les termes de l'universalité sans la situer dans un sol particulier n'a pas de sens. En parler, même dans l'intention d'en dégager les aspects purement théoriques, ne se fait qu'en parlant de la culture qui est d'abord le sol sur lequel une investigation commence. Dumont ne peut pas le faire sans inclure « la patrie de ses propres pensées ». Cette patrie n'est pas un sol stable sur lequel pourrait s'asseoir la certitude d'une argumentation ; elle est une quête ininterrompue des origines. N'est-ce pas cette trame qui justifie l'orientation des analyses de Dumont, qui situent dans une continuité d'intention les pensées fondatrices de la culture occidentale, celles de Platon, Descartes, Hegel, Marx, mais aussi celles de Lionel Groulx, Garneau, l'abbé Demers, Alfred Desrochers ? La culture québécoise ne trouverait-elle son identité qu'en remontant de ses contemporains jusqu'aux origines les plus lointaines de sa propre pensée ? La distance semble infranchissable mais c'est pourtant le sort de la culture. Son destin : combler l'incomblable. Sans abuser d'une métaphore spatiale, on ne sait pourtant qui on est que lorsqu'on sait d'où l'on vient. En herméneute, Dumont sait « qu'on ne saisit que ce dont on a transgressé l'étrangeté, on n'appréhende que ce dont on s'est fait soi-même le sujet » (p. 364). Ce « faire soi-même » s'est constitué comme sujet dans un récit. La thématisation de ce sujet comme récit, nous la trouvons, souvent éparpillée, dans les différents essais de la première et seconde partie de l'œuvre. En ce sens, la troisième partie du Sort de la culture n'est pleinement intelligible que dans la compréhension des deux premières.

Les deux premières parties de l'ouvrage reflètent une position épistémologique fondamentale. Toute épistémologie digne de ce nom doit commencer par une critique des paradigmes idéologiques. Peut-être davantage lorsqu'il est question de la culture. Car, bien sûr, celle-ci interpelle l'ensemble du savoir humain, mais elle implique à un autre degré la construction épistémologique de ce savoir, sa logique et sa rhétorique. Le travail épistémologique de Dumont s'apparente ici à celui de Foucault. C'est par une sorte de psychanalyse de l'idéologie que Dumont tente de briser la séquence habituelle par laquelle on définit aujourd'hui la culture : le développement culturel. La sociologue emprunte deux voies pour rendre compte de cette idée : les orientations des politiques culturelles des pays occidentaux et l'idéologie de la participation.

La thèse du développement culturel est pour le moins pratique ; elle justifie largement l'engouement institutionnel à promouvoir, d'une façon jamais vue encore, le développement de l'industrie culturelle et, parallèlement, le peu d'intérêt croissant à renouveler la question du sens de la culture pour notre civilisation. De fait, jamais nous n'avions comme société porté attention à la « production de la culture » – on parle de production de la culture comme on parle de production de biens. Cette conception de la culture, on s'en doute, est héritée de l'idéologie moderne du progrès. La politique culturelle a su faire sienne cette idéologie, si bien que pour elle, il s'agit toujours, écrit Dumont, « de produire de la culture et de rendre cette production accessible » (p. 45). L'école, médiation par excellence de la culture, n'échappe pas à cette idéologie du progrès. Au contraire, l'école en tant qu'« usine principale de la culture » s'avère le modèle par excellence de la mise en application de cette idéologie. L'idéologie de la participation fut la dernière proposition en règle de l'idéologie du développement culturel. En fait, l'idéologie de la participation cherche à réconcilier l'opposition séculaire du savoir de l'expert et du besoin du citoyen ordinaire. La participation est la réponse contemporaine au fossé que représente cette opposition. Elle résout cependant de façon artificielle cette opposition. Elle considère encore que la société est processus de production par elle-même et ne contribue pas davantage à lever le voile sur la dimension historique et dialectique de la culture.

Ces deux idéologies, unies dans celle du progrès, professent celle de la culture comme production, que rejette radicalement Dumont. Effacement de la culture comme mémoire, cette idéologie radicalise le divorce entre deux cultures constitutives d'une société : culture primaire et culture secondaire. Elle fait de la culture première, qui est culture vécue, l'objet bien délimité d'une culture prescrite. Pour cela, toute l'idéologie du développement culturel, même dans sa forme nouvelle de la participation, doit être l'objet d'une critique sans relâche. C'est l'essentiel de la critique épistémologique de Dumont.

Culture première, culture seconde, ces concepts qui auraient paru fort utiles, n'apparaissent que tardivement dans l'ouvrage de Dumont. Comme si Dumont, en bon phénoménologue, tentait de relever les préjugés et présupposés avant d'affirmer positivement ses thèses. Ainsi, les cinq premiers textes se présentent comme l'établissement d'un diagnostic que le dernier essai tente de formaliser plus thématiquement. La culture savante telle qu'en elle-même demeure le texte central de la position épistémologique de Dumont. Fort d'une distinction qu'il avait déjà élaborée dans *Le lieu de l'homme*, Dumont pose une dualité qui témoigne de la faille constitutive de la culture. La culture première n'est pas première dans un sens privilégié, mais du fait qu'elle est non médiatisée, vécue, et répond davantage à l'impulsion imaginaire et sensible. La culture première, apprend-t-on dans le quatrième essai, est la ressource d'une culture d'abord dispersée et sans logique explicite, mais dont s'abreuve incessamment la culture institutionnelle. La culture première n'est spontanée qu'en apparence ; tous nos comportements sociaux, affirme Dumont, sont en quelque sorte conditionnés par un milieu organisé d'une certaine manière en deçà de ma propre organisation consciente. Dans un style très près de celui de Merleau-Ponty, Dumont écrit :

> au long de ma vie quotidienne, je me veux dans un univers significatif ; les choses, les personnes font courir de moi à elles, d'elles à moi, des correspondances de signes et de symboles où je me reconnais. J'use de la parole sans m'attarder à sa logique ou à ses mystères, le langage me semblant à portée de mes intentions ; par contre à certaines heures, la culture est ramassée devant moi, dans des œuvres qui mettent en cause le sens accoutumé du monde et d'autrui (p. 172).

J'use d'une conscience des choses avant même de réfléchir cet état de chose ; je porte en moi une certaine manière d'appréhender la réalité ; ma perception des choses est déjà une forme, floue certainement, dans laquelle les choses sont signifiantes pour moi. La culture première, préréfléchie dans des actes intentionnels (dans le sens phénoménologique et non pas psychologique du terme) se mêle à une culture secondaire, culture réflexive incapable pourtant de s'absoudre de la première. Il ne s'agit pas de deux cultures mais de deux modes d'une même culture, qu'explicite cependant la dialectique : le comment se réalise et se manifeste la culture. Seconde, la culture l'est lorsqu'elle acquiert le statut de réflexion de la première. Les analogies de ces « deux » cultures avec les structures du langage sont éminentes. La parole dont j'use quotidiennement m'apparaît comme quelque chose de spontané ; ce qui n'est pas le cas avec la parole réfléchie que constitue la littérature par exemple. Mais la littérature, à son tour, vient gonfler le langage quotidien ; elle lui donne, dans le temps, une couleur, une texture qui l'augmente même dans sa spontanéité. De fait, pense Dumont, la culture première et la culture seconde ne sont pas deux ; mais la culture seconde contient une historicité que ne possède ps la première.

Duplicité de la culture qui reflète celle de l'existence. La culture première porte en elle le riche sentiment d'une totalité qui est mienne mais que je ne peux entièrement contenir. C'est pourquoi la culture est médiation de l'homme à lui-même. Elle est distance car la culture ne s'approche pas tel un objet ; elle s'approche par ses médiations : l'école, la religion, l'art, la littérature. Elle s'incruste dans son histoire, dans ses constructions qui forcément empruntent ses intuitions à la culture première mais surtout y retournent pour en être confirmées. Il ne s'agit pas alors de défendre la primauté d'une des cultures (première ou seconde) sur l'autre. Dumont refuse ainsi de disjoindre mémoire et production. L'œuvre de la culture ne se comprend que sur une vaste scène qui remonte aux origines insondables de l'humanité. La mémoire, essentielle médiation de la culture première à la culture savante, ne recompose pas le chemin des faits, elle l'invente, elle l'imagine. Imagination et mémoire ont donc partie liée dans la lutte de la culture contre l'effacement d'une origine. La culture apparaîtra ici comme le théâtre d'une tragédie ; celle d'une lutte pour que ne s'assombrisse pas le récit, celui de l'homme, commencé au fond de son imaginaire. C'est ici que la culture rejoint son sens éthique. « L'éthique est fille du tragique » écrit Dumont. Cette affirmation, un peu étonnante, ramasse tout d'un bloc, me semble-t-il, la thèse de fond de l'œuvre de Dumont. La culture participe de ce tragique de l'existence qui fonde, depuis les plus lointaines origines, l'intention de toute éthique.

Luc VIGNEAULT

Département de philosophie,
Université de Moncton, campus d'Edmundston.

Fernand DUMONT, *Genèse de la société québécoise*, Montréal, Boréal Compact, 1996 [1993], 353 p.

La contribution de Fernand Dumont à la sociologie québécoise est si justement reconnue que ses ouvrages sur les idéologies restent incontournables pour quiconque étudie cette société. Comme eux, *Genèse de la société québécoise* procède de la sociologie compréhensive et de l'approche interprétative qui marquent la longue série de ses travaux. Il couronne en quelque sorte l'œuvre en mettant au jour des postulats plus ou moins implicites dans les écrits antérieurs.

À ma première lecture de l'ouvrage, peu après sa parution en 1993, j'y ai vu une brillante et minutieuse étude de cas du processus théorisé par B. ANDERSON selon lequel une collectivité en vient à se concevoir nation, c'est-à-dire telle une « communauté politique imaginaire, et imaginée comme intrinsèquement limitée et souveraine » (ANDERSON, 1996, p. 19). J'ai en effet retrouvé chez Dumont un processus similaire dans la mise en place de ce qu'il appelle « une référence nationale » : ce par quoi une société s'interprète elle-même, s'instituant globalement dans le même mouvement. Suivant cette première lecture, le travail interprétatif de Dumont expliquait pourquoi la société québécoise avait eu tant de mal à « s'imaginer intrinsèquement souveraine » et pourquoi aussi il paraissait impératif qu'elle y arrive : refuser l'indépendance du Québec, c'était ni plus ni moins acquiescer à la minorisation politique du Canada français par l'Angleterre au moment de l'Union des deux Canadas en 1840. Tout commence là, en effet, et ma seconde lecture de *Genèse...* s'est concentrée sur la démarche dumontienne proprement dite.

Chez lui, comprendre une société consiste à retracer par quels chemins elle s'est acquis la capacité d'interpréter son existence, ses origines, à son devenir. Étroitement liée au langage, plus particulièrement à l'intervention du discours, cette faculté est repérable au sein de trois « institutions » : les idéologies, l'historiographie et la littérature. L'espace, toujours mouvant, qu'elles circonscrivent constitue précisément la référence nationale. Or, avant le milieu du XIXe siècle, la collectivité canadienne-française n'est pas encore véritablement instituée en société : la référence en est absente et la première partie de *Genèse...* explore les obstacles à son émergence.

Les utopies ayant présidé à l'établissement de la Nouvelle-France ont lamentablement échoué parce qu'elles étaient sans lien véritable avec la situation

concrète de la collectivité coloniale (chapitre I). Se structurant lentement mais sûre-
ment par la base, dans les solidarités locales, essentiellement familiales, cette
collectivité présente tout de même, vers la fin du Régime français, une relative
homogénéité, mais sans intégration globale entre ville et campagne, entre institutions
officielles et socialité concrète. Le sentiment d'une identité commune, particulière,
est certes présent mais la conscience politique lui fait défaut (chapitre II). La
Conquête britannique fera émerger cette dernière, ou du moins mettra en place les
conditions de son émergence. Car le projet de l'Angleterre est celui de l'assimilation
de la collectivité conquise, laquelle par réaction sera conduite à préciser ses
contours, ses aspirations : les élites s'attellent à cette tâche, concurrençant du même
coup leurs vis-à-vis canadiennes-anglaises dans la définition de la collectivité.
L'antagonisme qui oppose les unes aux autres fait advenir le champ politique
proprement dit, celui des idéologies (chapitre III).

Deux sociétés naissantes coexistent désormais, tant sur le plan des structures
que sur celui des références qui se mettent progressivement en place. S'élabore ainsi
un premier discours sur soi, qui sédimente au plus profond la conscience historique
canadienne-française, et reste largement tributaire du discours que porte sur soi le
dominant. La notion de « réserve française », version douce d'une assimilation à
plus longue échéance, est intériorisée par les élites et engendre le discours de la
survivance. Avec l'obtention des institutions représentatives, s'y superpose une
seconde couche où s'élabore une définition étroitement politique, voire juridique,
de la collectivité, qui reste cependant muette quant à son héritage culturel (chapitre
IV). Une troisième couche prend forme avec le discours sur la nation élaboré au
début du XIXᵉ siècle, et la seconde partie de Genèse… analyse les transformations de
cette stratification en trois couches de l'imaginaire collectif dans sa confrontation
avec les structures objectives de la société dominée. D'abord ripostes aux pressions
exercées par la société canadienne-anglaise, les discours sur la nation ne sont pas
exempts d'ambiguïtés et d'hésitations ; ils prolongent en fait l'oscillation entre
identité politique et identité culturelle (chapitre V). Cependant, l'Union des
Canadas (1840) resserre l'étau et consacre le divorce entre ces deux identités, désa-
morçant du même coup les utopies politiques en simples représentations compen-
satoires. La responsabilité ministérielle achève ensuite de discréditer le politique en
instaurant l'ère du patronage. La socialité élémentaire en ressort consolidée tandis
qu'en parallèle, l'Église catholique se saisit du champ déserté pour installer son
emprise sur les idéaux canadiens-français (chapitre VI). Dès lors, la survivance
englobe tout, colorant les utopies (chapitre VII) comme la mémoire (chapitre VIII).
Le nationalisme canadien-français, fondamentalement conservateur, est né de cet
échec à concilier culture et politique ; il résulte d'une défaite à dominer la domination. Quant à la mémoire, sous le poids de la survie, elle pervertit en quelque
sorte la conscience historique pour en faire une évasion dans le passé. « La genèse
de la société québécoise s'achève donc au moment où commence l'hiver de la
survivance » (p. 330).

Contre cette brillante interprétation globale, j'ai néanmoins deux réserves à
formuler. La première concerne le conservatisme de la société canadienne-française
dans lequel je vois plus que le pis-aller résultant d'un échec. Il suppose, en effet, une
hiérarchie de valeurs au sein de laquelle la transcendance offerte par la religion

permet, d'une part de préserver la valeur, ou si on préfère l'ordre social – un élément pour le moins décisif dans une société dominée –, et d'incorporer d'autre part le politique, bien que ce soit, il est vrai, au prix de sa subordination en valeur. Sous cet angle, le conservatisme canadien-français devient plutôt une tentative fructueuse de subordonner la domination politique et économique dans laquelle est tenue la société.

Avant de formuler la seconde réserve, soulignons que Dumont montre par ailleurs admirablement bien à quel point l'interaction entre sociétés peut être fondatrice de l'édification de leur référence respective. Cependant, tout se passe comme si cette interaction était unidirectionnelle – ce qu'elle n'est jamais, à mon sens, même au sein d'une relation dominant-dominé – et dispensait en conséquence de retourner le miroir pour saisir la genèse de l'autre société sous l'angle de l'interdépendance qui s'installe. Car le « contexte canadien » s'est en partie constitué de ces interactions réciproques entre Canadiens et Anglais, Canadiens français et Canadians, Québécois et Canadiens anglais. Tant et si bien qu'il y a peut-être lieu, en regard de ce contexte particulier, de laisser tomber l'analogie entre individu et société conduisant à voir en celle-ci une « entité-en-soi », car on serait plutôt en présence d'« unités-en-relations ». Il faudrait alors élargir le champ de vision pour entrapercevoir que le « contexte canadien » appelle, par sa nature même, une approche comparative ; ce qui laisserait également deviner, au-delà des changements politiques, l'endurance de la rivalité culturelle qui le caractérise.

Sylvie LACOMBE

Département de sociologie,
Université Laval.

ANDERSON, Benedict

1996   *L'imaginaire national*, Paris, La Découverte. (Traduction française de *Imagined Communities, Reflections on the Origin and Spread of Nationalism*, London, Verso, 1983.)

Fernand DUMONT, *L'avenir de la mémoire*, Québec, Nuit blanche éditeur, 1995, 104 p.

Faire de l'espérance la vertu cardinale de la modernité et de la tradition le chantier des citoyens constitue une proposition surprenante à première vue, mais que Fernand Dumont dénoue de manière à la fois classique et personnelle dans cette plaquette à l'écriture dense et incisive qui reprend les grands thèmes de son œuvre : la culture est un héritage, et l'histoire, comme l'anthropologie, ne peut s'écrire, à rebours de ce que suggère le titre d'un autre de ses livres, qu'en présence de l'homme.

L'ouvrage, une conférence publique de la CEFAN, s'ouvre sur une énigme : les sociétés archaïques, celles que caractérise la centralité de la mémoire, n'ont pas d'histoire, inscrites qu'elles sont – cela est volontairement caricatural – dans l'immobilisme et la réalisation du mythe. Ce sont les sociétés issues de la modernité, c'est-à-dire de la Grèce et de la Renaissance qui, confrontées à l'irrémédiable incertitude d'un avenir dépourvu de la garantie de la tradition, ont contribué à un extraordinaire essor de l'histoire, elle-même mère des sciences humaines et de tant de monuments. Désormais dépourvues de références sacrées au passé, nos sociétés sont par contre impuissantes et aveugles, avec une mémoire évanescente. Quelle est donc la nature de cette mémoire désormais ? Question qui ne peut trouver réponse que par une incursion dans la culture, comprise comme système de codes et héritages. S'estompent désormais coutumes, traditions, croyances, tous facteurs de cohésion, tandis que le vide qui en résulte appelle aussi bien à la nostalgie qu'au travail de la mémoire. Et ce travail, qui jusqu'à présent l'a entrepris et pour qui, pourquoi également ? Bref, quel a été le mode d'appropriation de la mémoire ? celui de la nation ? d'une classe sociale ? celui « objectif » de la voie de la Raison, de l'analyse des structures et des faits au risque de l'indifférence aux hommes contemporains ? celui « subjectif » de la voie du cœur, de la reconstruction de la cité commune des morts et des vivants ? Ici Dumont prend immédiatement position en affirmant l'obligation et l'incontournable « contamination » de l'objectivité et de la subjectivité, des structures et des valeurs. Au dire de l'auteur, les clivages entre historiens résultent d'un autre clivage plus général dans nos sociétés contemporaines caractérisées par la systématisation des règles qui échappent aux individus, refoulés dans la sphère de la vie privée et l'enceinte de la subjectivité. En effet, la logique de la domination économique s'imposerait partout, la liberté individuelle se ramènerait à celle du consommateur, l'État remplacerait les solidarités traditionnelles. La culture deviendrait un univers détaché et autonome. Bref, l'individu aliéné ne pourrait que difficilement prendre conscience de l'histoire puisque celle-ci se déroulerait hors de lui, et que le destin de la cité lui échapperait. Pourquoi, en effet, attacher sa mémoire à ce qui ne requiert pas sa participation ? Résultat tragique puisqu'une mémoire commune constitue le don premier de rassemblement des personnes. En somme, le processus de liquidation des coutumes et des appartenances issues de la tradition conduit au degré zéro de la mémoire. Une mutation de la conscience et de la culture pourrait-elle contrer ce processus et donner un nouveau visage à la tradition ?

La propagation de la modernité et sa critique des traditions, dans les écrits des Lumières tout particulièrement, sont-elles corrélatives de l'extinction de la tradition ? Certes, des civilisations, telle celle des Aztèques, peuvent périr d'une adéquation dogmatique à leur tradition, d'autres, tel le christianisme par rapport au judaïsme, peuvent renouveler la tradition, mais pour nous, aujourd'hui, toute tradition a été récusée. Pourtant, pour Dumont il importe de recréer une tradition nouvelle, d'autant plus qu'avec le pluralisme, les modèles d'action sont désormais arbitraires. Connaître en effet n'épuise pas la signification et, qui plus est, quel que soit le caractère radical de notre regard sur la tradition, elle ne nous est pas moins transmise comme héritage ; voilà pourquoi il faut réassumer la part du passé, aussi arbitraire soit-elle, qui mérite de l'être au nom des valeurs. Position moraliste ? Pas du tout. Position engagée, certainement puisque le caractère historique (c'est-à-dire arbitraire) de nos existences et désintégrateur de nos appartenances commande le devoir de développement et de continuation du lien concret entre tous. À cet égard l'histoire strictement objectiviste occulte sa nécessaire résonance en nous puisque le rapport à la tradition ne constitue pas d'abord un problème de connaissance mais tout autant, sinon davantage, un processus d'appropriation de sens. En somme, ce qui vient du passé, ce sont les traces susceptibles de décodage de ces deux lectures.

La manière d'amalgamer ces deux lectures n'a pas toujours été heureuse. Sur le mode de synthèses partielles, évitant les arrière-plans, les arrière-mondes, cela conduit à éviter l'essentiel, sur le mode des constructions thématiques et bien hypothétiques (la mission de la France, la survie du Canada français, la *manifest destiny*) ou encore, sur le mode souvent nihiliste de la déconstruction et de la critique historiographique pour dégager les paradigmes à l'œuvre. Après le déclin des grands récits (marxisme, christianisme), la réduction aux seuls enseignements des événements constitue tout autant un cul-de-sac. Comment donc réaliser une histoire commune ? Par la nation, porteuse d'une mémoire partagée et de la volonté de marquer ensemble le présent et l'avenir en fonction des héritages ? Certainement et il y a là un espace de responsabilités, mais de fanatisme également. Bref, les mouvements sont toujours contraires : quête de responsabilité / fanatisme, globalisation / revendications particulières, production de la société / résistance des traditions. Les grands récits tenus pour vérités, les vues déterministes du passé se sont effondrés, mais ici encore la dualité est à l'œuvre : renoncer à comprendre, c'est s'abandonner au flux des événements, au hasard. La seule marque d'une mémoire authentique consiste donc à renoncer aux déterminismes et à sauvegarder la faculté d'interprétation. S'il faut reconnaître qu'aucune tradition ne peut se fonder sur des coutumes et ne peut survivre que dans la tension entre le particulier et l'universel, c'est pour conclure que toutes les traditions doivent entrer en dialogue et que là demeure leur transcendance. Notre devoir consiste donc à créer une tradition transcendante, à faire de la mémoire un chantier.

Pour Dumont, le travail de la mémoire comporte deux grandes tâches, l'une pédagogique, l'autre politique. Pour la première, il appartient en tout premier lieu à l'école de maintenir et d'entretenir, au-delà de la parcellisation, un foyer de convergences et des noyaux de valeurs communes. Cela implique le respect de la diversité, mais pas au point de nier la transmission des valeurs au nom de la neutralité ; cela implique certainement l'enseignement de l'histoire et des disciplines gratuites mais par-dessus tout, cela exige d'accorder la priorité à l'émergence d'une conscience historique, non pas sur le mode de conclusions ou de dogmes, mais sur celui de la transformation de l'individu en agent actif de l'histoire. Cela nous conduit à la seconde tâche, la restauration de l'action politique, en convoquant les citoyens hors de la vie privée : une tâche de construction d'un espace public de débats sur des projets collectifs. Il s'agit donc de faire de la démocratie une tradition de pluralisme, de convictions partagées, de credo dans la personne humaine et de refus du dogme. Certes comme l'archaïque, cette tradition émergeant de la responsabilité dans la modernité résulte du flux des événements, du hasard, de la production du sens. Cependant elle s'en distingue fondamentalement par le questionnement et la reviviscence. Plutôt que d'exprimer le destin, elle cherche à prendre prise sur celui-ci. Voilà pourquoi l'esprit critique doit être au fondement de l'École et de la Démocratie. Voilà comment la tradition devient un espoir, une espérance.

Denys DELÂGE

Département de sociologie,
Université Laval.

Fernand DUMONT, *Raisons communes*, Montréal, Boréal, 1995, 255 p.

Je dois commencer cette recension en dévoilant ma condition d'immigrant ; le lecteur comprendra mieux la façon dont j'ai choisi d'aborder le livre de Fernand Dumont. Lorsqu'on m'a demandé de commenter *Raisons communes* pour ce numéro spécial, on m'a invité à le regarder à la lumière de mon cheminement personnel, qui m'a mené de l'Argentine au Québec il y a une dizaine d'années. Les pages qui suivent ne constituent donc pas un compte rendu conventionnel. Elles sont plutôt le véhicule de quelques réflexions critiques, ainsi que de quelques questions – peut-être un peu provocatrices – que j'aurais posées aujourd'hui à cet important sociologue québécois.

Paru en 1995, *Raisons communes* est un ouvrage qui réunit onze textes d'opinion que Fernand Dumont a rédigés au cours des ans sur le Québec, société qu'il considère « en panne d'interprétation » (p. 20). Le livre est présenté dans l'introduction comme un « bref essai de philosophie politique » qui vise à examiner « ces raisons communes susceptibles d'inspirer le projet d'une société démocratique » (p. 15). Dumont consacre les premières pages à établir un diagnostic de la situation actuelle, où il constate la « disqualification des vues d'ensemble au profit de l'État gérant » (p. 13), alors que « partout se répand le cynisme des citoyens envers les hommes de pouvoir » (p. 14) et se déploie « ce culte du moi qui [caractérise] l'individualisme contemporain » (p. 26). On reconnaît dans cette perspective les questions qui inquiètent bien des intellectuels québécois : la crise du lien social, le naufrage de l'éthique collective, l'affaiblissement de la solidarité, l'effritement des repères normatifs... Il se dégage de ces propos une certaine nostalgie, celle d'une société plus cohésive et homogène dans ses valeurs et ses aspirations. Ce n'est pas, bien sûr, au Québec traditionnel que pense Dumont, mais au rêve inaccompli d'une « nation française en Amérique » où la société civile, les institutions politiques et l'espace public soient pleinement développés.

Dumont retrace l'histoire du Québec contemporain et attribue une portée cruciale – comme il le fait ailleurs – à la Révolution tranquille, en ce qu'elle a signifié la transformation profonde et irréversible des structures politiques (« depuis un siècle, la vie publique avait été dominée par le patronage politique et le contrôle clérical », p. 14). Cependant, il souligne que les antécédents de ce processus se trouvent dans la période de 1945 à 1960, durant laquelle les grands projets de mutation du Québec « ont été imaginés [...] par des intellectuels plutôt que par des hommes politiques » (p. 251). En ce sens, la Révolution tranquille a été précédée par une « révolution mentale » qui a rendu viable la difficile entreprise de « donner un nouveau sens à la vie commune » (p. 14). Mais, Dumont nous avertit, « le travail commencé avec la Révolution tranquille [...] n'est pas achevé » et, pire encore, ses acquis sont menacés à l'heure actuelle. Dumont est très précis quant aux défis que nous avons devant nous : « Construction d'une Cité politique, édification d'une culture, renouveau d'une démocratie sociale : ces trois tâches se rejoignent dans la même quête de raisons communes » (p. 31). C'est pourquoi Dumont insiste sur l'urgence de bâtir une nouvelle « culture publique commune » : il s'agit, selon lui, d'un « certain nombre d'éléments qui réuniraient dans un même ensemble les différentes composantes, ethniques et autres, de la collectivité » (p. 69).

Dumont veut contribuer, avec son livre, à cet effort commun qui représente en même temps une projection vers l'avenir et une récupération du passé. Il évoque avec ferveur les grands objectifs qui ont animé la modernisation de la société québécoise au cours de la deuxième moitié du vingtième siècle. Mais l'auteur s'empêche de mettre l'accent sur les transformations politiques ou économiques réalisées ou à accomplir. Il s'intéresse plutôt au travail qui reste à faire dans le domaine des idées et des représentations. Dans le futur, « les enjeux vont se concentrer sur le devenir de la culture » (p. 70), soit l'éducation, les valeurs civiques, le débat public, la construction de consensus. C'est en ce sens que *Raisons communes* nous offre une vision rafraîchissante : Dumont avance un projet de société qui se définit au niveau le plus fondamental, celui d'un idéalisme qui se fiche des conditions de possibilité, d'autant plus que celles-ci s'avèrent pour l'instant très minces. Autrement dit, puisque Dumont est pessimiste à l'égard des tendances actuelles, il s'affaire à dessiner une utopie.

Mais si l'utopie est nécessairement une anticipation imaginaire, le Québec contemporain qui se dégage de ces articles est aussi un Québec idéal (ou idéalisé), en ce sens qu'il semble évoluer selon une logique qui lui est propre, comme si le monde extérieur – y compris l'État canadien – n'était qu'une pure altérité : ainsi, par exemple, ce serait « à travers d'épuisantes confrontations avec le gouvernement fédéral » que « nous [avons été] poussés sur la voie de la progressive confirmation d'une communauté politique québécoise » (p. 63). Ce qui ressort est l'image d'un Québec coupé de ce qui se passe ailleurs en Occident (et particulièrement sur le continent américain), un Québec qui existe malgré les mouvements de l'Histoire. Or, peut-on se demander, d'où naissent les idées réformistes des élites canadiennes-françaises qui, selon Dumont, ont joué un rôle essentiel dans l'avènement de la modernité au Québec ? Et, de façon plus générale, quel a été l'effet de l'appartenance au système politique et économique canadien et, de façon indirecte, à l'aire géoculturelle nord-américaine ? Dumont semble tomber ici dans le piège qui consiste à ne lire l'histoire du Québec qu'en termes de résistance à l'Autre. Je ne veux surtout pas inverser l'argument et attribuer au Canada anglais le « mérite » des transformations de la société québécoise durant les quatre ou cinq dernières décennies. Je tiens, au contraire, à suggérer que le Québec participe depuis longtemps à une dynamique idéologique – et à un paradoxe – plus vaste qui englobe l'ensemble des nations en Amérique et qui touche surtout celles qui ont un statut périphérique.

Au risque de susciter la controverse, je vais établir ici un parallèle entre le Québec et l'Amérique latine. Les élites de ce continent ont toujours manifesté une profonde ambivalence face à l'individualisme au cœur de la culture anglo-saxonne. On retrouve, dans les discours politique et littéraire latino-américains de tout le vingtième siècle, d'innombrables références aux deux faces de cet individualisme : d'un côté, on célèbre l'esprit pragmatique, industrieux, et indépendant des Étatsuniens et, de l'autre, on décrie son caractère matérialiste, utilitariste et sensuel. Cette opposition n'est pas – comme le supposerait une analyse hâtive de ce type de discours – qu'une volonté de dissociation morale entre le libéralisme politique (la démocratie, qui, par définition, n'est jamais excessive puisqu'elle est fondée sur les meilleures vertus civiques) et le libéralisme économique (le capitalisme, qui doit être limité, car il tend naturellement à exacerber le profit et le gaspillage). C'est aussi et surtout la dichotomie entre deux conceptions de l'existence personnelle et collective qui s'affrontent dans chaque nation du Nouveau Monde et que l'écrivain uruguayen José Enrique Rodó symbolisait, autour de 1900, dans les figures antinomiques d'Ariel et de Caliban (inspirées des personnages shakespeariens).

Ariel représente la partie noble, spirituelle et héroïque de la Raison, alors que Caliban représente l'intelligence pragmatique et égoïste qui vit dans le présent immédiat. Rodó exprime métaphoriquement la préoccupation de plusieurs de ses contemporains face à ce qu'il appelle la « nordomanie » (la fascination par l'Amérique du Nord) des jeunes générations, et le danger d'une « délatinisation » des sociétés du Sud. Il va de soi que cette « latinité » – dont la filiation laïque est celle du monde classique gréco-romain (sa filiation religieuse étant bien sûr celle du catholicisme) – est conçue comme un espace de partage de valeurs et d'allégeances. Au-delà de ses penchants romantiques et organicistes (qu'aucun démocrate ne soutient aujourd'hui), la matrice de cette pensée demeure vivante dans la critique de l'homme universel que Dumont et d'autres intellectuels des Amériques soulèvent vis-à-vis du libéralisme anglo-saxon. C'est en ce sens que *Raisons communes* s'inscrit – à l'insu de son auteur, je suppose – dans la longue et riche lignée des essais politiques latino-américains qui se penchent sur la tension indépassable entre le projet de modernisation de la société – sur lequel l'influence du modèle étatsunien est inévitable – et le projet national, particulariste par définition. À la différence des nations européennes, celles de l'Amérique se représentent comme des « jeunes nations » (même si elles peuvent avoir une constitution politique et culturelle relativement ancienne) et leurs populations tendent à percevoir les enjeux collectifs à travers l'image de la promesse. Le Québec – comme le Mexique, le Chili ou l'Argentine – s'attache à une mémoire et à un héritage que l'on sent menacés par les forces d'un matérialisme égoïste méprisant la notion de bien commun (soit-il une langue, une religion, un patrimoine culturel, une appartenance nationale ou une identité ancestrale). Mais, en même temps, on partage la croyance selon laquelle la vraie richesse du pays réside dans son potentiel, non tellement dans ce qu'il est, mais dans ce qu'il peut devenir. Ce potentiel, faut-il le rappeler, se mesure aujourd'hui en dollars et en marchés. Le Québec, du fait de sa situation géographique et politique, vit ce paradoxe de façon peut-être plus intense que la plupart des pays de l'Amérique latine : il est nord-américain dans ses ambitions, ce qui l'apparente à Caliban, mais il est aussi, par sa sensibilité profonde, proche d'Ariel.

J'aimerais maintenant changer de perspective pour m'attarder sur une autre dimension du livre qui a trait au problème de l'altérité. *Raisons communes* est un livre qui surprend (du moins si l'on est sensible à cette question) par l'absence presque totale de références aux Québécois qui ne s'identifient pas à une origine canadienne-française, canadienne-anglaise ou autochtone. Il faut être juste : Dumont s'intéresse surtout au « sort de la nation française en Amérique » – aux grandes tendances de son histoire et aux enjeux de sa survie – et l'arrivée des immigrants constitue une donne qui, dans le cadre d'un devenir politique et culturel qui s'étend sur plusieurs siècles, est relativement récente. Dumont semble conscient du reproche que l'on peut être tenté de lui adresser : dans le post-scriptum du livre, il reconnaît avoir surtout insisté sur « la référence nationale » et « l'appartenance politique », tout en soulignant que cela ne veut pas dire qu'elles soient les « seuls héritages dont nous devons nous préoccuper » (p. 258). Il s'agit, bien évidemment, d'une allusion au fait que d'autres formes identitaires se superposent aujourd'hui à celles de la « dualité canadienne » traditionnelle. Cependant, il me paraît légitime de se demander pourquoi, dans un ouvrage publié en 1995, le poids grandissant des nouveaux arrivants – et de leurs enfants – dans la société québécoise n'inspire à l'auteur que quelques lignes. Je ne veux absolument pas insinuer que Dumont exclurait l'immigrant du projet de société qu'il avance. Ce qui me semble extrê-mement significatif, c'est le fait que ce livre, qui se lit autant comme une réflexion savante que comme un message politique de Dumont à ses concitoyens, n'interpelle en aucune manière ceux qui seront pourtant appelés à jouer un rôle décisif dans la construction de la société québécoise au vingt et unième siècle.

Cette absence est d'autant plus remarquable que l'une des seules fois dans le livre où Dumont réfère de manière explicite aux immigrants, c'est pour leur attribuer une importance particulière en ce qui concerne la possibilité de penser la société québécoise : « [...] lorsqu'ils sont amenés à faire face non seulement à notre langue, mais à nos manières de vivre, ils nous révèlent à nous-mêmes. On parle souvent d'accueil aux immigrants avec les accents pieux qui conviennent ; il serait utile d'aller plus loin, de nous regarder dans le miroir qu'ils nous tendent. Cela contribue à l'interprétation de ce que nous sommes » (p. 23). Et Dumont d'ajouter que les études dans ce domaine – le regard que l'immigrant porte sur le Québec – sont « malheureusement rarissimes ». Cette valorisation du nouvel arrivant l'amène à affirmer dans le même paragraphe que « les motifs de son adhésion ou de son refus définitif mettent en cause le Québec dans sa structure ». Cette intuition de Dumont me semble capitale, en ce qu'elle dévoile la difficulté du projet national québécois à voir l'immigrant comme un élément interne de transformation sociétale. Face à un projet – tout à fait légitime – qui doit surtout se définir sur la base d'arbitraires culturels (« Nous ne défendons pas la langue française parce qu'elle serait plus commode que les autres mais parce que nous l'aimons », p. 227), l'immigrant reste coincé dans une extériorité qui ne se résout, dans les mots de Dumont, qu'à travers son « adhésion » ou son « refus définitif ». Cette situation de l'immigrant n'est certes pas exclusive au cas québécois. Mais ce qui rend le Québec unique, à mon avis, c'est que l'arbitraire culturel auquel on demande à l'immigrant d'adhérer n'apparaît pas à celui-ci comme une nécessité (comme une réalité « normale » ou « naturelle », en dehors de laquelle il ne reste que la condition de marginalité ou d'exclusion), mais plutôt comme un choix. Comme Dumont le dit, « l'immigrant sait fort bien qu'il n'a pas seulement à choisir une langue, mais l'une des deux sociétés ». Or, le nouvel arrivant pourra se demander quelle est, pour lui qui a quitté sa terre natale, l'attrait d'une société d'accueil dont la culture est minoritaire, menacée, problématique.

Le défi est bien sûr de taille, notamment pour ceux qui promeuvent la souveraineté du Québec. Faut-il convaincre les néo-Québécois des avantages d'appartenir à une société francophone en Amérique, ce par le biais d'arguments utilitaristes ? Ou faut-il les séduire par un projet qu'on croit beau et passionnant, au-delà des calculs de coût et bénéfice ? Le silence de Dumont reflète peut-être le malaise de beaucoup d'intellectuels québécois face à ces questions. Dans une société de plus en plus fragmentée, la possibilité de mobiliser les citoyens en vue de la réalisation d'idéaux collectifs qui ne sont pas liés au vécu (c'est-à-dire en dehors de l'identité ancestrale, la langue, l'attachement à une géographie) est extrêmement faible. Les raisons économiques l'emportent aujourd'hui dans toutes les sphères sociétales. Très critique de cette situation, Dumont célèbre la « gratuité de la vie sociale » et condamne les politiciens qui élèvent le « réalisme économique au rang de la magie » (p. 227). Pourtant, c'est probablement un certain « réalisme économique » qui pourrait effectivement rallier les immigrants au projet de construction d'une société plus juste et plus démocratique au Québec. Ce « réalisme économique » n'est pas nécessairement l'économicisme des néolibéraux, mais la notion que les néo-Québécois seront portés à choisir la culture québécoise de langue française dans la mesure où ils sentiront que les structures de pouvoir de la société leur sont accessibles. Or, bien que les discours sur les immigrants soient nombreux sur la scène publique, il est facile de constater que très peu de politiciens et d'intellectuels s'adressent aux immigrants. Le livre de Dumont m'en paraît un exemple paradigmatique. La plupart de ceux qui viennent d'ailleurs pour s'installer au Québec – peut-on supposer – souhaitent s'intégrer à la société d'accueil. Mais tant qu'ils n'auront pas acquis un statut d'interlocuteurs à part entière dans la culture publique québécoise, ils demeureront des étrangers.

Victor ARMONY

Département de sociologie,
Université du Québec à Montréal.

Fernand DUMONT, *Une foi partagée*, Montréal, Bellarmin, 1996, 301 p.

Parue en 1996, alors que nous savions Fernand Dumont atteint par la maladie. *Une foi partagée* fut reçue un peu comme un « testament spirituel ». Pensant y trouver les réflexions ultimes et inédites d'un intellectuel croyant sur l'actualité de sa foi, le lecteur averti a pu être déçu, à la première lecture, par un « contenu » ayant des airs de « déjà vu ». En effet, comme c'est souvent le cas dans l'œuvre de Dumont, ce livre est le fruit d'une sédimentation de textes antérieurs. Il serait même l'aboutissement imprévu d'un projet d'écriture plus ancien. Un premier indice de cela nous vient de l'auteur lui-même qui affirme : « j'avais songé, et depuis long-temps, à réunir en un ouvrage de lecture aisée les éléments d'une foi partagée » et plus loin. « [d]es pages ont été publiées ici et là, tandis que je repoussais toujours plus loin mon projet » (p. 13). Un second indice nous vient d'une note des éditeurs de *Maintenant* qui, dans un numéro de la revue datant de 1971, publiaient un article de Dumont en le présentant comme le fragment d'un livre en préparation, devant faire suite à *Pour une conversion de la pensée chrétienne* et prenant la forme d'une lettre à la génération prochaine. Or, cet article est presque intégralement repris dans le chapitre trois d'*Une foi partagée*, confirmant ainsi que le présent ouvrage est le résultat remanié, vingt-cinq ans après, du projet initial jamais terminé. Cela expli-querait-il certaines références un peu datées ? Pour ne prendre qu'un exemple, pensons aux théologies dites de la « sécularisation » et de la « consécration » que Dumont choisit, au chapitre 10, comme emblématiques des enjeux de cette « culture chrétienne » qu'il appelle de ses vœux, deux thématiques qui ne sont pas sans renvoyer à des discours théologiques fort populaires dans les années soixante-dix, mais un peu loin de ceux qui animent le débat du milieu des années quatre-vingt-dix, époque de publication d'*Une foi partagée*.

Cela dit, dans une seconde lecture, ce qu'il me semble pertinent de retenir de ce livre (par-delà son contenu qui, ainsi qu'il en est toujours dans l'œuvre de Dumont, aborde des questions fondamentales avec une grande acuité sociologique et philosophique), c'est le « geste » que représente, en soi, ce texte. Constituant, en effet, plus que le témoignage original d'une conscience solitaire, ce livre naît plutôt de l'acte même de « [lier] l'existence personnelle et l'histoire commune » (p. 12) en se confrontant à ce qui peut leur donner sens. Plus que le pari d'une existence singulière se proposant « [d']avouer la raison de ses raisons » (p. 14), l'ouvrage se propose de livrer des fondements anthropologiques d'une ouverture à une réfé-rence ultime qualifiée, avec modestie et réserve par Dumont, de « transcendance sans nom » (p. 18). Cette transcendance anonyme joue, ici, le rôle d'une ouverture vers laquelle l'existence peut tendre et, par ce mouvement, s'ouvrir à un huma-nisme radical et inclusif, humanisme où réside, selon Dumont, le principe et la fin de la foi chrétienne.

Pour Dumont, la question de Dieu est concomitante à celle de l'homme (p. 300) et le croyant, aussi bien que l'agnostique, se retrouvent sur le même bateau, voguant sur cette mer de l'incertitude caractéristique d'une modernité avancée où se profile l'énigme fondamentale pour notre auteur (p. 24) : *comment croire en l'humanité ?* Cette « incertitude » contemporaine engage le sujet chrétien, conscient de la singularité de sa tradition et de la relativité de ses représentations, dans une recherche ayant résolument valeur d'universel. Dumont, en intellectuel sans com-promis et en croyant authentique, montre, au fil de son écriture, comment « la question de la *pertinence* de Dieu compromet aussi bien celui qui y croit que celui qui n'y croit pas » (p. 59). C'est ainsi qu'il met en scène une foi qui, parce qu'elle n'est jamais isolée des enjeux de la culture, ni soustraite aux aléas de l'histoire, se fait critique, c'est-à-dire « interpellation et déchirure de la sphère humaine »

(p. 120). Du cœur même de notre condition, le christianisme (en collaboration avec d'autres sources critiques au sein de la culture) devient volonté de circonscrire des lieux où l'on puisse être attentif à cette « transcendance anonyme », à cette « rupture », qui nous révèle notre finitude et notre insuffisance. La foi trouve, dès lors, son humble place au sein d'un « travail de civilisation » (p. 135) où le sujet croyant, rejoignant la condition de tout homme vivant en ce monde, « partage avec les autres les travaux et les responsabilités du monde » (p. 145), « mobilisé par les inquiétudes de l'époque aussi résolument que quiconque » (p. 147).

À la suite de Mounier, l'un de ses maître de jeunesse, il faut reconnaître que c'est d'un christianisme résolument itinérant, faible et pauvre (p. 181) que parle notre auteur, christianisme qui, en raison de cette fragilité, s'enracine sans réserve dans le drame universel de la condition humaine. Ainsi, Dumont nous montre-t-il, par l'acte même que représente son écriture d'*Une foi partagée*, la réponse à ce qu'il perçoit comme étant la question première qui se profile pour chaque croyant aujourd'hui (p. 219) : *de quel lieu peut désormais s'exprimer la condition chrétienne ?* À cette interrogation, nous ne serons pas surpris de voir le sociologue de Montmorency répondre que ce « lieu » est celui de la culture (p. 221), cette culture où l'expérience originale du sujet chrétien trouve à s'instaurer dans des pratiques, des expériences et des discours ouverts à l'universel par le truchement de cet *Autre* qu'évoque la catégorie anthropologique de « transcendance sans nom ». *Une foi partagée* devient, dès lors, la mise en œuvre d'un dialogue entre une culture chrétienne et une culture savante, le récit du périple, au sein de la modernité, d'une conscience historique aux prises avec la question de l'*Autre*... Entre les excès d'un discours froidement théorique et ceux d'une narration platement esthétique, ce livre se veut plutôt la mise en scène d'une « éthique », c'est-à-dire d'un engagement authentique et responsable dans la cité. Un tel engagement se fonde sur le désir d'établir la pertinence d'une foi anthropologique où croyants et incroyants, sans se renier, peuvent faire alliance dans la dénonciation commune des rationalités étroites qui, à notre époque, cherchent trop souvent à préserver les humains de cette dramatique (mais pourtant essentielle) confrontation à l'altérité. Cette confrontation assigne chacun à se compromettre au nom du sens et des valeurs. Le croyant n'y échappe donc pas car, « avant de se traduire en doctrine ou en morale, en explications ou en justifications, le christianisme n'est-il pas l'entrée résolue dans la tragédie de notre condition » (p. 246) ? En ce sens, le christianisme de Dumont, celui qu'il a toujours cherché à vivre par sa réflexion et son action, est un christianisme qui prend forme et se déploie à partir de ce lieu radical où naît « le projet sans cesse compromis de la culture » (DUMONT, 1994, p. 25). Sa foi est, sans conteste, un humanisme, puisqu'elle s'avoue intrinsèquement concernée par l'avenir de la culture et taraudée par les mêmes incertitudes qui traversent cette dernière (p. 256). Une foi, donc, qui est (et demeure) partagée, en ce sens qu'elle maintient délibérément ouvertes les incertitudes de la conscience au sein de la modernité, faisant de celles-ci le tremplin d'une recherche où « se rejoignent la crise de la culture et la crise du christianisme » (p. 259) dans un continuel dialogue de la civilisation avec elle-même et avec son *Autre*.

Force est donc de reconnaître que le propos d'*Une foi partagée* ne saurait être la malheureuse concession d'un esprit aux prises avec l'horizon d'une mort prochaine et qui, après un parcours scientifique pourtant remarquable, irait errer, loin des lumières de la raison, dans les sombres sentiers de la foi religieuse. Une lecture honnête de ce livre y reconnaîtra plutôt la constante d'une quête d'intelligence qui honore pleinement et totalement le projet épistémologique fondamental poursuivi par l'ensemble de l'œuvre dumontienne. Ce serait donc une grave méprise que de reléguer cet ouvrage, pour des raisons idéologiques, en marge du corpus auquel il appartient. En effet, la tentation se manifeste encore, chez certains intellectuels pourtant férus de Dumont, d'écarter, au sein de son œuvre, cette embarrassante variable qu'est la foi. Certains s'agitent donc à vouloir démontrer (comme si on en doutait !) que la pensée dumontienne est faite d'une rationalité qui se tient par elle-même (entendre ici : une rationalité pouvant faire totalement abstraction de l'appartenance chrétienne de son auteur). Or, *Une foi partagée* recèle peut-être la clé nous permettant de nous ouvrir plus sereinement à l'épistémologie qui est le ressort de cette aventure intellectuelle dont personne ne songe à remettre en doute la loyauté indéfectible à servir la cause d'une pensée rigoureuse, autonome et sans compromis. Ce livre, en effet, permet de reprendre le débat sur de nouvelles bases, par sa mise en scène d'une pensée où « savoir » et « croire », loin d'être des termes exclusifs de la connaissance, s'articulent plutôt au sein d'une critique épistémologique faite de doutes et d'aveux, qui ne quitte jamais le sol de la finitude humaine et qui, à partir de cette terre ferme, demeure néanmoins résolument ouverte sur une conception généreuse de la transcendance. Ainsi, « loin d'être la négation de la raison [la foi] la confirme dans son irrémédiable ouverture » (p. 20) et, bien qu'elle nous confronte à ce qui nous dépasse, Dumont n'eut de cesse de démontrer que cette ouverture à la transcendance ne saurait entraîner, d'aucune façon, la dévaluation de l'autonomie et de la rigueur épistémologique qui caractérise l'idéal de la modernité.

Si le christianisme auquel appartient Fernand Dumont personnalise la transcendance et, de ce fait, la particularise, il n'en demeure pas moins qu'en deçà et au-delà de cette tradition religieuse qui la nomme, cette catégorie dumontienne de transcendance concerne de manière universelle les individus et les collectivités. Elle représente la condition de possibilité de cette distance où la conscience, en pleine possession de sa responsabilité et de son autonomie, est confrontée aux enjeux d'une intelligence du réel refusant de s'aliéner dans la fabrication d'illusions et d'idoles (p. 104). Voilà pourquoi, « c'est d'abord dans la culture tout entière, là où la foi *anthropologique* est débat des valeurs, que [ces] enjeux doivent alerter chrétiens et non chrétiens, [dans la] dénonciation des pacotilles du sacré et des falsifications du christianisme [autant que dans la nécessité de] sans cesse contester les rationalités étroites et [de] reconduire au face-à-face avec la transcendance » (p. 241).

« Savoir » et « croire » ne sont ainsi que les deux faces d'une même médaille, les deux moments de ce geste, de cette tâche, de ce « pari » (p. 300) d'intelligence qui traverse, de part en part, l'itinéraire dumontien et qu'*Une foi partagée* ne fait que reprendre et expliciter davantage, montrant que « la croyance est constitutive de notre condition tout autant que la raison raisonnante » (DUMONT, 1997, p. 244). Fondée sur une foi radicalement anthropologique, sur une rigueur intellectuelle maniant avec méthode différentes disciplines du savoir contemporain et sur une ouverture à une transcendance définie d'abord et avant tout en tant qu'interpellation de notre finitude humaine, le travail d'intelligence critique de la modernité qui caractérise l'ensemble de l'œuvre de Fernand Dumont trouve une illustration singulièrement créatrice et féconde dans l'écriture d'*Une foi partagée*. C'est pourquoi, reconnaissant sans malaise à ce livre sa pleine et légitime appartenance à l'ensemble du corpus dumontien, nous sommes conduit, en définitive. à formuler cette dernière question : *qui a peur du christianisme de Fernand Dumont ?*

Marco VEILLEUX

DUMONT, Fernand

1994   *Le lieu de l'homme*, Montréal, Bibliothèque québécoise [1968].

1997   *Récit d'une émigration*, Montréal, Boréal.

Fernand DUMONT, *Un témoin de l'homme. Entretiens colligés et présentés par Serge Cantin*, Montréal, L'Hexagone, 2000, 357 p. (Entretiens.)

Autant la pensée de Fernand Dumont est-elle difficile d'accès dans ses travaux d'épistémologie, autant est-elle claire et limpide dans ses très nombreux entretiens enregistrés à la radio et à la télévision et dans ses entrevues publiées dans les revues, journaux ou magazines. Cette parole toujours vivante de Fernand Dumont était jusqu'à récemment dispersée dans des médias peu accessibles. Aussi faut-il souligner le grand intérêt d'avoir rassemblé les principaux entretiens du célèbre sociologue, donnés entre 1965 et 1996, dans un ouvrage posthume, initiative de Serge Cantin qui a effectué un travail éditorial remarquable. Ce dernier a enlevé les redites et classé les entretiens dans quatre parties, soit le *Parcours des lieux* qui rappelle des éléments d'autobiographie qui éclaireront l'œuvre, *Croire*, *Éthique et politique* et enfin *Le Québec*. Cela donne un fort volume qui sera un complément indispensable à l'étude de l'œuvre scientifique de Fernand Dumont, mais aussi à l'analyse sociographique de toute une époque, la seconde moitié du XXᵉ siècle québécois.

Fernand Dumont s'est défini lui-même comme un professeur attablé à la construction d'une œuvre scientifique au sens fort du terme, mais aussi comme un intellectuel engagé dans la cité. Dumont lie en effet la recherche de vérité et la pertinence du savoir, deux aspects qu'il juge indissociables. Pour lui, la fonction de la science est d'axiomatiser, d'expliquer, de comprendre. Mais au besoin de rationalité et de vérité, correspond un besoin de pertinence pour l'acteur social, pour qui les choses et les événements ont une signification. « Une chose peut être exacte et n'avoir aucun sens pour moi » (p. 103), ajoutant plus loin dans l'ouvrage : « La crise que nous vivons présentement n'est pas une crise de vérité, c'est une crise de pertinence. Nos bibliothèques sont pleines de vérités. La science est pleine de vérités. Mais il semble bien que la vérité abstraite ne suffit pas pour vivre. Pour vivre, il faut des valeurs qui donnent un sens à notre vie, qui sont le sens de notre vie »

(p. 205). Cette distinction entre vérité et pertinence aide à comprendre l'importance que Dumont accordait à l'intervention des intellectuels sur la place publique.

Dumont livre dans ces entretiens quelques-unes de ses intuitions de sociologue et il élabore constamment des pistes pour des travaux à entreprendre. Soulignons au passage qu'il était un formidable collègue avec qui discuter, toujours à l'affût d'idées et de projets, invitant son interlocuteur à poursuivre plus avant l'exploration d'une des nombreuses hypothèses qu'il se plaisait à avancer ou à creuser une question laissée en suspens. Citons ce qu'il dit des classes moyennes. « En effet, les gens de la classe moyenne sont habituellement en ascension sociale ; or, il est reconnu que les individus qui sont en ascension sociale visent les valeurs les plus officielles, d'où une plus grande tendance au conformisme » (p. 259). Ailleurs, il expliquera les causes de la désaffection envers la religion structurée et rigidement codifiée de l'Église catholique canadienne-française, affirmant qu'on n'était pas vraiment préparé à vivre une foi fondée sur des convictions personnelles. Au fil des entretiens, Dumont commente et explique le contenu de ses livres à l'intention d'un grand public. On retiendra en particulier ce qu'il dit du *Lieu de l'homme* et de son ouvrage *Genèse de la société québécoise*. Qui pouvait mieux que lui expliquer ses intentions ?

Dumont fait preuve dans ses entretiens d'un fort esprit critique sur son temps et sur sa société. Il critique l'école, l'État, l'université, un certain nationalisme, le monde des affaires, l'Église. Il s'anime en remettant en cause la « cuisine ecclé-siastique » ou le jansénisme à l'égard de la sexualité par exemple. Mais s'il remet en question l'ordre établi et certaines certitudes, il le fait à la manière de celui qui s'interroge bien plus qu'à la manière de celui qui sait – « je crois à la vertu de l'interrogation » (p. 330) –, n'hésitant pas à confesser ses malaises.

Il ressort nettement de ces entretiens que Dumont est un homme de la tradition, un homme de foi qu'inquiète la sécularisation accélérée du monde dans lequel il vit et ce qu'il nomme la crise spirituelle. Mais la tradition qui l'inspire est une tradition dynamique, mémoire vivante qui accueille le changement – « l'avenir se bâtit en faisant appel à ce qu'il y a de vivant dans le passé » avance-t-il (p. 203). S'il insiste sur l'importance de la mémoire, il sait aussi reconnaître les apports extérieurs, comme il l'explique en commentant son entreprise de reconstruire l'histoire du Québec. « Contrairement à ce qu'on a toujours dit, nous n'avons pas été un peuple refermé sur lui-même, mais bien un peuple ouvert à tous les vents du monde » (p. 273). Pour lui, la mémoire n'est pas un compte en banque ni une nostalgie, mais bien plutôt « une relecture sans cesse reprise sous le choc des défis du présent » (p. 90).

Ici ou là, avec le recul du temps, certains commentaires paraîtront dépassés. Rien là d'anormal et le contraire serait plutôt étonnant. Je retiendrai comme exemple les remarques de Dumont sur le Canada. Manifestement, le sociologue de Laval n'a pas bien compris le Canada contemporain, le nouveau Canada qui a profondément changé en parallèle à l'affirmation québécoise dont il a été le témoin privilégié et l'analyste éclairé. Ce que Dumont en dit est peu fondé empiriquement, quand ce n'est pas carrément inexact (« Je ne pense pas que le Canada ait vraiment intégré ses immigrants. » « C'est un pays dont la symbolique est extrêmement pauvre » (p. 310). Ailleurs il ajoutera que « le Canada, pour bon nombre de Canadiens, n'a pas de signification très particulière »).

Dans l'ensemble, la pensée de Dumont, telle qu'elle s'exprime dans une parole forcément datée, reste d'une étonnante actualité. Elle continue de nous interroger. Cet ouvrage n'a pas seulement une valeur historique. Il continue d'être pertinent au sens dumontien du terme.

Simon LANGLOIS

Département de sociologie et CEFAN,
Université Laval.

Paul-Marcel LEMAIRE, *Portrait inachevé de Fernand Dumont*, [s.l.], Les Éditions du Marais, 2000, 190 p.

L'auteur – à qui on doit aussi un *Nous, Québécois* (1993) à haute teneur nationaliste – se présente comme « un ami de longue date » qui avait « rêvé d'Écrire sur Dumont un livre important ». Il n'en dit guère plus, mais on comprend au fil du texte qu'il a fréquenté son modèle à *Communauté chrétienne*, et qu'il serait donc (ou en tout cas était) dominicain. Il nous confie d'ailleurs avoir fait fonction, en 1963, de correcteur-censeur de *Pour une conversion de la pensée chrétienne*, qu'il avait tout de suite perçu comme un essai fort « original et profond » (p. 117).

Lemaire a aussi compris, à la parution de *Récit d'une immigration*, qu'il serait bien téméraire de vouloir percer le « mystère » de ce « Québécois d'exception » et qu'il n'allait pas écrire la biographie intellectuelle projetée : « sa biographie, c'était son affaire et son secret ». Que faire alors de ces « centaines de pages de notes, de réflexions et transcriptions » ? Un portrait du professeur, de l'écrivain, de l'intellectuel, du croyant. Le peintre a longuement fréquenté et l'homme et l'œuvre, « attentif aux confidences obliques, qui lui échappent en quelque sorte et parsèment ses écrits comme ses conversations » (p. 182-183), et il nous offre un témoignage d'admiration qui enveloppe des traits précis et, par endroit, des informations nouvelles. Un portrait plutôt fiable, qui laisse néanmoins le mystère entier. Lemaire a bien tenté, sans trop insister, de faire de Dumont un exemplaire de « la première génération de véritables intellectuels québécois » (p. 45) ; il n'a pu ni voulu expliquer l'émergence de cette figure « remarquable » (René Thom) et si singulière dans le ciel du Québec.

Renonçant à traquer l'intimité de son modèle, à la « proverbiale et parfois frustrante discrétion », Lemaire n'en a pas moins tenté de mettre en lumière « l'architecture secrète qui a présidé à l'invention d'une vie ». Des mémoires de Dumont, par exemple, il fait remarquer qu'il s'agit d'une stratégie littéraire où l'enfance apparaît préfigurer les théorisations, « alors que d'évidence ses constructions théoriques [...] sont redevables de nombreuses interventions savantes » (p. 20). L'image de l'émigration, précise-t-il plus loin (p. 29), a été empruntée à Hegel, qui l'avait forgée d'après la figure d'Abraham, « pour signifier l'accession au salut philosophique ».

À ce qu'en a compris Lemaire, l'enseignement et l'écriture sont chez Dumont « des activités presque indissociables » (p. 62). Pas sûr. Celui-ci disait au contraire ne jamais enseigner ce qu'il était en train d'écrire. On en a un bon exemple avec *La dialectique de l'objet économique*, qui fit d'abord l'objet d'un cours de sociologie économique, transposée plus tard sur le plan de l'épistémologie. De même, j'étais restée perplexe devant le manuscrit des *Idéologies*, où je reconnaissais bien mal ce que Dumont enseignait à ce moment sur le sujet. À mon sens et abstraction faite du contenu lui-même, l'enseignement fut pour Dumont un métier ouvrier qu'il pratiquait sous l'éthique de l'honneur, alors que « l'orgueil d'écrire » était la liberté de l'aventure personnelle.

Je ne souscris pas non plus à la lecture que fait Lemaire des *Idéologies* : « une tentative [...] pour distinguer ce type de phénomène d'autres phénomènes voisins ou semblables » (p. 161). Non : il s'agissait plutôt d'élaborer une perspective sociologique d'ensemble, à partir d'une réflexion tout juste inspirée par le phénomène circonscrit de l'idéologie. Par ailleurs, s'il est exact que Dumont a donné *primauté* à l'action, qu'il place « au carrefour de toutes les anthropologies possibles », sa « préférence » (p. 143) allait à l'anthropologie de l'interprétation. J'aurais encore quelques objections à des détails plus mineurs, entre autres : « un parfait produit du cours classique (p. 49), qu'il n'a fréquenté que trois ans ? « il se refusait souvent à des déplacements » pour de seules raisons « d'ordre moral ou éducatif » (p. 51), alors qu'« il détestait voyager » (p. 124) et ne s'y risquait que sous l'aile d'un ange gardien ? Mais peu importe ; mes divergences de vues ne remettent pas en cause la profondeur de la compréhension ni la valeur suggestive du portrait.

D'après l'erreur dans le caractère typographique, qui indiquerait une insertion après coup, j'ai idée que Lemaire a terminé son travail sur cette belle envolée, placée modestement quelques pages avant la fin, et dont voici un extrait, sur quoi je vais terminer, pour faire court. « Il est passé parmi nous en remettant tout en question, après avoir pressenti, avant bien d'autres, des bouleversements telluriques ; [...] personnage et auteur inquiétant, agaçant, tourmentant, qui nous laisse, lui et nous, dans la nudité de notre solitude commune et la « paix » très relative d'une liberté désencombrée. » (P. 170.)

Nicole GAGNON

Département de sociologie,
Université Laval.

BIBLIOGRAPHIE DE
L'ŒUVRE DE FERNAND DUMONT[*]

LIVRES

L'Ange du matin, poèmes, Montréal, Éditions de Malte, 1952.

L'analyse des structures sociales régionales (avec Yves MARTIN), Québec, Les Presses de l'Université Laval, 1963.

Pour la conversion de la pensée chrétienne, Montréal, Éditions HMH (collection Constantes, 6), 1964 ; Paris, Éditions Mame, 1965.

Le lieu de l'homme. La culture comme distance et mémoire, Montréal, Éditions HMH (collection Constantes, 14), 1968 ; Montréal, Éditions Fides (collection Nénuphar, 67), 1994 ; Bibliothèque québécoise, 1994.

La dialectique de l'objet économique, Paris, Éditions Anthropos, 1970.

Parler de septembre, poèmes, Montréal, Éditions de l'Hexagone, 1970.

La vigile du Québec, Montréal, Éditions HMH, 1971. [Traduction anglaise, *The Vigile of Quebec*, Toronto, University of Toronto Press, 1974.]

Chantiers. Essais sur la pratique des sciences de l'homme, Montréal, Éditions HMH (collection Sciences de l'homme et humanisme, 5), 1973.

Les idéologies, Paris, Presses Universitaires de France, 1974. [Traduction espagnole. *Las Ideologias*, Buenos Aires, Caracas, Rio de Janeiro, Bogotta, Lima, Mexico, Madrid, Barcelona, Libreria El Ateneo Editorial, 1978.]

L'anthropologie en l'absence de l'homme, Paris, Presses Universitaires de France, 1981.

L'institution de la théologie. Essai sur la situation du théologien, Montréal, Éditions Fides (collection Héritage et projet, 38), 1987.

Le sort de la culture, Montréal, L'Hexagone, 1987.

Genèse de la société québécoise, Montréal, Boréal, 1993.

Raisons communes, Montréal, Boréal (collection Papiers collés), 1995.

---

[*] Cette bibliographie unit les efforts de trois chercheurs (Simon Langlois, Fernand Harvey, Jean-Philippe Warren), ce dernier ayant assuré la version finale pour rassembler l'ensemble des textes publiés de Fernand Dumont. Par malheur, elle reste incomplète, en particulier aux sections des articles de journaux et des entrevues.

L'avenir de la mémoire, Québec, Nuit blanche, 1995.

Une foi partagée, Québec, Bellarmin, 1995.

L'arrière saison, poèmes 1995, Montréal, L'Hexagone, 1996.

La part de l'ombre, poèmes 1952-1995, Montréal, L'Hexagone, 1996.

Récit d'une émigration, Montréal, Boréal, 1997.

Un témoin de l'homme. Entretiens colligés et présentés par Serge Cantin, Montréal, L'Hexagone, 2000.

PUBLICATIONS DE JEUNESSE

« Témoins de l'Esprit », *Nouvelle abeille*, IV, 5 octobre 1947, p. 62.

« Introduction », *Nouvelle abeille*, IV, 5 octobre 1947, p. 46.

« Sois présent », *Nouvelle abeille*, IV, 6 novembre 1947, p. 77-78.

« Noël et la sagesse », *Nouvelle abeille*, IV, 7 décembre 1947, p. 91.

« Nous sommes des grammairiens ! », *Nouvelle abeille*, IV, 8 février 1948, p. 106.

« À lire », *Nouvelle abeille*, IV, 8 février 1948, p. 111.

« Cité étudiante », *Nouvelle abeille*, IV, 9 avril 1948, p. 118 et 130.

« Lettre à un jeune homme équilibré », *Nouvelle abeille*, IV, 9 avril 1948, p. 120-121.

« Sommes-nous des grammairiens? », *Nouvelle abeille*, Vie étudiante, avril 1948, p. 7.

« ...Vacances intelligentes... », *Nouvelle abeille*, IV, 10 juin 1948, p. 134.

« À nos lecteurs... », *Nouvelle abeille*, V, 1ᵉʳ septembre-octobre 1948, p. 1.

« Cette génération des vivants... », *Nouvelle abeille*, V, 2 novembre 1948, p. 3.

« Spiritualité étudiante », *Nouvelle abeille*, V, 3 février 1949, p. 2.

« Devant le problème social », *Nouvelle abeille*, V, 4 mars 1949, p. 2.

« Quelle liberté ? », *Vie étudiante*, avril 1949, p. 16.

« Dimensions d'une recherche chrétienne », *Nouvelle abeille*, V, 5 mai 1949, p. 2-3.

« Trève de discours », *Vie étudiante*, mai 1949, p. 5 et 8.

« Blondel présent », *Vie étudiante*, septembre 1949, p. 9 et 12.

« Vu et lu », *Vie étudiante*, septembre 1949, p. 9.

« De ce qui aurait pu être des Prolégomènes à toute Verdure future se présentant comme étudiant », *Le Carabin*, IX, 1, 14 septembre 1949, p. 6. »

« Blondel et la pensée chrétienne », *Le Carabin*, IX, 2, 21 septembre 1949, p. 4 et 6.

« Échec de Goethe », *Vie étudiante*, octobre 1949, p. 9.

« Vu et lu », *Vie étudiante*, octobre 1949, p. 9.

« Extraits d'un journal », *Le Carabin*, IX, 6, 19 octobre 1949, p. 5.

« Les journalistes me dégoûtent », *Le Carabin*, IX, 7, 26 octobre 1949, p. 4.

« Littérature et cinéma », *Vie étudiante*, novembre 1949, p. 9.

« Extraits d'un journal (suite) », *Le Carabin*, IX, 8, 2 novembre 1949, p. 4.

« Les cahiers de Péguy », *Le Carabin*, IX, 9, 9 novembre 1949, p. 9.

« Attendre dans l'espérance », *Le Carabin*, IX, 12, 30 novembre 1949, p. 1.

« Vu et lu », *Vie étudiante*, décembre 1949, p. 9.

« Un prophète : Bernanos », *Vie étudiante*, décembre 1949, p. 9.

« Un regard sur la réalité chrétienne », *Le Carabin*, IX, 14, 14 décembre 1949, p. 2.

« Petite anthologie de la critique », *Le Carabin*, IX, 14, 14 décembre 1949, p. 5.

« Pour un examen de conscience », *Le Carabin*, mercredi 14 décembre 1949, p. 5.

« Le trésor de la Sierra Madre », *Le Carabin*, mercredi 14 décembre 1949, p. 5.

« Petite anthologie de la critique », *Le Carabin*, 14 décembre 1949, p. 5.

« Noël et la sagesse », *Le Carabin*, IX, 15, 21 décembre 1949, p. 1.

« La crise de l'histoire », *Vie étudiante*, janvier 1950, p. 9.

« Vu et lu », *Vie étudiante*, janvier 1950, p. 9.

« L'intégration des cultures », *Le Carabin*, IX, 19, 8 février 1950, p. 5.

« Tâches de l'étudiant », *Le Carabin*, IX, 20, 15 février 1950, p. 6 et 10.

« Remarques sur la poésie moderne », *Le Carabin*, IX, 21, 22 février 1950, p. 4.

« Les mal pensants », *Le Carabin*, IX, 22, 1ᵉʳ mars 1950, p. 4.

« Les étudiants et la politique », *Le Carabin*, IX, 24, 15 mars 1950, p. 4.

« L'Heure dominicale ou la maladie infantile du catholicisme », *Le Carabin*, IX, 25, 15 mars 1950, p. 1.

« La recherche intellectuelle », *Le Carabin*, IX, 25, 22 mars 1950, p. 5 et 9.

« Signification de la science du demi-siècle », *Le Carabin*, IX, 25, 22 mars 1950, p. 10.

« L'Heure dominicale », *Le Carabin*, IX, 26, 29 mars 1950, p. 1-2.

« Évocation de Descartes », *Le Carabin*, IX, 28, 19 avril 1950, p. 6.

« Travailler à l'usine : une expérience de vie », *Vie étudiante*, juin 1950, p. 6.

« Lectures de vacances », *Vie étudiante*, juin 1950, p. 8.

« Un maître inconnu », *Vie étudiante*, juin 1950, p. 9.

« Le concert de Rosaly Turek », *Le Carabin*, X, 8, 1ᵉʳ novembre 1950, p. 6.

« L'Hôte de la joie », *Le Carabin*, X, 15, 20 décembre 1950, p. 1.

« Gide tel qu'en lui-même », *Le Carabin*, X, 22, 14 mars 1951, p. 1.

« Quelle paix ? », *Le Carabin*, X, 24, 14 mars 1951, p. 1.

« Conditions de la paix : tâches présentes d'une lutte éternelle », *Le Carabin*, X, 24, 14 mars 1951, p. 6-7.

THÈSES ET MÉMOIRES

L'institution juridique : essai de situation du problème, Thèse de maîtrise, Département de sociologie, Université Laval, 1953.

La dialectique de l'objet économique, Thèse de doctorat en sociologie, Paris, Université de la Sorbonne, 1967.

L'institution de la théologie : essai sur la situation du théologien, Thèse de doctorat, Faculté de théologie, Université Laval, 1987.

DIRECTION D'OUVRAGES COLLECTIFS

avec Yves MARTIN : *Situation de la recherche sur le Canada français*, Québec, Les Presses de l'Université Laval, 1962.

avec Jean-Charles FALARDEAU : *Littérature et société canadiennes-françaises*, Québec, Les Presses de l'Université Laval, 1964.

avec Jean-Paul MONTMINY : *Le pouvoir dans la société canadienne-française*, Québec, Les Presses de l'Université Laval, 1966.

avec Jean HAMELIN : *Idéologies au Canada français, 1850-1900*, Québec, Les Presses de l'Université Laval, 1969.

avec Jean-Paul MONTMINY : *Le merveilleux dans les religions populaires*, Québec, Les Presses de l'Université Laval, 1973.

avec Jean HAMELIN, Fernand HARVEY et Jean-Paul MONTMINY : *Idéologies au Canada français, 1900-1929*, Québec, Les Presses de l'Université Laval (collection Histoire et sociologie de la culture, 5), 1974.

avec Jean HAMELIN et Jean-Paul MONTMINY : *Idéologies au Canada français, 1930-1939*, Québec, Les Presses de l'Université Laval (collection Histoire et sociologie de la culture, 11), 1978.

avec Jean HAMELIN et Jean-Paul MONTMINY : *Idéologies au Canada français, 1940-1976*, Tome I : *La presse — La littérature*, Québec, Les Presses de l'Université Laval (collection Histoire et sociologie de la culture, 12), 1981.

avec Jean HAMELIN et Jean-Paul MONTMINY : *Idéologies au Canada français, 1940-1976*, Tome II : *Les mouvements sociaux — Les syndicats*, Québec, Les Presses de l'Université Laval (collection Histoire et sociologie de la culture, 12), 1981.

avec Jean HAMELIN et Jean-Paul MONTMINY : *Idéologies au Canada français, 1940-1976*, Tome III : *Les partis politiques —L'Église*, Québec, Les Presses de l'Université Laval (collection Histoire et sociologie de la culture, 12), 1981.

avec Yves MARTIN : *Imaginaire social et représentations collectives*, Québec, Les Presses de l'Université Laval, 1982.

avec Jacques RACINE : *Situation et avenir du catholicisme québécois*, Montréal, Leméac, 2 vol., 1982.

avec Jacques DUFRESNE et Yves MARTIN : *Traité d'anthropologie médicale*, Presses de l'Université du Québec, Lyon et Québec, Les Presses de l'Université de Lyon et Institut québécois de recherche sur la culture, 1985.

Une société des jeunes ?, Québec, Institut québécois de recherche sur la culture, 1986.

avec Yves MARTIN : *L'éducation 25 ans plus tard ! Et après ?*, Québec, Institut québécois de recherche sur la culture, 1990.

La société québécoise après 30 ans de changements, Québec, Institut québécois de recherche sur la culture, 1991.

avec Simon LANGLOIS et Yves MARTIN : *Traité des problèmes sociaux*, Québec, Institut québécois de recherche sur la culture, 1994.

COLLABORATION À DES OUVRAGES COLLECTIFS

« Histoire du syndicalisme dans l'industrie de l'amiante », dans : Pierre Elliott TRUDEAU (dir.), *La grève de l'amiante*, Montréal, Éditions Cité libre, 1956, p. 123-163.

« Implications sociologiques du sous-emploi », dans : *La stabilité de l'emploi*, Québec, Les Presses de l'Université Laval, 1956, p. 75-90.

« La liberté a-t-elle un passé et un avenir au Canada français ? », dans : *La liberté*, Institut Canadien des Affaires Publiques, Montréal, 1959, p. 24-33.

« Réflexions sur l'histoire religieuse du Canada français », dans : *L'Église et le Québec*, Montréal, Éditions du Jour, 1961, p. 47-65.

« La sociologie comme critique de la littérature », dans : Fernand DUMONT et Jean-Charles FALARDEAU (dirs), *Littérature et société canadiennes-françaises*, Québec, Les Presses de l'Université Laval, 1964, p. 225-240.

« Rôle de la connaissance dans une société moderne », dans : *ICAP, l'utilisation des ressources humaines (un défi à relever)*, Montréal, Les Éditions du Jour, 1965, p. 19-37.

« Du sens nouveau de la solidarité et du leadership : des rapports entre les classes au Québec », dans : *Les inégalités socio-économiques et la pauvreté au Québec*, Lévis, Conseil du bien-être du Québec, 1965, p. 256-276.

« La société au service de l'école », dans : Jean-Paul LEFEBVRE (dir.), *Les adultes à l'école*, Montréal, Éditions du Jour, 1966, p. 21-22.

« Le sociologue et le pouvoir », dans : Fernand DUMONT et Jean-Paul MONTMINY (dirs), *Le pouvoir dans la société canadienne-française*, Québec, Les Presses de l'Université Laval, 1966, p. 11-20.

« Idéologie et conscience historique dans la société canadienne-française du XIXᵉ », dans : Claude GALARNEAU et Elzéar LAVOIE (dirs), *France et Canada du XVIᵉ au XXᵉ siècle*, Québec, Les Presses de l'Université Laval, 1966, p. 259-290.

« La sociologie et le renouveau de la théologie », dans : Laurence D. SHOOK et Guy-M. BERTRAND (dirs), *La théologie du renouveau*, II, Montréal, Fides, 1968, p. 307-318.

« Y a-t-il un progrès de la pensée ? », dans : *Mélanges à la mémoire de Charles de Koninck*, Québec, Les Presses de l'Université Laval, 1968, p. 147-159.

« Fernand Dumont », dans : *La poésie canadienne-française*, Montréal, Fides, 1969, p. 454-548.

« La recherche d'une nouvelle conscience », dans : Pierre DE GRANDPRÉ (dir.), *Histoire de la littérature canadienne-française*, III, Montréal, Beauchemin, 1969, p. 15-22.

« Enseignement, éducation et crise de civilisation », dans : *L'université, l'éducation permanente et la société*, Colloque de l'Association des Universités Partiellement ou Entièrement de Langue Française (AUPELF), Abidjan, 1970, p. 31-44.

« Ce qui a fait défaut et manque encore au Québec : un modèle de développement qui lui appartienne en propre », dans : Claude RYAN (dir.), *Le Québec qui se fait*, Montréal, Hurtubise-HMH, 1971, p. 169-174.

« Du début du siècle à la crise de 1929 : un espace idéologique », dans : Fernand DUMONT, Jean HAMELIN, Fernand HARVEY et Jean-Paul MONTMINY (dirs), *Idéologies au Canada français, 1900-1929*, Québec, Les Presses de l'Université Laval (collection Histoire et sociologie de la culture, 5), 1972, p. 1-13.

« L'Église du Québec a-t-elle un avenir ? », dans : *L'Église du Québec. Soirées de réflexion chrétienne*, Collège de Lévis, février 1972, p. 1-21.

« Préalables à une théologie de l'espérance », dans : *L'espérance chrétienne dans un monde sécularisé*, Montréal, Fides, 1972, p. 10-23 ; repris chez Beauchesne, *Le point théologique*, Paris, 1972, p. 9-24.

« À propos du concept de religion populaire », dans : *Les religions populaires — Colloque 1970*, Québec, Les Presses de l'Université Laval, 1972, p. 23-31.

« Du merveilleux », dans : Fernand DUMONT, Jean-Paul MONTMINY et Michel STEIN (dirs), *Le merveilleux*, Québec, Les Presses de l'Université Laval, 1973, p. 5-13.

« Sur le devenir de l'université au Québec », dans : René HURTUBISE (dir.), *L'Univerité québécoise du proche avenir*, Montréal, Hurtubise HMH, 1973, p. 195-223.

« Crise et espoir de la pensée chrétienne », *L'homme, les religions et la liberté*, Éditions de l'Université d'Ottawa, 1974, p. 69-105.

« Situation de la pensée chrétienne » et « L'actualisation de la tradition », dans : Robert CHOQUETTE (dir.), *L'homme, les religions et la liberté*, Ottawa, Éditions de l'Université d'Ottawa, 1974, p. 71-105.

« Remarques critiques pour une théologie du *consensus fidelium* », dans : *Foi populaire, foi savante*, Paris, Éditions du Cerf, 1976, p. 49-60.

« Le projet d'une histoire de la pensée québécoise », dans : *Philosophie québécoise*, Montréal, Bellarmin-Desclée, 1976, p. 23-48.

« La notion de progrès culturel a-t-elle un sens ? », dans : *Sociologie du progrès*, Tome 1, Paris, Éditions Anthropos, 1978, p. 275-292.

« La signification de la vie sociale et la pertinence de Dieu », dans : Marc CANDRON (éd.), *Foi et société. Acta Congressus Internationalis Theologici Lovaniensis 1976*, Paris, Duculot, 1978, p. 63-70.

« Les années 30. La première révolution tranquille », dans : Fernand DUMONT, Jean HAMELIN et Jean-Paul MONTMINY (dirs), *Idéologies au Canada français, 1930-1939*, Québec, Les Presses de l'Université Laval (collection Histoire et sociologie de la culture, 11), 1978, p. 1-20.

« Actualité de Lionel Groulx », dans : Maurice FILION (dir.), *Hommage à Lionel Groulx*, Montréal, Leméac, 1978, p. 55-80.

« Le patrimoine : pourquoi faire ? », dans : Les *Actes du colloque Place Royale*, Publications du centre de documentation, Ministère des Affaires culturelles, mars 1979, p. 35-39.

« La culture québécoise : ruptures et traditions », dans : Jean SARRAZIN (dir.), *Dossier-Québec*, Paris, Stock, 1979, p. 59-69.

« Les sciences de la religion dans la culture : questions sur l'évolution religieuse au Québec », dans : Paul STRYCKMAN et Jean-Paul ROULEAU (dirs), *Les sciences sociales et les Églises*, Montréal, Bellarmin, 1980, p. 341-363.

« Un premier bilan : quelques perspectives de recherche sur les pèlerinages », dans : Pietro BOGLIONI *et al.* (dir.), *Les pèlerinages au Québec*, Québec, Les Presses de l'Université Laval, 1981, p. 155-160.

« Une Révolution culturelle ? », dans : Fernand DUMONT, Jean HAMELIN et Jean-Paul MONTMINY (dirs), *Idéologies au Canada français, 1940-1976*, Tome I : *La presse — La littérature*, Québec, Les Presses de l'Université Laval (collection Histoire et sociologie de la culture, 12), 1981, p. 5-31.

« Crise d'une Église, crise d'une société », dans : Fernand DUMONT et Jacques RACINE (dirs), *Situation et avenir du catholicisme québécois entre le temple et l'exil*, Tome II, Montréal, Leméac, 1982, p. 11-48.

« Sur la genèse de la notion de culture populaire », dans : Gilles PRONOVOST (dir.), *Cultures populaires et sociétés contemporaines*, Sillery, Presses de l'Université du Québec, 1982, p. 27-42.

« La raison en quête de l'imaginaire », dans : Fernand DUMONT et Yves MARTIN (dirs), *Imaginaire social et représentations collectives*, Québec, Les Presses de l'Université Laval, 1982, p. 45-64.

« Bonheur et souffrance » (avec Benoît LACROIX), dans : Fernand LAURET et François REFOULÉ (dirs), *Initiations à la pratique de la théologie*, Tome IV, Paris, Éditions du Cerf, 1983, p. 673-686.

« À la jointure de la conscience et de la culture », dans : Georges VINCENTHIER (dir.), *Histoire des idées au Québec, 1837-1980*, Montréal, 1983, p. 235-243.

« Le projet d'une anthropologie médicale », dans : Fernand DUMONT, Jacques DUFRESNE et Yves MARTIN (dirs), *Traité d'anthropologie médicale*, Sillery, Presses de l'Université du Québec, Lyon et Québec, Presses de l'Université de Lyon et Institut québécois de recherche sur la culture, 1985, p. 1-39.

« Mutations de la culture religieuse au Québec », dans : William WESTFALL, Louis ROUSSEAU, Fernand HARVEY et John SIMPSON (dirs), *Religion / Culture. Comparative Canadian Studies. Études comparées*, Montréal, Ottawa, Association for Canadian Studies - Association des études canadiennes, 1985, vol. VII, p. 10-21. [Traduction anglaise, *Transformations within the Religious Culture of Francophone Quebec*, (dans le même ouvrage), p. 22-32.]

« Urgence et tradition de la philosophie », dans : Thomas DE KONINCK et Lucien MORIN (dirs) *Urgence de la philosophie*, Québec, Les Presses de l'Université Laval, 1986, p. 1-10.

« Mutations culturelles et philosophie », dans : *Philosophie et culture*, Montréal, Éditions du Beffroi, 1986, p. 45-55.

« Âges, générations, société de la jeunesse », dans : Fernand DUMONT (dir.), *Une société des jeunes ?*, Québec, Institut québécois de recherche sur la culture, 1987, p. 15-28.

« Des embarras de l'interprète à l'avenir de l'interprétation », dans : Brigitte DUMAS (dir.), *Construction / destruction sociale des idées*, Montréal, ACFAS, *Les Cahiers scientifiques*, 1987, p. 9-20.

« Culture et valeurs dans les organisations », Congrès international des psychologues du travail, dans : *Technologies nouvelles et aspects psychologiques*, Sillery, Presses de l'Université du Québec, 1987, p. 109-116.

« Poèmes », dans : Jean ROYER (Anthologie préparée par), *La poésie québécoise contemporaine*, Montréal et Paris, L'Hexagone et La Découverte, 1987, p. 53-54.

« Le français : une langue en exil », *Le français en tête*, Actes du Colloque sur l'apprentissage du français, Sainte-Foy, La Centrale, janvier 1989, p. 12-20.

« Y a-t-il une tradition culturelle au Québec ? », dans : Nadine PIROTTE (dir.), *Penser l'éducation*, Montréal, Boréal, 1989, p. 67-72.

« Une Église toujours présente », dans : *Mélanges offerts au cardinal Louis-Albert Vachon*, Sainte-Foy, Les Presses de l'Université Laval, 1989, p. 110-115.

« Science et culture : l'enjeu francophone », dans : *Francophonie scientifique : le tournant (1987-1989)*, Paris, UREF-AUPELF (collection Universités francophones, John Libbey Eurotext.), 1989, p. 31-34.

« De Laurendeau à l'intellectuel d'aujourd'hui », dans : Robert COMEAU et Lucille BEAUDRY, *André Laurendeau, un intellectuel d'ici*, Sillery, Presses de l'Université du Québec, 1990, p. 259-263.

« L'éducation : s'interroger à nouveau » et « L'éducation scolaire exige encore réflexion », dans : Fernand DUMONT et Yves MARTIN (dirs), *L'éducation 25 ans plus tard! Et après ?*, Québec, Institut québécois de recherche sur la culture, 1990, p. 11-14 et 413-419.

« Quelle révolution tranquille ? », dans : Fernand DUMONT (dir.), *La société québécoise après 30 ans de changements*, Québec, Institut québécois de recherche sur la culture, 1990, p. 13-23.

« Situation de l'Église du Québec », dans : *Les institutions québécoises, leur rôle, leur avenir*, Sainte-Foy, Les Presses de l'Université Laval, 1990, p. 77-88.

« Les idéologies : un nouveau tournant », dans : Guy LAPOINTE (dir.), *Crise du prophétisme hier et aujourd'hui*, Montréal, Fides, 1990, p. 49-58.

« Humanités et culture », dans : Jeanne DEMERS, Clément MOISAN et Gilles PAQUET, *La pratique humaniste*, Québec, Société Royale du Canada et CEFAN, 1991, p. 9-11.

« Pouvoir sur la culture, pouvoir de la culture », dans : Raymond HUDON et Réjean PELLETIER (dirs), *L'engagement intellectuel. Mélanges en l'honneur de Léon Dion*, Sainte-Foy, Les Presses de l'Université Laval, 1991, p. 161-172.

« Idéologie, historiographie, littérature : l'interprétation des sociétés globales », dans : Marc ANGENOT et Micheline CAMBRON (dirs), *Que pense la littérature ? : la littérature entre les savoirs*, Montréal, Département d'études françaises, Université de Montréal (collection *Paragraphes*), 1992, 8, p. 31-45.

« Mutation des institutions et émergence de nouvelles cultures », dans : Daniel MERCURE (dir.), *La culture en mouvement*, Sainte-Foy, Les Presses de l'Université Laval (collection Sociétés et mutations), 1992, p. 11-23.

« La sociologie et Marcel Rioux », dans : *Hommages à Marcel Rioux*, Montréal, Éditions Saint-Martin, 1992, p. 149-151.

« Gérard Bergeron », dans : Jean-William LAPIERRE, Vincent LEMIEUX et Jacques ZYLBERBERG (dirs), *Être contemporain. Mélanges en l'honneur de Gérard Bergeron*, Sillery, Presses de l'Université du Québec et École nationale d'administration publique, 1992, p. 499-500.

« L'idéologie économiste », dans : *La question sociale hier et aujourd'hui*, Sainte-Foy, Les Presses de l'Université Laval, 1993, p. 305-320.

« Approche des problèmes sociaux », dans Fernand DUMONT, Simon LANGLOIS et Yves MARTIN (dirs), *Traité des problèmes sociaux*, Québec, Institut québécois de recherche sur la culture, 1994, p. 1-22.

« La notion de région culturelle. Discussion générale », dans : Fernand HARVEY, *La région culturelle. Problématique interdisciplinaire*, 1994, IQRC, p. 189-217.

ARTICLES DE REVUES SAVANTES

« La méthodologie de la science économique d'après Nogaro », *Hermès*, automne 1951, 1, p. 55-61.

« État de la recherche filmique », *Pédagogie et Orientation*, V, 4, automne 1951, p. 305-312.

« La tâche de l'étudiant chrétien devant le monde moderne », *Pédagogie et Orientation*, V, 4, automne 1951, p. 272-285.

« La recherche intellectuelle », *Pédagogie et Orientation*, VI, 1, hiver 1952, p. 23-32.

« Conditions économiques, politiques et morales de la paix », *Hermès*, 4, été 1952, p. 63-69.

« Sociologie », *Hermès*, 5, automne 1952, p. 86-92.

« Sociologie », *Hermès*, 6, hiver 1953, p. 81-85.

« Sociologie », *Hermès*, 7, printemps 1953, p. 70-78.

« Sociologie », *Hermès*, 8, été 1953, p. 46-54.

« Sociologie », *Hermès*, 9, automne 1953, p. 52-56.

« Sociologie », *Hermès*, 11, printemps 1954, p. 70-76.

« La renaissance économique de l'Allemagne », *Hermès*, 12, été 1954, p. 38-56.

« Après la semaine sociale de Rennes », *Hermès*, 13, automne 1954, p. 19-20.

« Sociologie économique », *Hermès*, 13, automne 1954, p. 89-97.

« Sociologie économique », *Hermès*, 14, hiver 1954, p. 60-65.

« Du sociologisme à la crise des fondements en sociologie », *Recherches et débats*, Cahier 25, Paris, Fayard, 1958, p. 89-103.

« La référence aux valeurs dans les sciences de l'homme », *Anthropologica*, I, 1-2, 1959, p. 72-90.

« Pour la recherche sociographique au Canada français » (avec Jean-Charles FALARDEAU), *Recherches sociographiques*, I, 1, janvier-mars 1960, p. 3-5.

« Structure d'une idéologie religieuse », *Recherches sociographiques*, I, 2, avril-juin 1960, p. 161-187.

« Les archives de la Société historique du Saguenay » (avec Yves MARTIN), *Recherches sociographiques*, I, 3, 1960, p. 369-370.

« L'aménagement du territoire : quelques perspectives globales », *Recherches sociographiques*, I, 4, octobre-décembre 1960, p. 385-399.

« Un sondage de pratique religieuse en milieu urbain » (avec Gérald FORTIN), *Recherches sociographiques*, I, 4, octobre-décembre 1960, p. 500-502.

« Aménagement du territoire et sociologie » (avec Yves MARTIN), *Cahiers de géographie du Québec*, 10, avril-septembre 1961, p. 257-265.

« Introduction à une sociologie du Canada français » (avec Guy ROCHER), *Recherches et débats*, Cahier 34, Paris, Fayard, 1961, p. 13-38, repris dans : Marcel RIOUX et Yves MARTIN (dirs), *La société canadienne-française*, Montréal, Hurtubise-HMH, 1971, p. 189-207.

« Un chantier : la sociologie politique », *Recherches sociographiques*, II, 3-4, juillet-décembre 1961, p. 289-291.

« L'étude systématique de la société globale canadienne-française », *Recherches sociographiques*, III, 1-2, janvier-août 1962, p. 277-292.

« Idéologie et savoir historique », *Cahiers internationaux de sociologie*, XXXV, juillet-décembre 1963, p. 43-60.

« Note sur l'analyse des idéologies », *Recherches sociographiques*, IV, 2, mai-août 1963, p. 155-165.

« Recherches sur les groupements religieux », *Social Compass*, X, 2, 1963, p. 171-191.

« La sociologie comme critique de la littérature », *Recherches sociographiques*, V, 1-2, janvier-août 1964, p. 225-240.

« La représentation idéologique des classes au Canada français », *Recherches sociographiques*, VI, 1, janvier-avril, 1965, p. 9-22. (Repris dans *Cahiers internationaux de sociologie*, XXXVIII, janvier-juin 1965, p. 85-98.)

« Le sociologue et le pouvoir », *Recherches sociographiques*, VII, 1-2, janvier-août, 1966, p. 11-20.

« La notion d'urbanisation », *Recherches sociographiques*, IX, 2, 1968, janiver-août, p. 130-132.

« Le père et l'héritage », *Interprétation*, III, 1-2, janvier-juin 1969, p. 11-23.

« Idéologies au Canada français, 1850-1900 : quelques réflexions d'ensemble », *Recherches sociographiques*, X, 2-3, mai-décembre 1969, p. 145-156.

« Le temps des aînés », *Études françaises*, V, 4, novembre 1969, p. 467-472.

« La fonction sociale de l'histoire », *Histoire sociale / Social History*, 4, novembre 1969, p. 5-16.

« La notion de religion populaire », *Cahiers du Centre d'étude des religions populaires*, Montréal, Institut d'études médiévales, 1970, p. 23-31.

« Lucien Goldmann », *Cahiers internationaux de sociologie*, L, janvier-juin 1971, p. 143-146.

« Le rôle du maître : aujourd'hui et demain », *Action pédagogique*, 17, avril 1971, p. 49-61.

« Présentation », *Recherches sociographiques*, XIV, 2, 1973, p. 153-155.

« Dans ce numéro », *Recherches sociographiques*, XV, 1, 1974, p. 7-8.

« Itinéraire sociologique », *Recherches sociographiques*, XV, 2-3, 1974, p. 255-261.

« In memoriam : Jean-Charles Bonenfant » (avec Jean-Charles FALARDEAU), *Recherches sociographiques*, XVIII, 1, 1977, p. 7.

« La notion de progrès culturel a-t-elle un sens? », *Travaux et communications*, 3, 1977, p. 46-59.

« Mouvements nationaux et régionaux d'aujourd'hui », *Cahiers internationaux de sociologie*, LXVI, janvier-juin 1979, p. 5-17.

« L'idée de développement culturel : esquisse pour une psychanalyse », *Sociologie et sociétés*, XI, 1, avril 1979, p. 7-31.

« La religion dans une culture en mutation », *Critère*, 32, automne 1981, p. 99-113.

« La raison en quête d'imaginaire », *Recherches sociographiques*, XXIII, 1-2, janvier-août, 1982, p. 45-64.

« À Jean-Charles Falardeau », *Recherches sociographiques*, XXIII, 1-2, 1982, p. 7-8.

« Une contribution à l'histoire de la philosophie au Québec », *Philosophiques*, X, 1, avril 1983, p. 119-126.

« Situation du travail : en quête d'une éthique », *Cahiers de recherche éthique*, 10, 1984, p. 11-22.

« Pour participer à un dialogue », *Sociologie et sociétés*, XIV, 2, octobre 1982, p. 170-174.

« La culture savante : reconnaissance du terrain », *Questions de culture*, I, 1982, p. 18-34.

« D'une culture à une autre ? », *Questions de culture*, III, 1982, p. 9-10.

« Pour situer les cultures parallèles », *Questions de culture*, III, 1982, p. 15-34.

« La recherche sur la culture québécoise » (avec Fernand HARVEY), *Recherches sociographiques*, XXVI, 1-2, 1985, p. 85-118.

« Histoire du catholicisme québécois, histoire d'une société », *Recherches sociographiques*, XXVII, 1, 1986, p. 101-125.

« Permanence de la sociologie », *Cahiers de recherche sociologique*, 14, printemps 1990, p. 9-20.

« La religion dans une culture en mutation », *Critère*, 32, automne 1991, p. 99-113.

« Poursuite d'un dialogue », *Études françaises*, 31 : 2, Automne 1995, p. 105-111.

« Essor et déclin du Canada français », *Recherches sociographiques*, 38, 3, 1997, p. 419-467.

AUTRES ARTICLES DE REVUES

« Sociologie religieuse et pastorale », *Ad Usum Sacerdotum*, II, 3, décembre 1955, p. 67-70.

« De quelques obstacles à la prise de conscience chez les Canadiens français », *Cité libre*, 19, janvier 1958, p. 22-28.

« Éléments pour une psycho-sociologie de la prière », *Seigneur, apprenez-nous à prier*, Numéro spécial de la revue *Carmel*, 1958, p. 115-127.

« La présence du pauvre », *Chantier*, 1, 2, décembre 1958, p. 1-11.

« Contexte sociologique de cette étude », *Prêtre, aujourd'hui*, IX, 5, mai 1959, p. 199-204.

« La pastorale des ensembles : une exigence particulière à notre temps », *Cahiers de pastorale*, Institut dominicain de pastorale, 3, janvier 1960, p. 23-29.

« Sur la carte électorale et quelques problèmes connexes », *Cité libre*, 28, juin-juillet 1960, p. 5-8.

« Les sciences de l'homme et le nouvel humanisme », *Éducation des adultes*, 6, 1961, p. 20-41. Reproduit dans : *Cité libre*, 40, octobre 1961, p. 5-12.

« Enquête sociologique et mission diocésaine », *Cahiers de pastorale*, Institut dominicain de pastorale, 9, 1962, p. 24-30.

« Genèse et signification des univers sociaux contemporains », *Éducation des adultes*, 12, 1962, p. 4-18.

« La paroisse, une communauté », *Communauté chrétienne*, I, janvier-février 1962, p. 21-30.

« Noël et les rythmes de l'existence », *Communauté chrétienne*, I, 6, novembre-décembre 1962, p. 371-377.

« Scolarisation et socialisation de l'enfant pour un modèle général d'analyse en sociologie de l'éducation », dans : *Contributions à l'étude des sciences de l'homme*, V, Montréal, 1962, p. 7-27.

« Une antinomie : propagande et proclamation de la Parole de Dieu », *Communauté chrétienne*, 2, janvier-février 1963, p. 22-28.

« Morale et moralisme », *Communauté chrétienne*, III, 13, janvier-février 1964, p. 5-15.

« Genèse et structure des univers sociaux », *Éducation des adultes*, 12, 1964, p. 19-28.

« Chrétien et socialiste », *Maintenant*, 45-48, automne 1965, p. 286-289.

« La présence du pauvre », *Communauté chrétienne*, IV, 25, septembre-octobre 1965, p. 437-442.

« Peuple sans parole », *Liberté*, VII, 5, septembre-octobre 1965, p. 405-410.

« Sur notre situation religieuse », *Relations*, février 1966, p. 36-38.

« L'authenticité de l'expérience chrétienne dans la société d'aujourd'hui », *Communauté chrétienne*, V, 29, septembre-octobre 1966, p. 380-395.

« L'expérience humaine de la faute », *Communauté chrétienne*, VI, 32-33, mars-juin 1967, p. 85-98.

« Le socialisme est une utopie », *Socialisme*, 67, 12-13, avril-mai-juin 1967, p. 67-93.

« Un Dieu qui s'éloigne », *Maintenant*, 66-67, juin-juillet 1967, p. 201-204.

« Et dans cent ans », *Le Magazine Maclean*, juillet 1967, p. 13.

« Le Canada et les États-Unis : un inquiétant voisinage », *Le monde diplomatique*, septembre 1967, p. 4.

« Jésus et la condition humaine », *Communauté chrétienne*, VII, 38-39, mars-juin 1968, p. 177-193.

« Culture » et « Violence », *Liberté*, X, 7, janvier-février 1969, p. 17-19 et p. 61-64.

« La théologie dans la rue », *Maintenant*, 82, janvier 1969, p. 22-24.

« Les chrétiens et les défis de l'histoire », *Communauté chrétienne*, VIII, 43, janvier-février 1969, p. 5-24.

« Le défi du profane », *Maintenant*, 83, février 1969, p. 57-59.

« Retour aux origines », *Maintenant*, 84, mars 1969, p. 93-95.

« Après le système chrétien », *Maintenant*, 85, avril 1969, p. 102-104.

« Service de la vérité, service des pauvres », *Maintenant*, 86, mai 1969, p. 134-136.

« Histoire, signe et sacrement », *Communauté chrétienne*, VIII, 45-46, mai-août 1969, p. 217-234.

« Pour une Église vraie », *Maintenant*, 87, juin-juillet 1969, p. 166-168.

« L'homme canadien-français », *Esprit*, juillet-août 1969, p. 30-35.

« L'impasse d'une "doctrine sociale" », *Maintenant*, 88, août-septembre 1969, p. 201-203.

« Un nécessaire engagement dans l'Histoire », *Maintenant*, 89, octobre 1969, p. 232-234.

« La mort appartient à tout le monde », *Maintenant*, 90, novembre 1969, p. 285-287.

« Le silence de l'Église du Québec », *Relations*, 344, décembre 1969, p. 348-350.

« Y a-t-il un avenir pour l'homme canadien-français ? », *Esprit*, juillet-août 1969, p. 30-35.

« Entre la vie et la fête », *Maintenant*, 92, janvier 1970, p. 21-23.

« La foi est une rencontre », *Maintenant*, 93, février 1970, p. 61-63.

« La critique déjà ? », *Maintenant*, 94, mars 1970, p. 69-71.

« Nos frères de l'Église hollandaise… et nous », *Maintenant*, 95, avril 1970, p. 125-127.

« L'Église : histoire, tradition, projet », *Communauté chrétienne*, IX, 50-51, mars-juin 1970, p. 127-146.

« L'Église du Québec sait-elle où elle va ? », *RND (Revue Notre-Dame)*, 6, juin 1970, p. 19-26.

« Mounier toujours présent », *Maintenant*, 97, juin-juillet 1970, p. 201-203.

« La spiritualité ? Une recherche dans l'histoire », *Maintenant*, 98, août-septembre 1970, 213-215.

« La crise du langage religieux », *Maintenant*, 99, octobre 1970, p. 252-254.

« Notre culture entre le passé et l'avenir », *Maintenant*, 100, novembre 1970, p. 290-292.

« Se rassembler autour des tâches urgentes », *Maintenant*, 101, décembre 1970, p. 317-319.

« Qui est donc le Christ ? », *Maintenant*, 102, janvier 1971, p. 21-23.

« Pour dénouer la crise du langage religieux », *Maintenant*, 104, mars 1971, p. 74-76.

« Ce que nous attendons du langage de l'Église », *Maintenant*, 106, mai 1971, p. 154-156.

« L'unité de l'Église et ses conditions sociales », *Lumière et vie*, XX, 103, juin-juillet 1971, p. 39-48.

« Est-ce la fin de notre question nationale ? », *Relations*, 372, juin 1972, p. 172-173.

« Socialisme et solidarités », *Maintenant*, 115, avril 1972, p. 7-11.

« L'amitié de Vincent Harvey », *Maintenant*, 120-121, décembre 1972, p. 16-17.

« Dieu est-il mort au Québec, faute de communication ? », *Forces*, 25, décembre 1973, p. 47-54.

« Expérience du CÉGEP : urgence d'un bilan », (avec Guy ROCHER) *Critère*, janvier 1973, p. 11-25.

« La langue : un problème parmi d'autres ? », *Maintenant*, 125, avril 1973, p. 7-9.

« Pit Lafrance et l'indépendance », *Maintenant*, 131, 1973, p. 7.

« En attendant la prochaine » (avec Jacques GRAND'MAISON), *Maintenant*, 131, décembre 1973, p. 4-5.

« Quelle opposition ? », *Maintenant*, 131, décembre 1973, p. 32-34.

« À quoi ça sert de s'instruire ? », *Le Magazine Maclean*, p. 20-22.

« L'expression de la foi », *Communauté chrétienne*, XIII, 73, janvier-février 1974, p. 11-19.

« Pourquoi cet examen du Devoir ? », *Maintenant*, 132, janvier 1974, p. 5-6.

« Réticences d'un cheval ordinaire », *Maintenant*, 134, mars 1974, p. 24-25.

« Et qu'avons-nous fait de la culture ? », *Maintenant*, 135, avril 1974, p. 29-31.

« L'automne de la Révolution tranquille ou le deuxième cercle », *Maintenant*, 137-138, juin-septembre 1974, p. 49-50.

« L'âge du déracinement », *Maintenant*, 141, décembre 1974, p. 6-8.

« D'une révolution à une autre », *Maintenant*, 12 avril 1975, p. 6 et 10.

« Du temps des processions », *Maintenant*, 21 juin 1975, p. 17.

« Un peuple, nous ? », *Maintenant*, 21 juin 1975, p. 2.

« Le Québec et son avenir », *Les nouvelles littéraires*, juin-juillet 1975, p. ???.

« Éloge du fédéralisme », *Maintenant*, décembre 1975, p. 13.

« L'enseignement du français dans son contexte québécois », *Québec français*, 21, mars 1976, p. 12-15.

« Absence de la culture, absence de l'Église », *Relations*, 447, avril 1979, p. 121-127.

« Vers une mémoire de l'homme », *Québec français*, 40, décembre 1980, p. 66-67.

« Lettre à Marcel Rioux », *Possibles*, IV, 2, 1980, p. 33-36.

« Sciences de l'homme : de Mounier aux tâches d'aujourd'hui », *Esprit*, janvier 1983, p. 120-130.

« Redéfinir l'espérance politique », *Relations*, 507, janvier-février 1985, p. 18-19.

« Les laïcs : un thème à rajeunir », *Communauté chrétienne*, XVII, 151, janvier-février 1987, p. 7-14.

« Appauvrissement ou décentralisation de la culture ? », *La Revue du Cégep de La Pocatière*, 1, 1, hiver 1989, p. 16-17.

« Une mutation de civilisation », *L'Action nationale*, 79, 4, avril 1989, p. 401-403.

« L'avenir de la culture », *L'Action nationale*, LXXX, 1, janvier 1990, p. 20-34.

« L'indifférence religieuse dans son contexte », *Kerigma*, 24, 1990, p. 107-117.

« Pourquoi le nationalisme », *Relations*, novembre 1990, p. 267.

« Le monde religieux, parent pauvre de notre information ? », *Communauté chrétienne*, 2, 10, avril 1991, p. 17-19.

« La présence chrétienne et le pays à bâtir » (avec Jean HAMELIN), *Prêtre et pasteur*, juin 1992, p. 359-363.

« L'intellectuel et le citoyen », *Possibles*, XVII, 3-4, été-automne 1993, p. 319-333.

Extraits de poésie dans *Relations*, 632, juillet-août 1997, p. 175 et 187.

PRÉFACES

« Avant-propos » (avec Yves MARTIN), dans : Fernand DUMONT et Yves MARTIN (dirs), *Situation de la recherche sur le Canada français*, Québec, Les Presses de l'Université Laval, 1962, p. 7-8.

« Avant-propos » (avec Jean-Charles FALARDEAU), dans : Fernand DUMONT et Jean-Charles FALARDEAU (dirs), *Littérature et société canadiennes-françaises*, Québec, Les Presses de l'Université Laval, 1964, p. 7-8.

« Avant-propos » (avec Jean-Paul MONTMINY), dans : Fernand DUMONT et Jean-Paul MONTMINY (dirs), *Le pouvoir dans la société canadienne-française*, Québec, Les Presses de l'Université Laval, 1966, p. 7-8.

« Préface », dans : Louis LEAHY, *Chemins de l'esprit vers l'être. Essai sur l'existence de Dieu*, Paris, Desclée, 1969, p. 8-11.

« Préface », dans : André LAURENDEAU, *Ces choses qui nous arrivent*, Montréal, HMH, 1970, p. XI-XXI.

« Préface », dans : Jean-Luc MIGUÉ (dir.), *Le Québec d'aujourd'hui ; regards d'universitaires*, Montréal, HMH, 1970, p. 9-15.

« Préface », dans : Robert SÉVIGNY, *L'expérience religieuse des jeunes*, Montréal, Les Presses de l'Université de Montréal, 1971, p. VII-XI.

« Préface », dans : Maurice HALBWACHS, *La topographie légendaire des Évangiles en Terre Sainte : étude de mémoire collective*, Paris, Presses Universitaires de France, 1971, p. V-X.

« Préface », dans : Jean-Paul BERNARD, *Les Rouges. Anticléricalisme et nationalisme au XIXᵉ siècle*, Sillery, Presses de l'Université du Québec, 1971, p. VII-XI.

« Préface », dans : Jean PROVENCHER, *Québec sous la loi des mesures de guerre, 1918*, Montréal, Boréal, 1971, p. 17-21.

« En ce temps là, au Québec », dans *Borduas et les automatistes, Montréal, 1942-1955*, Paris, Éditeur officiel du Québec, 1971, p. 17-19.

« Préface », dans : Vincent HARVEY, *L'homme d'espérance. Recueil d'articles réunis par l'équipe de la revue* Maintenant, Montréal, Fides, 1973, p. 9-16.

« Préface », dans : Gilbert TARRAB, *Le théâtre du nouveau langage, Tome 1*, Montréal, Cercle du livre de France, 1973, p. 9-13.

« A Letter to my English-Speaking Friends », dans : Fernand DUMONT, *The Vigile of Quebec*, Toronto, University of Toronto Press, 1974, p. VII-XVII.

« Préface », dans : Hélène PELLETIER-BAILLARGEON, *Contemplation : le Carmel de Montréal*, Montréal, Fides, 1977.

« Préface », dans : Raymond DUCHESNE, *La science et le pouvoir au Québec (1920-1965)*, Québec, Éditeur officiel, 1978, p. IX-XIV.

« Préface », dans : Hubert DE RAVINEL, *L'âge démasqué*, Montréal, Éditions Quinze, 1979, p. 11-14.

« Préface », dans : Paul AUBIN, *Bibliographie de l'histoire du Québec et du Canada 1966-1975, Tome 1*, Québec, Institut québécois de recherche sur la culture, 1979, p. VII-VIII.

« Présentation », dans : « Cette culture que l'on appelle savante », *Question de culture*, 1, Québec, Institut québécois de recherche sur la culture, 1982, p. 9-11.

« D'une culture à une autre? », dans « Les cultures parallèles », *Question de culture*, 3, Québec, Institut québécois de recherche sur la culture, 1982, p. 9-10.

« Préface », dans : Normand PERRON, *Un siècle de vie hospitalière au Québec. Les augustines et Hôtel-Dieu de Chicoutimi 1884-1894*, Québec, Presses de l'Université du Québec, 1984, p. VII-XI.

« Préface », dans : José PRADÈS, *Persistance et métamorphose du sacré*, Paris, Presses Universitaires de France, 1987, p. 9-11.

« Préface », dans : André LAURENDEAU, *Artisan des passages*, Montréal, HMH, 1988, p. 13-15.

« Préface », dans : Paul-Marcel LEMAIRE, *Communication et culture*, Sainte-Foy, Les Presses de l'Université Laval, 1989, p. XIII-XV.

« Préface », dans : Lise VEKEMAN, *Soi mythique et soi historique : deux récits de vie d'écrivain*, Montréal, L'Hexagone, 1990, p. 7-9.

« Préface », dans : Françoise TÉTU DE LABSADE, *Le Québec, un pays, une culture*, Montréal, Boréal, 1990, p. 7-9.

« Préface », dans : Sylvie DAGENAIS, *Sciences humaines et méthodologie. Initiation pratique à la recherche*, Montréal, Beauchemin, 1991, p. V.

« Avant-propos », dans : Fernand DUMONT (dir.), *La société québécoise après 30 ans de changements*, Québec, Institut québécois de recherche sur la culture, 1991, p. 11.

« Préface », dans : Serge CANTIN, *Le philosophe et le déni du politique*, Sainte-Foy, Les Presses de l'Université Laval, 1992, p. XI-XIV.

« Un défi inchangé », dans : Pierre VADEBONCŒUR, *La ligne du risque*, Montréal, Bibliothèque québécoise, 1994, p. 7-11.

*PRINCIPAUX ARTICLES DE JOURNAUX**

« Poésie et structures sociales », *Le Devoir*, 31 janvier 1953.

« Philosophie et aliénation », *Le Devoir*, 7 mars 1964, p. 9.

« Fernand Dumont énumère trois tâches immédiates du socialisme au Québec », *Le Devoir*, 13 février 1967, p. 9.

« Y a-t-il un avenir pour l'homme canadien-français ? », *Le Devoir*, 30 juin 1967, p. 4.

« Mémoire d'André Laurendeau », *Le Devoir*, 6 juin 1968, p. 4.

« Nous entrons dans l'époque de la critique des sacrements », *Le Devoir*, 11 janvier 1969, p. 13.

« Paul VI et les hommes d'ici », *Le Devoir*, 24 janvier 1969, p. 4.

« Le prix du gouverneur général », *Le Devoir*, 24 mai 1969, p. 4.

« Accepter un prix du gouverneur, est-ce abdiquer sa liberté ? », *Le Devoir*, 9 juin 1969, p. 9.

« L'Église, pour donner un sens à l'histoire, doit poursuivre des projets collectifs », *Le Devoir*, 22 janvier 1970, p. 14.

« André Laurendeau », *Le Devoir*, 4 avril 1970, p. 5.

« Les tâches prochaines du nationalisme : 1) démystifier l'économie », *Le Devoir*, 9 juin 1970, p. 5.

« Tâches prochaines du nationalisme : 2) dialoguer avec les anglophones et les minorités françaises », *Le Devoir*, 10 juin 1970, p. 5.

---

* Fernand Dumont a publié de très nombreux articles de journaux. Il nous a été impossible de les recenser tous.

« Manseau. Enfin, on s'occupe de la culture ! » (avec Vincent HARVEY), *Le Devoir*, 6 août 1970, », p. 4.

« Nécessité d'une église engagée au niveau des fins », *L'Action catholigique*, 13 novembre 1970, p. 2.

« Un modèle de développement qui lui soit propre », *Le Devoir*, 30 décembre 1970, p. A-3.

« Les grands responsables d'une certaine érosion de l'opinion », *Le Devoir*, 30 avril 1971, p. 4.

« Une science humaine, opposée aux sciences de l'homme », *Le Devoir*, 4 septembre 1971, p. 11 et p. 15.

« Sur la situation de la théologie », *Le Devoir*, 27 septembre 1971, p. 4.

« L'avènement du multiculturalisme », *Le Devoir*, 26 octobre 1971, p. 5.

« Souvenir et présence de Lionel Groulx », *Le Devoir*, 25 mai 1972, p. 5.

« Il y a chez nous un monde des pauvres », *Le Soleil*, 30 mai 1972, p. 12.

« Vincent Harvey », *Le Devoir*, 12 octobre 1972, p. 4.

« Montmorency : si c'était un pays », *Le Devoir*, 28 octobre 1972, p. 5.

« Sur cette défunte culture générale », *Le Devoir*, 16 décembre 1972, p. 15 et p. 21.

« Soljenitsyne ou le salut de l'histoire », *Le Devoir*, 27 janvier 1973, p. 13.

« Pit Lafrance s'accroche au joual », *Le Devoir*, 23 février 1973, p. 5 et p. 7.

« Le chrétien doit s'engager », *Le Soleil*, 25 octobre 1973, p. 10.

« Après ce 29 octobre, nous avons toujours le goût du Québec » (avec Jacques GRAND'MAISON et Hélène PELLETIER-BAILLARGEON), *Le Devoir*, 3 novembre 1973, p. 5.

« Par-delà les fanatismes, où en est dont le Québec ? », *Le Devoir*, 27 novembre 1973, p. 5.

« Le centenaire d'Olivar Asselin », *Le Devoir*, 16 juillet 1974, p. 13.

« La question de la langue se pose toujours », *Le Devoir*, 31 juillet 1974, p. 5.

« Monique Corriveau, écrivain », (avec Cécile DUMONT), *Le Devoir*, 16 juillet 1976, p. 4.

« Laval en grève : de quelle université s'agit-il ? », (avec Jean HAMELIN et Louis O'NEILL), *Le Devoir*, 23 septembre 1976, p. 4 et 6.

« Du référendum au dictionnaire », *Le Devoir*, 28 juillet 1980, p. 13.

« Remise du prix Esdras-Minville à Fernand Dumont », *L'information nationale*, octobre 1980, p. 10-11.

« Le sort de la culture », *Le Devoir*, 12 mars 1982, p. 15.

« Dix années, c'est peu dans le vie d'une Église », *Le Devoir*, 8 avril 1982, p. 21.

« Parlons américains si nous le sommes devenus ! », *Le Devoir*, 3 septembre 1982, p. 17.

« La classe du samedi », *Le Devoir*, 17 septembre 1982, p. 7.

« De Laurendeau à l'intellectuel d'aujourd'hui », *Le Devoir*, 1ᵉʳ avril 1989, p. A-9.

« Peut-on interpréter la société québécoise, aujourd'hui ? », *Le Soleil*, 12 octobre 1989, p. A-19.

« L'Urgence d'examiner notre système d'éducation », *Le Devoir*, 21 novembre 1991, p. B-2.

« L'histoire de la Confédération est celle d'un échec », *Le Devoir*, 20 février 1992, p. A-7.

« La confédération ou l'histoire d'un échec-1 », *Le Devoir*, 2 avril 1992, p. B-8.

« La confédération ou l'histoire d'un échec-2 », *Le Devoir*, 3 avril 1992, p. B-8.

« La philo dans l'étau », *Le Devoir*, 4 mars 1993, p. A-7.

« La prochaine révolution nécessaire », *Le Devoir*, 30 mars 1993, p. 1 et p. 12.

« Que reste-t-il d'octobre ?, *Le Devoir*, 7-8 octobre 1995, p. 1 et p. 14.

ENTREVUES PUBLIÉES

« L'État, la gauche et la droite », *Socialisme*, 64, 3-4, hiver 1964, p. 31-37.

« Chrétienté impuissante, défis d'aujourd'hui », *Maintenant*, 50, février 1966, p. 52-56.

« La société au service de l'école », dans : Jean-Paul LEFEBVRE, *Les adultes à l'école*, Les Éditions du Jour, Montréal, 1966, p. 21-22.

« Pour sortir du ghetto : une antrhopologie nouvelle », *Maintenant*, 50, février 1966, p. 55-56.

« Nous entrons dans l'époque de la critique des sacrements », *Le Devoir*, 11 janvier 1969, p. 12.

« Octobre 70, bataille de la démocratie », *Point de mire*, II, 2, 2 décembre 1970, p. 16-17.

« À propos du Rapport Dumont », *RND (Revue Notre-Dame)*, mai 1972, p. 20-26.

« Fernand Dumont » dans : Société Radio-Canada, *Au bout de mon âge*, Montréal, Éditions Hurtubise-HMH, 1972, p. 199-215.

« Il y a dans l'histoire de l'Église... », *RND (Revue Notre-Dame)*, 5, mai 1972, p. 20-26.

« Les alentours du Rapport Dumont », *Maintenant*, 113, février 1972, p. 12-17.

« Propos de Fernand Dumont lors des réponses aux questions de l'auditoire à l'*Église du Québec. Soirées de réflexion chrétienne* », Lévis, février 1972, p. 17-21.

« La pratique doit passer par la foi », *RND (Revue Notre-Dame)*, décembre 1973, 11, p. 16-26.

« La pratique religieuse au Québec », *RND (Revue Notre-Dame)*, décembre 1973, 11, p. 1-2.

« Il faut recharger les institutions », *RND (Revue Notre-Dame)*, 11, décembre 1975, p. 16-28.

« Les lieux de Fernand Dumont », *Le Soleil*, 15 novembre 1975, p. ???.

ROYER, Jean, « Des travailleurs du langage », dans : *Pays intimes*, Montréal, Leméac, 1976, p. 155-167.

« La crise des valeurs », *Cahiers de recherche éthique*, 1976, 4, p. 135-150.

« L'engagement, une question de force et de tendresse », *RND (Revue Notre-Dame)*, 8, septembre 1977, p. 13-28.

« Les âges de la vie », *Critère*, 16, hiver 1977, p. 93-103.

« Une mutation en douce », *L'Actualité*, mars 1977, p. 6-10.

« Fernand Dumont », *Loisir plus*, 70, juin 1978, p. 19-26.

« L'engagement politique doit répondre à la question du sens de la vie en société », *Cahiers de recherche éthique*, 6, 1978, p. 19-26.

MARTEL, Jean, « Le débat constitutionnel en cours au Québec intéresse les chrétiens », *Le Soleil*, 25 novembre 1978, p. C-10.

BLOUIN, Jean, « Un théoricien qui ne craint pas de mettre la main à la pâte », *Perspective*, 2 décembre 1978, p. 12-16.

« Culture et communication », *Antennes. La revue québécoise des communications*, 20, 1980, p. 5-9.

« Les laïcs en 1980 », *Relations*, avril 1980, p. 113-116.

« Le vrai défi de la morale politique... », *RND (Revue Notre-Dame)*, 5, mai 1980, p. 14-27.

« Nos mœurs politiques », *RND (Revue Notre-Dame)*, 5, mai 1980, p. 1-27.

« Vers une mémoire de l'homme », *Québec français*, 40, décembre 1980, p. 66-67.

« Le Québec, une société sans espoir ? », *Le Soleil*, 18 septembre 1982, p. B3.

« Avec Dieu on n'est jamais tranquille », *RND (Revue Notre-Dame)*, 3, mars 1983, p. 16-27.

« Le goût du Québec renaît », *Le Soleil*, 9 janvier 1988, p. B-3.

« À l'écoute de Fernand Dumont », animateur : Wilfrid LEMOYNE, les entreprises Radio-Canada, *Les transcriptions Radio*, Société Radio Canada, 8 janvier 1989, p. 1-47.

« Les grandes questions demeurent et le besoin d'idéal aussi », *RND (Revue Notre-Dame)*, 3, mars 1989, p. 16-28.

« De nouvelles interrogations s'imposent », *Forces*, 92, hiver 1991, p. 28-31.

« Le monde religieux, parent pauvre de notre information », *Communauté chrétienne*, vol. 2, 1991, p. 17-19.

LEFEBVRE, Jean-Paul, « Rencontre avec Fernand Dumont (…). L'avenir de l'Église du Québec », *Présence*, 1, 7, décembre 1992, p. 20-21.

CHABOT, Claire, « Qui sommes-nous ? », *Québec science*, novembre 1993, p. 24-27.

LEBLANC, Gérard, « Sociologue chrétien et nationaliste », *La Presse*, 31 décembre 1993, p. B1.

VENNE, Michel, « La prochaine révolution nécessaire », *Le Devoir*, 30 mars 1993, p. A1.

« Croire : la raison qui s'aventure », *Aspects sociologiques* (Université Laval), novembre 1994, p. 32-36.

BOIVIN, Aurélien et Cécile DUBÉ, « De la culture appelée québécoise », *Québec français*, été 1994, p. 64-68.

STAPINSKY, Stéphane, « La genèse de la société québécoise et ses suites : rencontre avec Fernand Dumont », *Les cahiers d'histoire du Québec au XXe siècle*, 1, hiver 1994, p. 79-92.

CYR, Luc, « Le lieu d'un homme », *Lectures*, avril 1995, p. 7-8.

LESAGE, Gilles, « La nécessité du dépassement », *Le Devoir*, 23 avril 1995, p. D-1.

VASTEL, Michel, « Le bilan de Fernand Dumont », *L'Actualité*, 15 septembre 1996, p. 86-92.

COMPTES RENDUS

PORRET, Eugène, *Berdiaeff, prophète des temps nouveaux*, Delachaux, 1951 ; FRIEDMANN, Georges, *Où va le travail humain?*, Gallimard, 1950 ; WEIL, Simone, *La condition ouvrière*, Gallimard, 1951, dans : « Berdiaeff, Friedmann, Weil », *Hermès*, hiver 1951, p. 86-89.

BLANCHARD, Raoul, *Le Canada français : Province de Québec. Étude géographique*, Paris, Fayard, 1960, dans : *Recherches sociographiques*, I, 1, 1960, p. 115-116.

GALARNEAU, Claude, *Edmond de Nevers, essayiste*, Sainte-Foy, Les Presses de l'Université Laval, dans : *Recherches sociographiques*, I, 1, 1960, p. 111-112.

HAMELIN, Jean, Jacques LETARTE et Marcel HAMELIN, « Les élections provinciales dans le Québec », dans : *Cahiers de géographie de Québec*, 4 : 7, octobre 1959 - mars 1960, p. 5-207, dans : *Recherches sociographiques*, I, 3, 1960, p. 376-378.

LORTIE, Léon et Adrien PLOUFFE (dirs), *Aux sources du présent*, University of Toronto Press, 1960, dans : *Recherches sociographiques*, I, 2, 1960, p. 230-231.

RUMILLY, Robert, *Histoire de la Province de Québec*, tome XXXII, *La dépression*, Montréal, Fides, 1959, dans : *Recherches sociographiques*, I, 3, 1960, p. 378.

« Le mouvement littéraire de Québec », 1860, numéro spécial de la *Revue de l'Université d'Ottawa*, 31, 2, avril-juin 1961, p. 136-349 ; dans : *Recherches sociographiques*, II, 2, 1961, p. 265.

HAMELIN, Jean, *Économie et société en Nouvelle-France*, Sainte-Foy, Les Presses de l'Université Laval, 1960, dans : *Recherches sociographiques*, II, 2, 1961, p. 263-264.

HÉBERT, Gérard, *Les Témoins de Jéhova. Essai critique d'histoire et de doctrine*, dans : *Recherches sociographiques*, II, 1, 1961, p. 115.

« Rapport de l'archiviste de la province de Québec pour 1959-1960 », Québec, Roch Lefebfre, Imprimeur de la reine, 1961, dans : *Recherches sociographiques*, III, 3, 1962, p. 381.

SÉGUIN, Robert-Lionel, *La sorcellerie au Canada français du XVIIe au XVIIIe siècles*, dans : *Recherches sociographiques*, III, 3, 1962, p. 380-381.

ECCLES, W.J., *Frontenac*, Montréal, HMH, 1962, dans : *Recherches sociographiques*, IV, 1, 1963, p. 118-119.

HAMELIN, Jean et André BEAULIEU, *Guide de l'étudiant en histoire du Canada*, Sainte-Foy, Les Presses de l'Université Laval, 1965, dans : *Recherches sociographiques*, VI, 1, 1965, p. 93-94.

BARNARD, Julienne, *Mémoires Chapais*, Montréal, Fides, tome I, 1961 ; tome II, 1961 ; tome III, 1964 ; dans : *Recherches sociographiques*, VI, 1, 1965, p. 87-89.

VACHON, André, *Histoire du notariat canadien, 1621-1960*, dans : *Recherches sociographiques*, VI, 2, 1965, p. 202.

Dictionnaire biographique du Canada, volume premier : *De l'an 1000 à 1700,* dans : *Recherches sociographiques,* VII, 3, 1966, p. 639.

BIBAUD, Michel, *Histoire du Canada sous la domination française* et *Histoire du Canada et des Canadiens sous la domination anglaise,* dans *Recherches sociographiques,* XXII, 1, 1971, p. 123.

CHAMPAGNE, Maurice, *La violence au pouvoir (essai sur la paix),* dans *Livres et auteurs québécois,* 1971, p. 237-238.

FAUCHER, Albert, *Québec en Amérique au XIXe siècle. Essai sur les caractères économiques de la Laurentie,* Montréal, Fides, 1973, dans : *Recherches sociographiques,* XIV, 3, 1973, p. 401-402.

GROULX, Lionel, *Mes mémoires, tome 2, 1920-1928,* dans : *Livres et auteurs québécois,* 1971, p. 218-219.

GRAND'MAISON, Jacques, *La seconde évangélisation, tome 1 : Les témoins,* dans : *Maintenant,* 127, juin 1973, p. 14.

RUMILLY, Robert, *Maurice Duplessis et son temps,* Montréal, Fides, 1973, dans : *Maintenant,* 129, octobre 1973, p. 32.

LEMOINE, Roger, *Napoléon Bourassa,* Montréal, Fides, 1972, dans : *Recherches sociographiques,* XIV, 1973, p. 411.

TREMBLAY, Jean-Paul, *Napoléon Aubin,* Montréal, Fides, 1972, dans : *Recherches sociographiques,* XIV, 1973, p. 411.

WALLOT, Jean-Pierre, *Un Québec qui bougeait. Trame socio-politique au tournant du XIXe siècle,* Montréal, Boréal Express, 1973, dans : *Recherches sociographiques,* XIV, 3, 1973, p. 402-404.

ARÈS, Richard, *L'Église et les projets d'avenir du peuple canadien-français,* Montréal, Bellarmin, 1973, dans : *Livres et auteurs québécois,* 1974, p. 306-307.

LEJEUNE, Paul, *Le missionnaire, l'apostat, le sorcier,* Montréal, Presses de l'Université de Montréal, 1973, dans : *Maintenant,* 133, 1974, p. 22.

MIGUELEZ, Roberto, *Sujet et histoire,* Québec, Les Presses de l'Université Laval, 1973, dans : *Livres et auteurs québécois,* 1974, p. 304-305.

LAFORTE, Conrad, *La chanson folklorique et les écrivains du XIXe siècle,* Montréal, HMH, 1973, dans : *Recherches sociographiques,* XVI, 1, 1975, p. 132.

DUPONT, J.C. (dir.), *Folklore français d'Amérique. Mélanges en l'honneur de Luc Lacourcière,* dans : *Recherches sociographiques,* XX, 2, 1979, p. 137.

LÉGER, Jean-Marc, *Vers l'indépendance,* Montréal, Leméac, 1993, dans : *L'Action nationale,* 84, 1, 1994, p. 126-127.

DOCUMENTS, RAPPORTS ET COLLOQUES

« De quelques obstacles socio-culturels à la prise de conscience chez les Canadiens français », dans : « La crise de conscience du Canada français », Rapport du Congrès des Anciens de la Faculté des sciences sociales de Laval, tenu à la Maison Montmorency, Québec, 1957, p. 20-26.

« Éducation, changement social, développement », 7ᵉ congrès de l'Union mondiale des enseignants catholiques, Montréal, août 1970, p. 11-21.

« La société de consommation doit accepter une réforme de l'esprit et des structures du système scolaire », Congrès de l'Union mondiale des Enseignants catholiques, Montréal, août 1970, p. 5.

« Commission d'étude sur les laïcs et l'Église », (Commission Dumont), L'Église du Québec : un héritage, un projet, Fides, 1971.

« Idéologie et science humaine », dans : La communication. Actes du XVᵉ congrès de l'association des sociétés de philosophie de langue française. Université de Montréal, 1971, Tome II, Montréal, Édition Montmorency, 1973, p. 157-172.

« Un premier bilan : quelques perspectives de recherche sur les pèlerinages », Les pèlerinages au Québec, Actes du 7ᵉ colloque du Centre d'études des religions populaires, Trois-Rivières, 1976, Québec, Les Presses de l'Université Laval, 1976, p. 155-160.

« Le patrimoine : Pourquoi faire? », Actes du Colloque place Royale, novembre 1978, p. 2-7.

« Culture et valeurs dans les organisations », dans : Congrès de l'Association internationale des psychologues du travail, mai 1986, p. 67-82.

« Des embarras de l'interprète à l'avenir de l'interprétation », Construction / destruction sociale des idées : Alternances, récurrences, nouveautés. Colloque annuel de l'Association canadienne des sociologues et anthropologues de langue française, ACFAS, Montréal, mai 1986, p. 9-19.

« Quelques dimensions sociologiques du projet de souveraineté », dans : Commission d'étude des questions afférentes à l'accession du Québec à la souveraineté, Exposés et études, Volume 1, Les attributs d'un Québec souverain, Québec, Assemblée nationale, 1992, p. 3-14.

TABLES RONDES

« Discussion », avec Jean-Charles FALARDEAU, Pierre SAVARD, Marcel TRUDEL, Gérald FORTIN, dans : Claude GALARNEAU et Elzéar LAVOIE (dirs), France et Canada français du XVIᵉ au XXᵉ siècle, Québec, Les Presses de l'Université Laval, 1966, p. 294-298.

« De la notion de pays à la représentation de la nation », table ronde avec Michel BRÛLÉ et Pierre PERREAULT, Cinéma Québec, I, 1, mai 1971, p. 22-27.

« Débat », table ronde avec Gary CALDWELL, Gérard BÉLANGER, Marc-Adélard TREMBLAY, Simon LANGLOIS, Jean-Pierre DESAULNIERS, Marcel FOURNIER, Gabriel GAGNON, Hélène DAVID, André-J. BÉLANGER, Henrique URBANO, Armand SALES, Jacques T. GODBOUT et Jean-Marc PIOTTE, Recherches sociographiques, XXVI, 3, 1985, p. 467-484.

« La sociologie contemporaine et ses perspectives critiques », table ronde avec Gabriel
    GAGNON, Nicole LAURIN-FRENETTE, Greg NIELSEN et Marcel RIOUX, *Sociologie et
    sociétés*, 17, 2, octobre 1985, p. 119-132.

VIDÉO

Avec Michel CÔTÉ, *Fernand Dumont I et II,* collection Sociologie et sociologues du Québec,
    Université Laval, Département de sociologie, 1981.

ABSTRACTS

Jacques BEAUCHEMIN : *Dumont : historien de l'ambiguïté*

The definition history, for Dumont, can be interpreted in three ways : 1) history as the science of interpretation ; 2) history as communitarian teleology; and 3) history as an ethical summation of the collective experience. However, these three interpretations underlie a relatively ambiguous concept. Indeed, the definition of history as the teleology of the French-Canadian adventure seems to contradict the view of it as a means of participation of all citizens, on a basis of equality, united within the same political community. In fact, it is French-Canadian history that interests Dumont, even when he claims to be examining Québec society. Moreover, the actuality of the debates surrounding nationalism in Québec and elsewhere reminds us how difficult is it to reconcile concurrent memories of experience. This article examines the ambiguity of the Dumontian definition of history in a search for its theoretical and political assumptions. It aims to show why Dumont is forced to shape a universalist conception of history in the mould of the French Canadian singularity, and concludes that the ambiguity of the definition of his concept of history is a matter for the « sciences of society » in a minority setting. Dumont's work must therefore be read in light of the tragic element that lies at the centre of Québec history and of his historical interpretation.

Anne FORTIN : *Penser à partir de Dumont la religion catholique dans la société québécoise*

Fernand Dumont's contribution to the sociology of Québec catholicism is characterized by the exploration of the memory of the Québec society that defined itself as being a religious society, as well as through openness to the future and development of Catholicism. The categories on the basis of which Dumont formed his conception of Québec Catholicism are discussed in this article, and are shown to be fruitful in interpreting the current situation. It is therefore possible to continue his line of inquiry, which has lost nothing of its keenness : according to what parameters can Christian identity be defined ? How is the relationship between faith and culture to be approached ? What is the status of the transcendent in the culture ? What can the place of Catholicism be in the contemporary public space ?

Marcel FOURNIER : *Fernand Dumont et la modernité*

Dumont, a classical sociologist ? Dumont, a thinker of modernity ? We try to answer these questions by following an original approach that aims to take into consideration not only his writings but also his speeches, including a master class in social philosophy given by Dumont in the spring of 1968. The classical opposition between traditional society and technological society provides the basic structure of his thought. The analysis proposed here aims to avoid the two traps into which one may fall in analysing writings, namely those of celebration or criticism. Instead, it seeks to follow another, more difficult approach, namely that of sociological analysis : the study of the period and of the context, of course, but also of the itinerary followed by Dumont and of the various positions in the academic and intellectual circles. A sociologist and a philosopher, Dumont finds himself in a paradoxical position : his ambition is to « historicize » his society and his personal situation, but he also seeks to give that history (and his history) a universal scope.

Gilles GAGNÉ : *L'anthropologie économique de Fernand Dumont. Sur* La dialectique de l'objet économiqu*e*

This article proposes a reading of a work by Fernand Dumont, published in 1969, *La dialectique de l'objet économique*, a work in which the author engaged in an epistemological examination of the limitations of the *axiomatic* elements of economics in relation to concrete historical totalities, and contrasted this with a *phenomenology* of the economic world, which takes as its starting point the universal phenomenon of scarcity. The article maintains, first of all, that if the critique of the paucity of abstractions in economic science and the phenomenological assessment of the elementary structures of the economic world, if conducted in parallel, could only confirm the gap that such a two-fold process would aim to fill, in the first instance by neglecting the objective and practical nature of scientific abstractions (*value*, for example), and in the second by presupposing the existence of the economic world that it projects in the categories of a general anthropology (*needs, work, decision*). The article then goes on to suggest that the thinking of Dumont, devoted to the search for new mediations between the « antinomical » terms of social practice rather than to the assessment of historical mediations that identify the « relative autonomy » of its moments, draws on the dualism of religious consciousness. The author sees an illustration of this in the fact that the relations between economic science and the economic world are proposed as specific cases of the *opposition* of the second culture to the first culture, that context of a tragic failing in which Dumont places both the possibility of conscience and the source of his misfortune rather than seeing it as a *detour* through an expressive and critical ideal of which we would have to understand the historical forms in order to recollect what we have become through them, and to retain this for the following stages.

Éric GAGNON : *Une interprétation sociologique est-elle possible ?*

Through a reading of three articles by Fernand Dumont, this article brings out three conditions for the possibility of sociological interpretation: the debate on the unity and nature of society, the reciprocal generating of facts and of values, transparency and the refusal of expertise. This analysis is methodological and draws on two examples : a typology of Dumont, a remarkable example of sociological imagination, and the sociology of health. This leads to the general conclusion that there is no sociology (nor interpretation) without memory.

Fernand HARVEY : *La mémoire, enjeu stratégique de la modernité chez Fernand Dumont*

The writings of Fernand Dumont abound with a recurrent concern about the future of memory in the societies of modernity. Culture could not exist without reference to the past, considered as an element allowing individuals and groups to situate themselves in relation to the world and to give it a meaning. In archaic societies, meaning was transmitted primarily through tradition. By making the future problematic, and therefore subject to interpretations, modern society demands a new construction of memory to give a meaning to action. The historian appears, in this regard, as a prototype of modern man, since he must give account of the prodigious opening to multiple events and of their perpetual contestation. Through the scientific process, the historian faces a phenomenon of duplication similar to that which can be observed in all the humanities : by seeking, through a methodology that is intended to be objective, to reconstitute the facts and to analyse them, he cannot avoid subjectivity, in a sense a residue of the scientific process arising out of a search for meanings that is not sufficiently explicit. Dumont proposes to found a new science of interpretation starting from this residue.

Robert LEROUX : *Fernand Dumont et la sociologie durkheimienne*

The process followed by Fernand Dumont, if examined in detail, is complex and sinuous; it draws inspiration from such a diversity of theoretical currents that at first glance it is sometimes difficult to orient oneself, as though each of the many problems that he studied demanded reference to a particular intellectual corpus. Dumont read very widely. When his thought was in its gestation period, when he initiated himself to sociological knowledge in the early 1950s, he made some fruitful and decisive discoveries. Quite early on, among the founders of sociological thought, he was particularly fascinated by Emile Durkheim. He was attracted both by the theoretical architecture of the latter's writings and by his wide views or his depth of analysis. But this is not all : in contrast to Marx or Weber, for example, Durkheim had the particular distinction of having founded a school, grouped around *L'Année sociologique*, which brought together some of the most brilliant young minds of the Third Republic, such as Marcel Mauss, Célestin Bouglé, François Simiand and Maurice Halbwachs. By studying the works of the members of the École française de sociologie, Dumont discovered an abundance of material enabling him to give additional depth to his own thinking.

Jean-Philippe WARREN : *Habitable exil. La notion d'exil et l'œuvre de Fernand Dumont*

This paper aims not to summarize the set of problems surrounding the theme of exile in the rich and complex writings of Fernand Dumont, nor to repatriate them in their entirety through a form of literary inquiry. Rather, the aim is simply to understand the articulation of his work around the theme of exile, by resituating it in the ideological literary context of Québec during the 1950s – 1960s, if only to demonstrate how attachment to a form of literary inquiry that was quite common during his time was the first condition for accession to a fully universal intellectual line of thought. Rooting a line of thought in the soil of a singular period, far from reducing it or relativizing it, reveals its scope and meaning, like an anxious gaze being cast toward the origins.

NORMES D'ÉDITION

— La revue *Recherches sociographiques* n'accepte que les documents exclusifs et inédits (article, note critique, compte rendu). Cela signifie...
a) qu'il s'agit d'un travail non publié qui n'est pas en évaluation dans une autre revue ;
b) qu'on attend d'avoir reçu une réponse de notre part avant de proposer son texte ailleurs ;
c) que le *copyright* appartient à *Recherches sociographiques*.

— Prière d'adresser les textes ainsi :
Recherches sociographiques
Département de sociologie
Pavillon Charles-De Koninck
Université Laval
Québec (Québec)
Canada G1K 7P4

— Les textes doivent être dactylographiés à **interligne double**, sur des feuilles blanches de 21,5 sur 28 cm. Paginer et laisser une marge d'au moins trois centimètres de chaque côté, en haut et en bas de la page. Également, nous faire parvenir une disquette de votre document **de préférence** sur Word.

— Indiquer, **sur une page à part**, le nom, l'adresse et le numéro de téléphone de chacun des signataires. Inscrire le titre de l'article ou de la note critique, en majuscules, en tête de la page 1.

— La longueur des articles se situera entre 20 et 30 pages soit au plus de 60 000 caractères ; celle des comptes rendus, entre 4 et 6 pages. Présenter les articles, tout comme les notre critiques, **en trois exemplaires**.

— Quant aux genres, on peut suivre l'usage traditionnel ou employer le masculin et le féminin en s'inspirant de *Pour un genre à part entière : guide pour la rédaction de textes non sexistes* (Québec, Publications du Québec, 1988).

— Les tableaux et les graphiques sont **sur des feuilles distinctes**, par ordre numérique, titrés, et leurs sources, bien identifiées. On en limitera le nombre, ne conservant que ceux jugés essentiels à la compréhension du texte, question de coût. On utilisera le Système international d'unités (SI). Si possible, livrer en prêt-à-photographier.

— Pour un sigle ou un acronyme, veuillez en indiquer le sens complet, la première fois. Par exemple, Université Laval (UL), Université du Québec à Montréal (UQAM). Par la suite, le sigle ou l'acronyme (sans points) peut suffire.

— Prière de porter une attention particulière à l'exactitude des citations et des références bibliographiques. Les citations en d'autres langues doivent être traduites en français et précédées du mot « traduction » entre parenthèses.

— Dactylographier les notes et la bibliographie **à interligne double, sur des feuilles distinctes**. Pour la bibliographie, se référer aux exemples.

CALDWELL, Gary et Simon LANGLOIS

1986   « Les cégeps vingt ans après », *Recherches sociographiques*, XXVII, 3 : 355-364.

GAUTHIER, Anne

1988   « État-mari, État-papa, les politiques sociales et le travail domestique », dans : Louise VANDELAC (dir.), *Du travail et de l'amour*, Montréal, St-Martin, 257-311.

LEMIEUX, Denise

1994   « La violence conjugale », dans : Fernand DUMONT, Simon LANGLOIS, Yves MARTIN (dirs), *Traité des problèmes sociaux*, Québec, Institut québécois de recherche sur la culture, 337-361.

Dans le cas de documents d'organisme (ministériel, parlementaire, indépendant, etc.), le sigle ou l'acronyme (sans points) identifie l'auteur.

CÉC (Conseil économique du Canada)

1970   *Les diverses formes de la croissance*, Ottawa, Imprimeur de la Reine. (« Exposé annuel », 7.).

OCDE (Organisation de coopération et de développement économique)

1981   *Statistiques de l'enseignement dans les pays de l'O.C.D.E.*, Paris, Organisation de coopération et de développement économique.

— Dans les notes ou le corps du texte, on ne fait référence qu'au nom des auteures et auteurs cités, à la date de publication si la même personne compte plus d'un titre à la bibliographie (a, b, c..., si même année) et, s'il y a lieu, à la ou aux pages. Exemple : (MOREUX, 1982, p. 17) ou (CALDWELL et LANGLOIS, 1986a, p. 395-399).

— Pour un article ou une note critique, fournir un résumé d'environ 100 mots ainsi qu'une courte note personnelle pour la rubrique. Notices biographiques (maximum 8 lignes : situation institutionnelle actuelle, quelques repères de carrière, dernière publication).

— Les articles seront publiés en français. Toutefois les articles peuvent être soumis en anglais pour fins d'évaluation. S'ils sont acceptés, l'auteur est responsable de la traduction en français, et la revue de la révision linguistique.